JN084214

The B Corp Handbook

B Corp ハンドブック
よいビジネスの計測・実践・改善

ライアン・ハニーマン ティファニー・ジャナ ＝著

鳥居希 矢代真也 若林恵 ＝監訳
B Corp ハンドブック翻訳ゼミ ＝訳

バリューブックス・パブリッシング

The B Corp Handbook, Second Edition:
How You Can Use Business as a Force for Good
by
Ryan Honeyman and Tiffany Jana

Japanese translation rights arranged
with Berrett-Koehler Publishers, Oakland, California
through Tuttle-Mori Agency, Inc., Tokyo

B Corp™ 相互依存宣言

わたしたちは、ビジネスをより良い社会をつくるための力として用いるグローバルエコノミーを目指しています。パーパスドリブンで、株主だけではないすべてのステークホルダーに恩恵をもたらす新しい会社＝B Corpによって、この経済圏は成り立ちます。B Corp、そしてこの新しいエコノミーの先達として、わたしたちは以下のことを信じています。

☞自分たちが目指す変化そのものであること
☞すべてのビジネスが、人間と風土に関係あるものとして営まれること
☞プロダクトや実践、利益を通じて、ビジネスが誰も傷つけることなく、すべての人やものにとってベネフィットとなること
☞これを実現するために、自分たちが互いに依存関係にあり、それゆえにお互いと未来の世代に対しての責任があることを理解しながら、すべてを実行すること

B Corp Declaration of Interdependence

We envision a global economy that uses business as a force for good. This economy is comprised of a new type of corporation – the B Corporation – which is purpose-driven and creates benefit for all stakeholders, not just shareholders. As B Corporations and leaders of this emerging economy, we believe:

☞ That we must be the change we seek in the world.
☞ That all business ought to be conducted as if people and place matter.
☞ That, through their products, practices, and profits, businesses should aspire to do no harm and benefit all.
☞ To do so requires that we act with the understanding that we are each dependent upon another and thus responsible for each other and future generations.

目次

自分自身を問う旅：日本語版刊行に寄せて

ライアン・ハニーマン
（代名詞：he/him/his）

この『B Corp ハンドブック』の第1版が出版されてから、いまみなさまが日本語版を手にされている第2版が出る間に、アメリカでは多くのことが起きました。トランプ政権下において、格差は広がり、人種間の対立を隠し立てするどころか、それをむしろ助長するような考え方が蔓延しました。こうした状況のなかで、これまで歴史的に周縁化され抑圧されてきたコミュニティにおいて長きにわたって行なわれてきた組織化、発信、抗議活動と、正義と解放に向けたメッセージが、ようやくアメリカのメインストリームカルチャーのなかで支持されるようになりました。アーマード・アーベリー、ブレオナ・テイラーからジョージ・フロイドの殺害にいたるまで、数多くの事件を受けて全米に広まった「#MeToo」や「Black Lives Matter」のような運動は、わたしたちの社会が大きな改革を必要としていることを多くの人に痛感させました。

B Corp ムーブメントが始まったとき、「社会的責任のある企業」と「世界をよい方向に導く力としてビジネスを利用したいという願望」が、社会変革の大きな原動力になると信じられていました。しかしいまでは、B Corp ムーブメントや、利益以上のものを重視する企業の存在だけでは、地球規模の課題をすべて解決することはできないと理解されるようになりました。わたしたちは、B Corp のコミュニティが目を向けてこなかった問題に、もっと焦点を当てる必要があります。B Corp ムーブメントは当初から地球環境や気候変動問題に取り組む企業の責任について多くを語ってきました。けれども、わたしたちの多くは、問題や解決策に対する理解が、人種、階級、特権、立場によってどのように制限されているかはまだ知らずにいたのです。

『B Corp ハンドブック』の第2版には、こうした反省が色濃く反映されています。世界は地球環境の改善に向けて、大きく前に踏み出しはじめていますが、こうした地球規模の問題は、周縁化されたコミュニティが周縁化された状態のままでは、決して解決しません。本書のなかで「ダイバーシティ、エクイティ、インクルージョン」（DEI）という言葉で語られる問題は、気候変動や環境問題と切り離されて存在しているのではなく、複雑に絡まり合っています。地球規模の課題を解きほぐすために、わたしたちは、その複雑さを理解し、自分の問題として行動しなくてはなりません。

「ジョージ・フロイド」という名前や「白人至上主義」といった言葉が

出ると、日本の読者のみなさまには、遠くの国の自分とは縁遠い出来事だと思われるかもしれません。実際、多くの日本人のビジネスの現場には、外国から来た人はほとんどいないかもしれませんし、まして周縁化されたコミュニティにおいて、無辜の市民が警官によって殺害されることが日常茶飯事といった現実も縁遠いものかもしれません。けれども、データが示すところによれば、日本でもビジネスの現場における女性の地位はけっして高いものとはいえないようですし、政治についても、アメリカと同様に政治家の家系に生まれた2世、3世の「特権的」な人物が高い地位についているといったことを見聞きします。社会のなかにジェンダーと年齢のバランスを生み出すことは、すべての人が働きやすい社会を実現する上で重要な課題です。

B Corp認証を取得するために企業が取り組まなくてはならないアセスメントは、気づかぬ間に当たり前になっていたそうしたバイアスに気づかせてくれるものでもあります。自分たちがこれまでいったいどこを向いて、誰のためにビジネスをしてきたのか、そして、それが本当に自分たちがやりたいことだったのか、深く内省を迫るものなのです。そして、そのプロセスを経るだけでも、B Corp認証に取り組む価値はあるのです。

わたしたちがこれまでつくりあげてきた社会そしてビジネス空間は、仕事と、わたしたちそれぞれの人生を遠ざけることで成り立ってきたように感じます。仕事のなかで、個々のワーカーは、「なりたい自分」を夢見ることを禁じられ、ある特定の特権的な人の夢に仕えるだけの、ただの労働力にさせられてしまってきたのではないでしょうか。企業がそういう場所である限り、ビジネスは社会の集団的な魂を傷つけるだけのものになってしまいます。

わたしたちは、会社というもの、仕事というものを再定義しなくてはなりません。B Corpムーブメントに参加している企業は、個々の持ち場において、自分たちができる最大限の可能性は何かを探りながら、日々実験を繰り返しています。B Corpのコミュニティに参加することは、有益な問いを得ることを意味しています。自分の会社が社会や環境に与えているインパクトをどう測定するのか。社会的責任のあるビジネスリーダーたちと比べて自分たちはどの程度やれているのか。どうすれば社会的・環境的パフォーマンスを向上させることができるのか。こうした問いを常に自分に問い返すことで、あなたの会社は着実に新しい道へと進むことができます。

この本は、そんな旅への招待状です。本書を通じて、この刺激に満ちた旅をともにしてくれる多くの仲間が日本に増えることを願っています。

負けず嫌いとインパクト：日本語版まえがき
鳥居希［バリューブックス取締役］
（代名詞：she/her/hers）

わたしは、小さいころ病弱でした。3歳から入った幼稚園は、ぜんそく
のような症状ですぐに退園。4歳からまた幼稚園に通いましたが、小
学校に入ると風邪をひきがちだったり中耳炎に何度もなったり、クラ
スでも断トツに欠席の多い子どもでした。ただ小学校高学年になると
食欲旺盛になって体力がついたのか、ほとんど体調を崩さないように
なりました。

体が弱かったことに加え背がとても小さく、整列するときは常に先頭
でした。小学校時代には1度だけ前から2番目になり、そのときに家
族がお祝いしてくれたことを覚えています。背が低いことはずっとコン
プレックスでしたが、大学生になって東京で生活するようになり、同
じように背が低い人と出会う機会が増えると「自分だけじゃないんだ」
と目から鱗が落ちて、身長に対して劣等感を覚えなくなりました。

生き延びるために、他人に負けない強い力をもちたい。幼少時代の弱
い体と低い身長が、ひと一倍負けず嫌いなわたしをつくったのでしょう。
それが自分なりの生存戦略だったのです。身長に関するコンプレック
スは消え体も丈夫になりましたが、その戦略だけは自分のなかに残り
ました。

特権の魅力
大学を卒業したあと、新卒で外資系の証券会社に入社しました。当時
は、証券会社での仕事に就けたこと、その後どんどん昇格していった
ことを自分の努力のおかげだと思い込み、負けず嫌いに拍車がかかり、
能力主義の権化のようになっていきました。

「この会社が崩壊して誰もいなくなったとしても、鳥居さんは最後まで
残って働いているだろうね」と笑いながら同僚に言われるほど会社に
コミットしていましたし、それを嫌味とは受け取らず、ほめ言葉とす
ら感じていました。

この証券会社時代に、「インパクト」というものをはっきり意識するよ
うになりました。金融という力を使って社会にどれだけよいインパク
トを与えられるか、つまりビジネスの血であるお金がもつエネルギーを
制御できる特権的な力に魅了されていました。その力を操れるように
なることが、会社での生存、昇進や昇給にも気づかないうちに直結し
ていたからでしょう。

その後金融危機のあおりを受け、突然会社を辞める日が訪れます。退職後、別の金融機関で働くという選択肢もありましたが、「あのインパクトを、より多くの人のために生かせたら……」とぼんやり考えながら、2014年11月に自分が育った長野県に戻り、自分で事業をつくろうと動き出しました。

外資金融出身の経歴からちやほやされることも多く、「いままでの経験を生かして起業できるだろう」と思っていましたが、すぐに現実と直面します。そのころ通っていたコワーキングスペースで出会った人たちは、ITだったり、PRだったり、経営者だったり、ひとりで仕事ができる人たちでした。すぐに何かをできないわたしは、焦るばかりでした。自分ひとりではインパクトを生み出すことができなかったのです。お金がもつ力の源泉の近くにある金融業界では、自分の努力が結果を生んでいたのではなく、構造上の特権によって仕事ができていただけだと、そのときようやく気づきました。

そんななかで相談に乗ってもらったのが、長野県の上田市を拠点に本の買取販売を行なうバリューブックスの創業者・中村大樹です。もともと友人だった彼の誘いで、バリューブックスが社員のために行なった母の日のイベントや、主催する映画の上映会を手伝ううちに、同社で働く人たちと会う機会が増えました。いつのまにか、「この会社で働いたら、自分が事業を興すより、もっとよいインパクトを出せるのではないか」と、そう考えるようになりました。

ある時、中村から「人間と本の関わりは、自分たちがこの世からいなくなっても続く。だからこそ、その関係が少しでもよくなるようなビジネスをしたい」という話を聞いて、悠久の時間の流れと自分が交わるような感覚をもち、「この人たちと同じ船に乗りたい」と強く思いました。2015年7月、バリューブックスでの日々が始まった瞬間でした。

「自分」と「会社」の重なり

長野に戻ってからバリューブックスに入る前、社会的インパクト投資について知る機会があり、その流れでB Corpを知りました。ちょうどその頃知り合った友人たちが、アメリカのサンフランシスコに起業家、投資家、教育関係者、政策立案者が集結するインパクトエコノミー・カンファレンス「SOCAP」に日本チームをつくって参加すると聞き、バリューブックス入社後でしたが無理を言って参加を決めました。

参加にあたっては、SOCAPのスピーカーだったBetter World Booksと Patagoniaの担当者とつながりをつくることが、わたしの目的のひとつでした。SOCAPに行く前に中村と話すなかで、彼がそのふたつの

会社に興味があることを知ったからです。Better World Booksは、バリューブックスがベンチマークしているアメリカの会社のひとつで、使わなくなった本を人びとから集め、NPOなどへ寄付を行なっています。調べてみると、Better World BooksはPatagoniaと同じく認証B Corp、しかも初期からのメンバーだったのです。

入社時にはB Corp認証をバリューブックスで取得することは考えていませんでしたが、もともと自分が興味をもっていた事柄と、バリューブックスという会社が交差していることに気づきました。この時、初めてバリューブックスのB Corp認証取得を意識したことを覚えています。

SOCAPの会場ではPatagoniaの環境イニシアティブ担当副社長のリック・リッジウェイさんと投資部門のフィル・グレイブスさん、Better World Books共同創業者のグザヴィエ・ヘルゲセンさんが登壇するセッションに参加しました。イベント終了後には彼らと話すことができ、それぞれの会社を訪問する約束を交わすこともできました。

そして翌年となる2016年にバリューブックスの仲間たちと、Patagonia本社、Better World Books、さらにB Labのサンフランシスコ・オフィスへと向かいました。経営の参考にしている認証B Corpの現場を見て自分たちがよりよい会社となるためのヒントを探り、B Corpについても理解を深めることが目的でした。現場を見たり、創業者や経営者から会社が進化していく過程の話を聞いたりするなかで、B Corp認証は取得して終わるものではなく、そこから改善しつづける道しるべとなるものだということを心から納得することができました。

また、旅のなかで議論を重ねることで、自分たちが行なうさまざまな取り組みにおいて、B Corpはさらにインクルーシブな指針をもたらしてくれることが理解できました。そして、志を同じくする企業と知恵や経験を共有して学び合い、実践に生かしたいと思うようになっていったのです。

仲間をつくるための出版
SOCAPのセッションでPatagoniaのリック・リッジウェイさんが「それぞれの企業はビジネスではよい競争相手だ。しかし、社会課題は大きすぎて1社ではとても手に負えるものではない。だからこうして一緒に立ち向かうんだ」と言っていたのが記憶に残っています。この言葉は、わたしたちがB Corp認証の取得を自社で進めつつ、同時に仲間も見つけていきたいと思うきっかけにもなりました。

ただ、認証取得へのプロセスで常々感じていたことですが、そこで高いハードルとなるのは言語です。B Corp の情報は、基本英語で公開されています。2022 年 4 月現在、グローバルサイトには、英語の他にスペイン語、フランス語、イタリア語、ポルトガル語が掲載されていますが、まだ日本語はありません。認証のためのスコアを計測する B インパクトアセスメントや、さまざまなガイドラインも、英語の読み書きができなければ現実的には実践が難しいのです。

本書の原著である『The B Corp Handbook』は、B インパクトアセスメントの具体的な項目に回答しアセスメントを参考に実践を重ね、B Corp を包括的に理解し解釈を深めるためにとても役立つものでした。ただ、日本語版がないために社内や社外への説明が難しく、細かい解釈をうまく伝えられないと思うことも少なくありませんでした。

「誰か翻訳して日本語版をつくってくれないかな……」。B インパクトアセスメントに取り組みながら、そう思っていた 2019 年の終わりごろ、ちょうどバリューブックスで自社の事業をよりよく理解するために出版事業を立ち上げるという動きが、Patagonia や Better World Books を一緒に訪問した社外取締役の内沼晋太郎を中心に生まれていました。

ムーブメントをつくり、どう仲間を見つけていくかという話を内沼とするなかで「出版事業の第 1 弾として『The B Corp Handbook』の日本語版を出版するのはどうか？」という提案がありました。自分たちで日本語版をつくるという選択肢はまったく考えていませんでしたが、「誰かがつくってくれるのを待っていてもしょうがない。ないのなら、自分たちでつくろう」と、この本の出版を決めました。

問題になったのは、翻訳を誰に依頼するかです。日本語に訳すことが主旨ではあるものの、B Corp の思想をきちんと取り入れたプロセスを経てアウトプットしたかったからです。何人かにプロジェクトについてヒアリングをさせてもらい、その結果をもち寄っての議論を何カ月も繰り返しましたが、そこで行なわれる毎回の会話が面白く、B Corp を日本で実践していく上で重要な対話が生まれているという実感がありました。

その結果、できるだけ開かれたプロセスで翻訳を進めたいと思うようになりました。翻訳をひとつの権威に頼るのではなく、参加するメンバーと議論しながら本をつくりたくなったのです。ある日ドキドキしながらプロジェクトチームにそのアイデアを相談してみると、「その方がしっくりくる」という返事が来ました。そこからプロジェクトは、オープンなプロセスを実現するために、編集者の若林恵さん、矢代真也さ

んとわたしの3名がアンカーとなるかたちで、ゼミをつくる方向へと進みます。その概要については巻末の「日本語版の制作について」(P.228)にまとめています。

ただ、監訳者3人のプロフィールをご覧いただくとわかるように、わたしたちは決して多様性にあふれたメンバーではありません。だからこそ、一緒にプロジェクトを進めるゼミのメンバーは、応募してくれた方々のなかから、できるだけ多様な業種や職種になるように、さらにわかる範囲でのジェンダーバランスも考慮に入れて決めることにしました。彼ら・彼女らと一緒に取り組むことで、できるだけ多様な背景を基盤とした議論にもとづいた翻訳と註を本にしたかったからです。

ゼミを通してできるだけ透明性や説明責任を重要視したプロセスを心がけていましたが、それが簡単ではないことも痛感しました。たとえば、ゼミでの課題告知から提出までが、参加者全員にとって十分な期間か？ 運営の計画を遅延なく共有できているか？ その実践は、口で言うほど簡単なものではありませんでした。

ゼミのなかで「自分たちの周りにあるコミュニティを洗い出して、そのコミュニティに対して貢献できることを考える」というテーマでグループディスカッションをしたことがあります。その結果、自分たちが身の回りのコミュニティを見られていない、想像できていないという事実が浮かび上がり、その会は重苦しい空気で終了時間を迎えました。

ダイバーシティ、透明性、説明責任を実践するのは、とても大変だと実感したプロセスでした。同時に、だからといってやらない理由にはならないことも理解できました。簡単ではないからこそ、そこに集まった仲間と知恵や経験を共有し合うことで、自分たちの実践が助けられたからです。むしろ困難な道のりを一緒に歩いたからこそ、そのつながりは強固なものになったような気がします。

2021年6月にゼミを終了したあと、メンバーと久しぶりにオンラインで集まったとき、自分が働く会社のB Corp認証申請に向けて動きはじめた、新規事業にB Corpの思想や基準を取り入れた、B Corpのアカデミアのコミュニティに参加した、などの報告をもらいました。ゼミというイベントが終わっても、それぞれが「ビジネスを良い社会のために使う」という目的に向かって進んでいることを感じられた瞬間でした。

終わりのない旅へ
バリューブックスは、2022年4月3日現在、認証B Corpの申請をまだ終えていません。2016年に一度Bインパクトアセスメントを行ない、

そこから改善を重ねつつ、時には寝かさざるを得ない、またあえて寝かせた時期を経て、2020年に社内で集まった仲間たちと手分けをして再度アセスメントに取り組みました。現在は、この2年間での変化を踏まえてさらなる更新を続けています。ここまで長いプロセスをともに歩んでいるバリューブックスのみんなには感謝しかありません。

B Corpを目指すようになってから「よい会社」についての取材を受けることも何回かありました。その度に、東京で働いていた「負けず嫌い」な自分のことを思い出します。あのころは自分が生き残ることが大事でした。さらにいえば、金融業界がもっている特権を理解できていなかったように思えます。「自分に何ができるのか」を理解するなかで、他にも力の使い方があることにようやく気づくことができました。

本書にはダイバーシティ（多様性）、エクイティ（公平性）、インクルージョン（包摂）といった概念や「周縁化されてきた人々」という言葉が何度も出てきます。それがアメリカだけでなく日本でも重要だと思えるようになったのは、特権によって生み出される従来の金融的なインパクトとは異なる、人びとが寄り添うことでかたちづくられる力を信じることができるようになったからです。それが、負けず嫌いなわたしが6年以上の旅を経てようやくたどり着いた新しい生存戦略、そしてB Corpに取り組む理由です。

2020年に版権を取得したときには、この本をみなさんにお届けできるまでに2年もかかるとは思ってもみませんでした。同時に、想像よりずっと遠くに来ることができたという実感もあります。この道は最良のものではないかもしれませんが、少なくとも自分たち、そして自分にとっては歩むと決めた道です。

この道を歩むために、そして世界中にいる仲間を見つけてともに歩みつづけるために必要なツールであるハンドブックを、多くの人たちと一緒につくりあげることができました。このハンドブックを携えて、次にふと立ち止まったときに見える景色と、新しく一緒に歩く人たちとの出会いを楽しみに実践を重ねていきます。もしよろしければご一緒しましょう。

本書の編集方針

☞本書は2019年に出版されたThe B Corp Handbook, Second Edition: How You Can Use Business as a Force for Goodの日本語版である

☞掲載されている情報は2019年出版当時のものである。最新の情報については、bcorporation.netを参照のこと

☞B Lab Companyから許諾の上で、同社の商標であるB Corporation™、B Corp™は「B Corp」、Certified B Corporation™は「認証B Corp」、B Impact Assessment™は「Bインパクトアセスメント」、B Lab™は「B Lab」、B Movement Builders™は「Bムーブメントビルダーズ」と訳し、"People Using Business as a Force for Good™"は適宜文脈に合わせて訳出した

☞本書は原文を「B Corpハンドブック翻訳ゼミ」が翻訳したテキストを元に、監訳者などが改稿したものである。翻訳の詳しいプロセスについてはP.228の「日本語版の制作について」を参照のこと

☞本文に付記された註は、日本語版編集にあたって新たに作成したものである。原文に付された註については、P.212に「原註・参考文献」としてまとめた

☞原著に収録されているローズ・マーカリオの序文を割愛し、著者のライアン・ハニーマンからの「日本語版刊行に寄せて」を収録した

☞原著に収録されていたインタビュー「B Corps in Their Own Words」については、第3章の各セクション末にまとめた。また、原文の各所に引用されているB Corp関係者の言葉は、編集の上、各セクションの冒頭に挿入した。インタビュイーの写真は各社提供のものである

☞本文中に登場する企業名・媒体名についてはアルファベットで、人物名についてはカタカナで示した

☞書籍などの題名は、原題を『 』で示し、日本語版が未発表のものも邦題を訳出した上で（ ）で示した。日本で発表されているものについては、出版社などの名前を〈 〉で付け加えた

☞P.206の「B Corpのための英単語集」は、日本語版編集にあたって新たに作成したものである。原著に収録されていた索引は割愛した

☞P.204の「B Corp認証要件のアップデート」は、日本語版編集にあたって新たに作成したものである

はじめに

Introduction
あなたと B Corp、世界と B Corp

本書の著者ふたりが「個人的」な B Corp とのストーリー、そして
執筆の背景にある多様性・公平性・インクルージョン（DEI）の重
要性を明らかにします。さらに、グローバルに広がるムーブメントの
2019 年時点での到達点をご紹介します。

ライアン・ハニーマン
（代名詞：he/him/his）

B Corpについて初めて知ったのは、クッキーを焼いているときでした。使っていたKing Arthurの無漂白万能小麦粉のパッケージの側面に「Certified B Corporation」（認証B Corp）のロゴがあったのです。「おかしな認証だな」。目指すなら「B企業」ではなく「A企業」ではないのか。実際わたしが使っていた卵の認証ランクは「AA」でした。わたしはそのとき、まだ何もわかっていなかったのです。

　オンラインで調べてみると「B」の紋章は、二級品を表す負の刻印ではないことがわかりました。B Corpは、イノベーション、スピード、成長力を、ただお金を稼ぐために用いるのではなく、貧困をなくし、強いコミュニティを育て、環境を再生し、より高い使命感をもった仕事のあり方を促すことで、ビジネスにおける成功の再定義を目指す、ダイナミックでエキサイティングなムーブメントに関わるものでした。Bは「益」（benefit）を意味し[1]、B Corpの企業は、トップを争う経済競争が「世界で一番」を目指すものではなく「世界にとって一番」を目指すものである新しい経済セクターをつくり出すことを、コミュニティとして志していたのです。

　わたしがその存在を初めて知って以来、B Corpムーブメントは、60カ国以上の数千の企業を擁するまでに成長しました。B Corpとして知られている企業には、King Arthur Flourのほか、Ben & Jerry's、Danone North America、Eileen Fisher、Kickstarter、Laureate Education、Method、Natura、Patagonia、Seventh Generation、Triodos Bankなどがあります。ビル・クリントン元大統領や、ノーベル賞経済学者のロバート・シラーといったオピニオンリーダーたちもB Corpムーブメントに関心を寄せています。アメリカの雑誌『Inc.』はB Corp認証を「社会的責任を果たす企業における最上級の認証」と呼び、『The New York Times』は「B Corpは、これまで欠けていたもの、つまり証明を授けてくれる」と評しています。

「B Corpに注目してみてください。（中略）わたしたちの社会は、特定のステークホルダーだけが不当に優遇されるのではないステークホルダー社会に戻らなければなりません」ビル・クリントン（元アメリカ大統領）

「B Corpは、やがて他のタイプの企業よりも多くの利益を上げるでしょう」ロバート・シラー（ノーベル経済学賞受賞者）

わたしがこの本を書こうと思ったのは、多くの経営者やCEOがB Corpのアイデアに興味をもち注目しているにもかかわらず、B Corpムーブメントの「なに」（What）、「なぜ」（Why）、「いかに」（How）を、順を追

[1] benefitを辞書で引くと、「利益、恩恵、メリット」といった意味が並ぶ。ラテン語の語源にさかのぼれば、「bene（良い）+facere（つくる・行なう）」となり、「よい状態にするもの」という意味をもち、金銭に限らず抽象的な意味で「よくなる」ことを指す。経済学では、「便益」という言葉で翻訳されることも。

って説明してくれるような資料がなかったからです。ビジネスをより良い社会をつくるための力として用いる[2] ことに興味を抱いている人のための実践的で実際的、かつ網羅的なガイドブックが求められていたのです。

本書が対象としているのは、「認証B Corp」(Certified B Corporation) と呼ばれるもので、アメリカで法人格として認証されている「ベネフィット・コーポレーション」(Benefit Corporation)[3] ではありません。本書が認証B Corpに焦点を当てているのは、この認証（および企業の社会的・環境的パフォーマンスを向上させるための無料のオンラインツール「Bインパクトアセスメント」）が、法律や会社の規模や設立された地域を問わず、世界中のあらゆるビジネスにおいて利用することができるからです。「ベネフィット・コーポレーション」については、フレデリック・アレキサンダーによる『Benefit Corporation Law and Governance』（ベネフィット・コーポレーションの法とガバナンス）という本がありますので、もっと深く知りたい方にはこちらをおすすめします。この本には補遺として、ベネフィット・コーポレーションの概要や法律に関するFAQへの回答のほか、「認証B Corp」との類似点、相違点なども収録していますので、基本的な概要を知りたい方は、そちらをご参照ください。

本書『B Corpハンドブック』の第2版では、TMI Consultingのティファニー・ジャナ博士を共著者に迎え、第1版の内容をアップデートするだけでなく、多様性、公平性、インクルーシブエコノミーの構築をめぐるジャナ博士の専門的知見が追加されています。

2014年からの自分に起きた変化

本書の第1版が書かれた2014年から、わたし自身にもさまざまな変化がありました。女の子と男の子のふたりの子どもが生まれました。本書を読む親御さんであればご承知の通り、子どもができることで何かが大きく変わります。女の子を授かったことで、彼女がいずれこの世界で直面するであろう、多くのシステミックな障壁[4] を、わがこととして感じるようになりました。そして、そのことに悲しみ、怒り、同時に無力感を覚えました。彼女が生まれたことで、次々と深い気づきを与えられました。頭でわかったつもりで支持していた女性のエンパワーメントといったことが、突然パーソナルでリアルなものとなったのです。

父親になったことだけでなく、丸腰の黒人男性を射殺する警察官の動画を携帯電話で目撃する機会が増えたことや[5]、ダコタ・アクセス・パイプライン[6] に対する先住民たちによる抗議活動、#MeToo運動[7]、あるいは、よりよい生活を求めてアメリカにやってきただけで親から強制的に引き離される移民の子どもたち[8] の存在などが、わたしのなかの変化を加速させました。ダイバーシティ（多様性）、エクイティ（公平性）、インクルージョン（包摂）、すなわち「DEI」は、やがて、関心

【2】原著の副題にもなっている「Use Business as a Force for Good」は、直訳すると「善のための力としてビジネスを用いる」となる。資本主義下では、ビジネスはすべてのものを商品として扱い利潤を追求するものとして捉えられてきた。そこに善という概念を取り入れることで、社会変革の原動力としてビジネスを再定義することにB Corpムーブメントの意義がある。ちなみにギリシャ哲学では普遍的な価値として「真・善・美」の3つが挙げられており、善とは「意志（実践能力）」を指すとする解釈もある。

【3】Benefit Corporationとは国や地域の法律によって定められた、株主だけでなくすべてのステークホルダーの利益に対して貢献している企業の法人形態のひとつ。アメリカの各州や一部の国では、B Corpの理念を法的枠組みに落とし込むために、非営利団体であるB Labが法律家や政治家とともにその法制化を進めている。たとえば株主の権利が相対化されるため、外部資本を受け入れたとしても企業が定めたミッションを保護することが可能になる。

【4】慣行や文化などによって生まれるバイアスなど、制度や構造に組み込まれた障壁のこと。社会や行政などのシステムでは、構造そのものがマイノリティの参入を阻んでいる場合が多い。たとえば政治において、議席の一定数や候補者の一定割合を女性に割り当てる「クオータ制」は、制度面からこのバイアスを解消するための取り組みといえる。

【5】2012年、自警団員によってアフリカ系アメリカ人が射殺されたトレイボン・マーティン射殺事件を発端とする「Black Lives Matter（BLM）」と呼ばれる構造的な人種差別に対する社会運動は、2020年に起きたジョージ・フロイド事件を機に、全世界に広がっている。

を寄せる多くの事柄のひとつから最優先事項となっていきました。

　本書は、第1版とは大きく異なっています。読者のなかには、この第2版でDEIに関する内容が多く追加されたことに複雑な反応を示す方もおられるかもしれません。「B Corpのわかりやすい解説を読みたかったのに、なんでDEIを、こじつけのように入れ込むのか。DEIなんて数ある問題のひとつにすぎないのに、なんでそのことばかり押し付けるのか。多様性について知りたきゃ他の本を読むよ」と思われる読者もいらっしゃるでしょう。

　気持ちはよくわかります。わたし自身も、2014年以前にはまったく同じように考えていました。けれども、この数年でわたしが学んだのは、DEIをめぐる議論は社会を良くするためのビジネスの議論と切り分けることができないということです。それは同じ議論なのです。DEIをサイロに入れて他の議論と切り離してしまうことは、それ自体が公平な社会の実現に向けた動きを阻むひとつの障害なのです。

　さらにわたしが学んだのは、シスジェンダー（性自認が生まれたときに割り当てられた性別と一致すること）で、障がいのないストレートの白人男性で、アメリカ国民であるわたしのような人間は、DEIについて考えずにいられる特権をもっているということです。多くの場合、それを無視して過ごすことができますし、問題があるのなら有色人種やその他の歴史的に周縁化された人びとが自分たちで解決すればいいと考えることも、特段の不利益を被ることなく問題をいつまでも先送りすることもできます。制度的な人種差別、性差別や、その他のあらゆるシステミックバイアスを、特権をもつ人びとに理解してもらうという苦役を、有色人種や女性やその他の周縁化されたグループが負うべきではありません。

　わたしのような特権的な人びとがこれらの話題を避けたがるのは、システミックバイアスに対処したいと思っていたとしても、どこから手をつけていいのかわからないと感じることが多いからです。加えて、DEIのなかでもとりわけ人種に関する話題は、羞恥心や罪悪感、絶望、怒り、悲しみなどの感情をもたらすからです。わたしはこの数年、人種を専門とする教育者や社会正義活動家の方々から授かったアドバイスを心の支えとしてきました。彼らの助言はおおむね次のようなものです。

☞たしかに、あなたは特権をもった白人男性です。けれども、あなた自身が、人種差別や性差別やその他の制度的抑圧を発明したわけではありません。あなたはただ、それを受け継いだだけです。

☞DEIをめぐる会話で気まずくなったり、居心地の悪さを感じたりすることは問題ではありません。ただし、それでも会話に参加しつづけてください。居心地が悪いからといって立ち去れば、あなたは自分の特権を行使したことになります。なぜなら、有色人種や女性や他の人は、自分のアイデンティティから離れることはできないからです。

日本でも東京、大阪などの主要都市でデモが行なわれ、人種的マイノリティの権利に視線が向けられるきっかけとなった。

【6】ダコタ・アクセス・パイプラインは、アメリカのノースダコタ州からイリノイ州を地下でつなぐ石油パイプライン。パイプラインが通過するミズーリ川を水資源として居住しているスタンディングロック・スー族が、権利の侵害であり環境評価や対策が十分に練られていないとして2016年に提訴したものの、トランプ大統領政権下の2017年に操業を開始。その後2020年に連邦裁判所は操業停止を求める判決を下した。そもそも、有害なガスの漏出や爆発といったリスクがあるパイプラインは非白人コミュニティや貧困地域に偏って分布しているという調査もある。また、同プロジェクトには日本の大手金融機関も出資していたと報道されている。

【7】「MeToo」は、性暴力やセクハラの被害を告発するムーブメント。もともと若年黒人女性を支援する市民活動家のタラナ・バークが提唱した概念だったが、2017年にハーヴェイ・ワインスタインによる性的虐待が告発されてから全世界に広まった。経営の文脈では、2019年にアメリカのMcDonald'sでCEOを勤めていたスティーブ・イースターブルックが従業員との性的関係を理由に解任されている。

【8】2018年4月に当時のトランプ大統領が発表した「ゼロ寛容政策」と呼ばれる移民政策方針により、不法入国者は例外なく起訴されるようになった結果、親は留置所に、子どもは保護施設に送られることとなった。2,000人を超える子どもが親と引き離され批判が殺到し、同年6月に親子を同じ施設に収容する方針に変更された。

☞過ちを犯したり、恥ずかしい思いをしたりせずに済むということは
ありえません。完璧であることがゴールではありません。失敗から立
ち直り、理解の突破口を開き、困難な会話に向き合える強さを身
につけるまで、会話に参加しつづけることです。

考えずにいられる特権を捨てよう

DEIについて話すのが気まずく居心地が悪ければ、白人至上主義の話
題はなおさらそうでしょう。「おいおいおい」。こんな声も聞こえてきそ
うです。「白人至上主義の話をB Corpの本の序章でするなんて正気
か？ こんな本、窓から投げ捨てるぞ」。そんな反応をしたくなるのもわ
かります。でも、もうしばらくお付き合いください。必ずB Corpの話
に戻ってきますので。

　白人からすると（あるいは、どんな人にとっても）「白人至上主義」とい
う言葉は、非常に耳障りで気が引けるものです。ネオナチやクー・ク
ラックス・クランのメンバーが松明を持って通りを行進しているさま
を連想させ、恥ずかしさや反発、怒りなどを抱かせます。けれどもここ
で、白人至上主義者を自称する個々の人びとの偏見について論じよう
とは思いません。わたしが問題にしたいのは、白人による独占があたか
も自然の摂理であるかのようにして出来上がった、白人を至上とす
るシステムや組織のあり方です。わたしのような白人が、このシステム
について議論をすることは重要です。なぜなら、このシステムはそれと
気づかれることなく存在し、日常生活の背後で当たり前のものとして
作動しているからです。

　「またかよ」。そんな声が聞こえてきそうです。「それがB Corpとど
ういう関係があるんだ？ まったくつながりが見えない」。そう思われる
かもしれません。つながりは、わたしたちの経済が白人至上主義の遺
産を基盤とし、それと密接に絡み合っているところにあります。わた
したちが、このことを正面から学び、このフレームワークを壊し、解除
できないのであれば、どうやってB Corpがインクルーシブエコノミー
をつくることに成功しうるでしょう。

　反レイシズム運動のリーダーたちからこうしたシステムのありようを
学んだことで、わたしはB Corpムーブメントの文脈において白人至上
主義の問題を具体的に挙げることが重要だと考えるようになりました。
なぜなら白人至上主義こそが、DEIをめぐる活動が解決しようとして
いる問題を存続させているからです。たとえば、白人至上主義[9]には
いくつかの暗黙の了解があります。ある人物、白人、アングロ、シスジ
ェンダー、キリスト教徒、異性愛者、富裕層、障がいのない男性などが、
そうでない人よりも優れているとする社会的な序列をつくりあげます。
そして、これらのカテゴリーにきっちりと当てはまらない人が力や特権
を手に入れようとすれば、名前を英語化し、セクシャリティを隠し、富
を誇示し、「男性」として振る舞い、宗教を隠すことなどを余儀なくさ

[9] ロビン・ディアンジェロに
よる『ホワイト・フラジリティ：
私たちはなぜレイシズムに向き
合えないのか？』〈明石書店〉
の監訳を務めた貴堂嘉之は解
説のなかで、日本における白人
至上主義の影響を、以下のよう
に述べている。「戦後の日本は
といえば、冷戦下で対米依存の
度合いを強め、米国の大衆文
化の影響を受けつつ、米国の
白人と同様、『白さ』を至高と
する白人至上主義的な文化に
馴化してしまったかのようだ」。

れるのです。

　白人を至上とする文化は、人生に対する態度や向き合い方を決定づけます。白人男性のわたしが若いときに成長するなかで身につけた価値観はこういうものでした。「よく働け。身を粉にしてやれ。生産性を上げろ。問題があれば、それを解決しろ。一生懸命やれば何でもできる。誰にも公平にチャンスはある。成功は自分次第。困難を受け入れ、文句を言うな。行儀よくしろ。争いは避けろ。体制に逆らうな。うまく言えないなら黙っていろ」。わたしは長年、こうした教えが自分の家族だけのものだと思っていました。けれども、これが白人家庭の文化的伝統として何世代にもわたって伝えられてきた信念であることを知り、大きなショックを受けました。

　こうして内面化された価値観は、知らぬ間に有害なかたちを取ることがあります。たとえば、ある白人の子が学校で貧しい黒人の子に会った際、「あの家族はもっと頑張らないといけない」、あるいは「貧しい人たちは何もわかっていなくて、自分たちの助けを必要としているから助けてあげるべきだ」と考えてしまいます。あらゆる人に平等にチャンスがあり、一生懸命働くことが解決法であるといった言い伝えに親しんできた白人の子どもたちは、黒人の子の一家が置かれている境遇の責任は彼ら自身にあると考えてしまいかねません[10]。加えて、白人の子どもは争いを避けるよう教えられています。白人の子が「この子はなぜ貧しいのだろう」と疑問に思ったとしても「デリケートな話題みたいだし、そういうものなのだろう」と思ってしまうのです。

　白人の子には人種差別をする意図も、差別をしている意識もありません。むしろ、自分が役に立てるとさえ感じています。こうした結論にいたってしまうのは、これまで検証されることのなかった信念、物事のデフォルトの秩序が温存され、それが制度を貫いているからです。

　わたしは最近まで、こうした社会問題や環境問題を解決することは、歴史的に周縁化されてきた人びとを、白人社会と同等のレベルに引き上げるべく「手助け」をすることなのだと考えていました。白人至上主義の規範や当たり前、文化と対峙し、それを明らかにすることが解決策になるとは思いもよりませんでした。このように問題を捉え直すことが困難で抵抗感をもたらすのは、目を自分自身に向けなくてはならないからです。だからこそ、白人至上主義をそう名指しして[11]、それがもたらすネガティブな影響を検証することが、B Corpコミュニティに課せられた責務となるのです。反レイシズムのリーダーたちは、白人至上主義を、そう呼び、破壊し、解体することによってのみ、あらゆる生命に益をもたらす経済をつくりあげることができるのだと教えてくれました。

　この本にDEIを取り入れると決断するにあたって、明らかだったことがふたつあります。まず第一に、これまで述べてきたように、社会的に認知された規範通りの白人男性であるわたしは、インクルージョンをめぐる議論を取り仕切るには不適格だということです。専門家の助

【10】ここで触れられている格差に対する根強い自己責任の考え方は、アメリカだけ、もしくは異なる人種間だけに限らない。たとえば、日本における構造的格差の一例としては男女の雇用機会の格差が挙げられる。内閣府男女共同参画局が2020年11月に公開したデータでは、緊急事態宣言が発令された20年4月に男性の雇用者が35万人減となったのに対して、女性は74万人減を記録しており、コロナ禍でその影響がより顕著となった。

【11】女性を見下した男の言動を意味する「マンスプレイニング」という言葉を世に広めたことで知られるレベッカ・ソルニットは、『それを、真の名で呼ぶならば』〈岩波書店〉のなかで、「課題を名付ける行為は『診断』である」として以下のように述べている。「そのものを真の名で呼ぶことにより、わたしたちはようやく優先すべきことや、価値について本当の対話を始めることができる。なぜなら、蛮行に抵抗する革命は蛮行を隠す言葉に抵抗する革命から始まるのだから」。

けが必要です。さらに、DEIを、単なる事例紹介や補足的な挿話や単独の章として扱ってはならないとも強く感じていました。DEIは、この本が扱うあらゆる側面に触れるものでなくてはなりません。そこで真っ先に思い浮かべたのがティファニー・ジャナ博士でした。

　知り合ってからずっと、わたしはジャナ博士を尊敬してきました。B Corp認証をもつ企業のCEOであり、DEIの専門家であり、マネジメントと組織リーダーシップを専門とする博士であり、国際的なスピーカーで、『Overcoming Bias: Building Authentic Relationships Across Differences』（バイアスを乗り越える：違いを超えた真のリレーションをつくる）、『Erasing Institutional Bias: How to Create Systemic Change for Organizational Inclusion』（構造的バイアスを消し去る：組織がインクルージョンを実現するためのシステミックな変化）といった本の共著者でもあります。本書に、共著者としてジャナ博士を迎えることができたのはありえないほど幸運なことです。個人的な思いの丈はここまでにして、あとはジャナ博士ご本人におまかせするとしましょう。

ティファニー・ジャナ博士
（代名詞：they/them/theirs）

本書の第2版の共著者として声をかけてもらったことに心が躍ったのは、それがわたしの感じていたことを再び確信させてくれたからです。B Corpのコミュニティは、ビジネス全体、そして個別のビジネスのなかに、さらなる多様性を求めている、ということです。ライアンの誘いは、インクルージョンをいかに拡張し、公正な[12]システムをいかにデザインし、コミュニティ[13]のなかでいかに多様性を促進するかについてわたしが学んできたことを共有する素晴らしい機会を与えてくれました。DEIは、わたしにとって単なる職業上の責務ではなく、深く個人に根ざした使命なのです。

　この本の背景には予期せぬ出来事があり、それはわたしが、私生活において、仕事において、そして社会において経験した変化を深く映し出しています。ライアンが初めて連絡をくれた2017年当時、わたしは自分を女性と認識し、白人の反レイシストと結婚していました。いまわたしは、そのどちらでもありません。パートナーとの関係を解消し、有色人種のコミュニティとのつながりが深まっていったことに加えて、ジェンダー・ノンコンフォーミングな（旧来の固定観念による男女のジェンダー像とは合致しない）キリスト教徒を自認するようになりました。わたし自身を指す代名詞が「she/her/hers」から「they/them/theirs」へと変わった[14]のです。キリスト教徒であるわたしにとって、三位一体によって構成される神の単数性／複数性は親しみのある概念です。神が「彼ら・彼女ら」としてわたしの一部を成しているという考えは、どのジェンダー像にも属さないという意味でわたしが「彼ら・彼女ら」

【12】「equitable」とは「equity（公正さ）」が担保されている状態のこと。平等、同一を意味する「equality」とは異なり、個人の違いを前提とした上で機会が均等な状態を指す。equityは法律の文脈では「衡平法」と呼ばれる判例法を意味し、原則法であるコモン・ローの厳格性を緩和し、具体的妥当性を実現する補充法として位置付けられている。

【13】「community」は日本語では「地域社会」と訳される場合もあるが、限定した場所だけでなく、職場や友人関係などオンラインも含めた社会的つながりや、その構成員を指す。また黒人人権運動の主導者だったマーティン・ルーサー・キング・ジュニアは1967年に『Where Do We Go from Here: Chaos or Community?』と題した書籍を刊行しており、communityは人種差別や紛争などがなくなる理想的な状態を指す言葉として使われている。

【14】『イラストで学ぶジェンダーのはなし みんなと自分を理解するためのガイドブック』〈フィルムアート社〉によると、アメリカではジェンダーアイデンティティを表す人称代名詞に関して以下のような動きがあるという。「近年のアメリカ合衆国では、英語で主に三人称複数の人称代名詞として使用されている『they（彼ら）』が、性を特定しない三人称単数の人称代名詞としても用いられる場面が増えた。『he（彼）』または『she（彼女）』と呼ばれたくないノンバイナリーの人々の増加や、ジェンダーを特定できない誰かを指す場合にも一般に『he』が使用されていることの弊害についての認識の高まりを反映した動きである。2019年にはアメリカ英語学会が『2010年代の言葉』として、この『they』を挙げている」。

という語を使うことと深く関わっています。それは、わたしが単一な存在ではないということを絶えず思い出させてくれるのです。

　DEIに対する緊急度も高まっています。ライアンと最初にこの本の話をしたとき、わたしの私生活と仕事は、地球市民[15]であることに立脚していました。わたしは、優しさをもって自分の声を人に届けることに喜びを感じていました。シスジェンダーの白人男性と結婚したことで、人種対立の解消を日常的に体現することができました。生活をホワイトウォッシュ（白人化）することで、有色人種のブラザーやシスターたちの体験とは真逆にある特権を楽しむこともできました。クレジットスコアも急上昇しました。結婚していた7年間、彼が運転していれば車を止められることは一度もありませんでした。彼を仕事の集まりに連れていけば、彼がそのビジネスと関わりがなくても、人びとはわたしの話をより真剣に受け止めました。白人優位のバイアスの恩恵を使いながら白人に寄り添うこうしたやり口はうまくいっていましたが、いまも有効だとは思えません。時代は動いています。

　いまは快適さに安住し、軽やかな足取りで厳しい会話を避けているときではありません。人種差別、性差別、同性愛嫌悪、能力差別、そして白人至上主義、奴隷制度、制度化されたバイアスというレガシーは現実に存在し、わたしたちのコミュニティに混乱をもたらしつづけています。黒ければ黒いほど、貧しければ貧しいほど、社会から周縁化されれば周縁化されるほど、格差はひどくなっていきます。この世界を生きる一市民として、そしてB Corpの一員として、いま世界で何が起きているのかに本気で目を向ける必要があります。

　この本が完成するまでの間に、世界でも大きな変化がありました。アメリカやヨーロッパをはじめとする国や地域で、ナショナリズム（とりわけ白人のナショナリズム）[16]の高まりが見られました。公民権やわたしたちの多くが達成したと信じていた平等への歩みは、足元からむしばまれています。階級差別が、（あらゆる人種や民族の）貧しい人たちの自由や機会を奪っています。自然災害がもたらしたプエルトリコの孤立[17]は、この国に白人や富裕層が多ければ、より素早く、効果的に問題視され、対処されていたはずです。丸腰のアフリカ系アメリカ人の男性、女性、子どもたちが、嫌がらせを受け、虐待され、映像のなかで殺される事件が増加しているにもかかわらず、虐待者や殺人者に対して正義が下されることはありません。暴力を伴わない罪で不当に長い刑期を科せられた人たちが非人道的な環境に置かれていても、ほとんどの人は気づきもしないし、気にも留めません。

あなたは「グローバルマジョリティ」である
こうしたことがB Corpといったい何の関係があるのかと思われるかもしれません。実は、すべてと関係しているのです。B Corpコミュニティは、自分たちが地球とそこに生息するあらゆる生物に仕えるという

【15】原文では「global citizen」。自らの市民としての帰属を、地域や国家ではなく地球という大きな概念に求め、国家や民族といった枠組みの価値観にとらわれるべきではないと考える人びとのこと。原文では、そのような状態がすでに成立していると考えながら生活を送ることは、差別が存在している現実を直視できておらず夢想的であるという批判的な文脈で使われている。

【16】「white nationalism」とは、白人を人種のひとつと捉え、「白人の民族国家」という概念に誇りをもつ考え方のこと。白人至上主義と自国第一主義が結びついたもので、トランプ政権誕生以降に注目を集めた反動的思想。ただし、白人至上主義の「リブランディング」にすぎないという見方もある。

【17】アメリカの自治領であるプエルトリコに、2017年9月に発生したハリケーン・マリアが直撃、停電および交通網の停止により甚大な被害を与えた。製造業なども大きな打撃を受け、島民がアメリカ本土に流出する事態となった。テキサス州のハリケーン災害などと比較して、初動の遅れなど政府の対応の手薄さが指摘されており、死者数は4,600人に上るとする調査もある。

旗印を掲げています。わたしたち全員がもつ経済力を結集し、それをテコにして、経済、環境、社会、医療、教育などにおける、明らかに理不尽な問題に取り組むことができないのであれば、わたしたちは本当に歩むべき道を歩いているといえるのでしょうか。

　間違えないでください。DEIはアメリカだけのものではありません。DEIは世界的な現象なのです。違いがあるのは、多様性の種類と、誰が周縁化されてきたのか、周縁化されているのかだけです。不公平な扱いを受けている人びととはどこにでも必ず存在します。人は、自分が受け入れることのできない、理解できない異質なものへの恐怖によって、他者を周縁化してしまいます。アメリカでは人種対立が多くの争いの原因となっています。アメリカでは少数民族は「有色人種」と呼ばれますが、有色人種は実際には「グローバルマジョリティ」なのです。

　多様性は常に相対的なものです。差別の焦点が人種ではない国もあります。世界には、宗教、性別、性指向、障がい、市民権の有無、低所得などを理由に周縁化される人びとがいるのです。

　DEIをめぐる会話を不快に感じる人がいることはよくわかっています。このトピックを議論することは、公平性についての薄氷を踏むような会話をうまく行なう自信のない人にとっては、とりわけ怖いものです。わたしに言えることがあるとすれば、こうした話題を避けつづけるよりも、自分にも他人にも優しくなるよう努めるべきだということです。誰もが、こうした難しい会話を前に進める術を学ばなければならないのです。DEIの実践者であったとしても、学び、読み、勉強し、咀嚼し、試し、失敗し、しくじり、そしてもち直しながら、旅を続けるしかないのです。わたしにしたって、時代遅れの専門用語を使って人を怒らせてしまったことはあります。知らぬうちに健常者の特権を行使していたこともあります。よく考えもせずにジェンダーの二元論を支持していたこともあります。これらはすべてこの１年の間に起きた出来事です。DEIに完璧なロールモデルは存在しません。わたしたちは誰しも間違いを犯します。それが起こったときに誰が周りにいるのか、そして、自分がその間違いを認めて責任を負う勇気があるかどうかが問題なのです。

　大切なのは自分の過ちを認め、できる限りの謝罪をし、次からはもっと周囲に注意を払い、意図をもって行動することです。それを身につけるには実践あるのみですが、新しい文化を身につけることにはそれだけの価値があります。何のスキルも身につけぬまま不意打ちを食らうよりも、努力を続けて失敗しつづけるほうがましなのです。自分の見解に責任をもつことで、自分の言葉や行動に、仲間への思いやりを反映させることができるようになるのです。こうしたことを念頭に置きつつ、本書で頻繁に登場することとなる、「Diversity」「Equity」「inclusion」という３つの言葉を、まずは簡単に定義しておきましょう。

☞ Diversity ／ダイバーシティ／多様性

多様性とは、人びとの間にある違いを表すもので、人種、民族、性別、宗教、階級、年齢といったデモグラフィック（人口統計的）な違いと、考え方、働き方、コミュニケーションの仕方、生き方といった経験上の違いの両方を指します。

☞ Equity ／エクイティ／公平性

公平性はしばしば平等性（Equality）と混同されます。このふたつの違いを理解することはとても重要です。平等性は、すべての人が同じように扱われることを意味します。一方、公平性とは、すべての人が、それぞれの個人的な欲求や境遇に基づいて扱われることを意味します[18]。

☞ Inclusion ／インクルージョン／包摂

包摂とは、人びとがシステムに参加するために用意する場所のことです。あらゆる多様性を考慮しても、人をテーブルへと迎え入れ、力を与えることができなければ、誰かが周縁化されたままとなってしまいます。インクルージョンとは、すべての人を招いた上で、みなでシステムをつくったり、意思決定をしたりすることです。何かを実現するためのただの道具として人を扱い、個々人の心情や感情に向き合わないのであれば、それはインクルージョンではありません。参加したとしても、意見を求められず、真剣に取り合ってもらえず、それが何の行動にもつながらないのであれば、それはインクルージョンではありません。インクルージョンとは、労役、チャンス、成功、楽しみ、失敗をみなで共有することです。ありのままの個人を受け入れ、それぞれの人が成長し、それぞれに十全に参加することができるよう支援することが、インクルージョンの根幹なのです。

インクルーシブエコノミーを実現するために

ビジネスは、わたしたちが住みたいと願う世界を築くための強力なツールです。そのためには、システミックな抑圧によって権利を奪われている人たちの声に耳を傾ける必要があります。現在の経済システムによって搾取されている人びとは、政治状況にかかわらず世界中の農村や都市コミュニティに存在しています。ビジネスへの信頼を回復するために、ビジネスコミュニティ[19]は、尊厳ある仕事を求める人びとの正当な欲求に応えなくてはなりません。また、経済的正義[20]は社会・環境正義と密接に結びついていて、それに依存していることも明確に主張すべきです。

　インクルーシブエコノミーとは、具体的にどのような姿かたちをしているのか、訝しむ方もいるかと思います。たとえば、インクルーシブエコノミーは、生活賃金[21]（すべての働く人たちが適切な日々の生活を送るために必要な水準の賃金）のかたちを取ります。あるいは、工場の現場と同じ多

【18】「B Corpハンドブック翻訳ゼミ」のなかでは、平等性と公平性の違いを理解するためにアンガス・マグワイアがInteraction Institute for Social Changeのために制作した「Illustrating Equality VS Equity」のイラストを引用した。このイラストでは、球場の外から野球を観戦しようとする身長が異なる3人が描かれており、Equalityのイラストでは同じサイズの箱に乗っている（背が低い子どもは壁に阻まれて試合が見えていない）。一方、Equityのイラストでは、全員が野球を観られるように異なる高さの箱に乗っている。違いを明示したこのイラストは、インターネットでミーム化しさまざまな「二次創作」が生まれている。

【19】原文では「business community」。businessは企業や店舗という意味ももつため、ビジネスに携わる多様な主体が存在しているコミュニティを指す。特定のカテゴリーの仕事に携わるコミュニティを指す場合は、業界のことを意味する場合も。実業界などと訳されることもあるが、本書では小さな企業も含まれることを示すためにカタカナで訳出した。

【20】原文では「economic justice」。justiceは公正であることを指し、福祉経済学の文脈では、経済における正義とは、すべての人が単なる経済的な問題を超えて、尊厳のある、生産的かつ創造的な生活を送る機会を創出するものである、とされる。本文内に示されている通り、社会・環境において正しい状況がなければ、経済的正義も実現しえない。

様な人員構成による役員会や経営陣の姿を取ります。すべての従業員、特に女性や有色人種など歴史的に周縁化されてきたグループに平等に与えられたオーナーシップといったかたちも取ります。また、インクルーシブエコノミーは、人種差別、性差別や、その他の不公平な構造を守ろうとする組織にその責任を負わせるものです。

システミックバイアスは、それを助長し擁護すべきものではありません。人を搾取することで成り立っている企業は、存続すべきではありません。インクルージョンと責任が報われる経済をつくることは可能です。このアイデアを実現するためには、政府の規制だけに頼っていてはいけません。ビジネスコミュニティのリーダーシップと監督があってこそ、それは実現可能となります。ビジネスコミュニティがそう望むのであれば、ですが。

後述しますが、より公平な経済の構築に向けて、最初の一歩を踏み出す方法のひとつは、Bインパクトアセスメントを用いて自社のパフォーマンスを測定してみることです。Bインパクトアセスメントを用いてあなたの会社のインクルージョンの度合いを測ることで、従業員やサプライヤー[22]、地域社会のメンバーとどのように向き合っているかを数値化し、理解することができます。アセスメント後には、慢性的に社会から周縁化されてきた人びとに意義とインパクトのある機会を提供するために何をすべきか、助言を受けることもできます。さらにこれは、結果に結びつかない、形ばかりの表面的な取り組みを防ぐための防護柵ともなります。

Bインパクトアセスメントは、あなたの会社における、サプライヤーの多様性、報酬体系の公平性、雇用・採用における投資における多様性、有意義な専門能力開発の機会の公正性などを評価します。ここでは、あなたの会社が生活賃金以上の報酬を支払っているか、組織全体の給与格差を測定しているか、ワーカーの勤務体系に十分な柔軟性があるか、といったことも問われます。さらに問われるのは、スタッフ、管理職、役員会のそれぞれにおける人員構成です。役員会を設置していない場合は、役員会を設置する時期が来たら、DEIについて検討するよう求められます。

ここにB Corpという旅の魔法があります。あなたの会社は、現状においてあなたが望むほど公正なものではないかもしれません。けれども、B Corpムーブメントは、あなたが改善を続ける[23]にあたって必要なフレームワーク、ツール、コミュニティを提供してくれるのです。

B Corpという旅を始める前に

本書では、インクルーシブな経済を実現するための実践的な解決策、評価基準、提案、模範事例などを「ジャナ博士のTips」として紹介しています。DEIを前面に置いたビジネスをデザインするにあたって、『B Corpハンドブック』は、すでに認証B Corpとなっている企業にも、

[21] 日本における地域別最低賃金とは定義が異なるもの。生活賃金について、Patagoniaの日本語サイトでは以下のように記載されている。「国連とその国際労働機関（ILO）は、生活賃金は基本的人権であると宣言します。生活賃金についての広範囲な研究と、他のブランド、非営利団体および生活賃金組織との討議ののち、Patagoniaは〈グローバル・リビング・ウェイジ・コーリション（GLWC）〉の生活賃金の定義を支持します：ある特定の場所で標準的な週間労働に対して労働者とその家族のために適切な生活水準を提供するのに労働者が受ける十分な報酬。適切な生活水準の要素は食品、水、住居、教育、ヘルスケア、交通手段、衣類、そして予期せぬ出来事のための対策を含むその他の必須のニーズを含む」。

[22] 原文では「supplier」。供給者を意味し、製造業の場合だと自社のプロダクトをつくるために必要な部品などを納入する業者のことを指す。物理的な供給社に限らず、たとえば出版社の場合、編集者やライター、デザイナー、DTPオペレーター、校閲者、印刷会社、流通業者、書店など多様なサービスを提供するステークホルダーのことを指す。ビジネスのために必要な自社の外にいるプレイヤーと捉えるとわかりやすい。

[23] B Corpにおいて継続的な改善を目指す背景には、アメリカで培われてきたプラグマティズムの思想の影響がある。日本においては実用主義と訳されることが多いが、明確な答えが存在しない世界で、自らの責任で多様な実験を行ない、その結果が失敗であっても積極的に社会に還元していく取り組みを評価する思想で、哲学者の鶴見俊輔は、それに「マチガイ主義」という訳語をあてた。B Corp認証が継続的な改善を求めるのは、「よい会社」という答えがない問題を、社会全体で検証する試みと考えられているからだろう。

これから申請を考えている企業にも役立つものとなっています。

　本書の第1章では、B Corpムーブメントの歴史、B Corpの定義、それがなぜいま重要なのかといったことから、「Bエコノミー」と呼ばれる新しい概念の概要、B Corpに対する投資家たちの考え方、多国籍企業や上場企業にとってB Corpが有効かどうかの分析までを見ていきたいと思います。

　第2章では、認証B Corpになることで得られるさまざまなメリット（グローバルなリーダーコミュニティへの参加、有能な働き手を引きつけつなぎとめておくこと、ベンチマークやパフォーマンスの向上など）について詳しく解説します。

　第3章では、より良い社会をつくるための力としてビジネスを活用すること、あるいはDEIを企業活動により深く浸透させることを求める企業に向けて、Bインパクトアセスメントを具体的で測定可能な行動に移すためのツールとして利用する方法を、順を追って解説していきます。このセクションは、認証B Corpを目指す人だけでなく、B Corpを目指したいかどうか定かではないものの、ワーカー、エンバイロメント（環境）、コミュニティ、ガバナンス、カスタマーのためになる、よりよいやり方を検討し、比較し、実施するための無料ツールを求めている企業にとっても有益なリソースとなります。いずれの道を選ぶにしても、このセクションでは、あなたの努力を最大化するために必要なインサイトやリソース、模範的な事例が得られるはずです。

　いますぐにでも始めたいというやる気に満ちた方には6つのステップからなるアクションプランの全体のあらましを効率よく学べる、第4章「クイックスタートガイド」があります。「クイックスタートガイド」は、第3章と同様、認証B Corpになることを目指す企業、ただ社会的・環境的パフォーマンスを向上させたいと考えている企業の双方にとって役立つようデザインされています。また、Bインパクトアセスメント、B Corp認証に向けたプロセスを効率よく進めるためのヒントとして、「ライアンのTips」もぜひ役立ててください。

　最後の章では、DEIに関連して、B Corpコミュニティとして、これからやるべきことについて検討します。B CorpコミュニティはDEIに関して、かなりの進歩を遂げたと信じていますが、やるべきことはまだまだたくさんあります。そして最後に、B Corpの成功とはどのようなものであるのかを議論することをもって、本書のメインのコンテンツを終えたいと思います。

　ここで忘れてはならないのは、本書にはB Corpコミュニティの知恵が凝縮されているという点です。認証B CorpのCEO、サステナビリティディレクター、インパクト投資家、マーケティング担当者、人事担当者など、世界各地から200人以上の方がコメントを寄せてくださっています。B Corpになった理由、B Corp認証のビジネス上のメリット、認証プロセスで発生する一般的な課題などについて、B Corpコミュ

ニティから直接得た、幅広い意見が集約されています。加えて、認証
を取得するかどうかを検討している企業に向けたアドバイスもお願い
しました。ビジネスリーダーが、なぜB Corpになったのか、なぜB
Corpが重要なのかを、仲間として自分の言葉で語ってくれているこ
とが、本書の価値をいっそう高めてくれています。

　最後に、以下の3つのことを確認しておきたいと思います。ひとつ
目は、B Corpは、世界中のどの州、どの国のどの企業でも、より強く、
よりインクルーシブなビジネスを実現するために利用できるフレーム
ワークであるということです。あなたの会社が、B2B企業であっても
B2C企業であっても、地方の個人事業主であってもグローバルブラン
ドであっても、スタートアップでも3世代続くファミリービジネスであ
っても、有限責任会社（LLC）、パートナーシップ、従業員オーナーシッ
プ企業、協同組合、Cコーポレーション、Sコーポレーション[24]のいず
れであっても、あるいは新しく始める事業の組織形態が決まっていな
くとも、役に立つものなのです。

　ふたつ目は、あなたが「グリーン」「社会的責任」「サステナブル」と
いった言葉に引かれていようといまいと、保守的であろうと進歩的で
あろうと、DEIの専門家であろうと初心者であろうと、学生や若い起
業家であろうと経験豊富なビジネスパーソンであろうと、B Corpは、
個人としてのあなた自身に深く関わるものになるということです。自
分の暮らしを通じていかに社会に変化をもたらすことができるのか、
いかに公平な経済を実現することができるのか、子どもたちへの手本
として自分が何を残すことができるのか、あるいは、使命感をもって
生きること、とりわけビジネスを通じて社会を良くすることに思いを
めぐらせたことのある人であれば、B Corpムーブメントはあなたにふ
さわしいものとなるでしょう。

　最後に、DEIは、けっしてサイドプロジェクトや孤立した取り組み、
数年に一度会社で話題に上るようなものであってはならないというこ
とです。B CorpやB Corpを目指す人たちにとって、DEIは、ビジネ
スのあらゆる側面に組み込まれるものでなくてはなりません。偏見に
対して声を上げ、人種差別、性差別といった多様性の問題に取り組む
ことは、盲腸を取り除くようにはいきません。一日で取り除いて終わ
りというわけにはいかないのです。これはむしろ衛生管理のようなもの
で、健康でいたければ、毎日手入れしつづけなければなりません。

　世界中がわたしたちを見ています。B Corpコミュニティは、これか
らも世界を先導し、インスピレーションを与えつづけなくてはなりませ
ん。B Corpがインクルージョンを成し遂げられないのだとすれば、い
ったい誰が実現しうるというのでしょう？

【24】アメリカの企業の法人形
態。Cコーポレーションは企業
のオーナーが法人所得の配分
や配当を受けた場合、企業の
法人税とオーナーの所得税を
二重に支払う必要があるのに
対して、Sコーポレーションの場
合は、オーナー個人の所得税の
みが課される。ただし、後者の
場合は株主の数などが制限さ
れる。Sコーポレーションは、個
人事業主と同じ規模のビジネ
スを営んでいるオーナーが実態
に即した課税を受けるための
制度であり、一般的な多くの企
業はCコーポレーションである。

第1版以降のB Corpムーブメントの動向
2014年に『B Corpハンドブック』の第1版が刊行されてから多くの進展がありました。ここでは、第1版以降のB Corpの動きについて、主だったものを紹介します。

国際的な発展
認証B Corpの数は、現在アメリカ国内よりも国外のほうが多くなっています。アフガニスタン、オーストラリア、ブラジル、チリ、ケニア、モンゴル、オランダ、ザンビアを含む60カ国以上[25]に存在するようになりました。これは、B Corpムーブメントを推進する非営利団体「B Lab」と世界中のパートナーのみなさんのたゆまぬ努力の賜物です。グローバルパートナーとしては、B Lab U.S.、B Lab Canada、ラテンアメリカのSistema B、B Lab Australia and New Zealand、B Lab UK、B Lab Europe、B Lab Taiwan、B Lab East Africa、香港と韓国のB Market Builders、B Corp Chinaなどが活動しています[26]。

プライベートエクイティとベンチャーキャピタル
メインストリームの投資家たちの間で、B Corpのアイデアは徐々に受け入れられるようになっています。B Labが公開情報を元に調べたところ、これまでに150社のベンチャーキャピタルから、B Corpやベネフィット・コーポレーションに20億ドル以上が投資されてきました。また、Andreessen Horowitz、Benchmark Capital、Founders Fund、Goldman Sachs、Greylock Partners、GV（旧Google Ventures）、Kleiner Perkins、New Enterprise Associates、Sequoia Capitalといったシリコンバレーの主要なベンチャーキャピタルのほぼすべてが、B Corpもしくはベネフィット・コーポレーションに出資しています。

多国籍企業
注目すべき進歩は、この間に多国籍企業がB Corpムーブメントに関心をもつようになったことです。250億ドルの市場価値を有する、大手食品コングロマリットのDanoneは、2017年に、Fortune 500企業として初の認証B Corpになることを宣言しました。その後Danoneの子会社もB Corpとして認証を受けており、そこには年商60億ドルで世界最大の認証B CorpともなったDanone North Americaも含まれています[27]。また、多国籍上場企業のUnileverは、この間、認証B Corpの買収を進めてきました。2016年から2017年にかけて、UnileverはMãe Terra、Pukka Herbs、Seventh Generation、Sir Kensington's、Sundial Brandsの5つの認証B Corpを買収しています。加えて、2000年に買収したBen & Jerry'sも、2012年に認証B Corpになっています。ブラジルを拠点とするB Corpで、化粧品業界をリードするNaturaは、2017年にTHE BODY SHOPを買収して話

【25】2022年4月10日現在、B Labの公式サイトでは79カ国となっている。

【26】原著刊行から2022年4月現在までのアップデートは以下の通り。B Lab U.S.とB Lab Canadaは統合されB Lab U.S. & Canadaに。B Corp ChinaはB Corps Chinaと表記されるように。B Lab Australia and New ZealandはB Lab Australia & Aotearoa New Zealandに。B Lab East AfricaはB Lab East Africa & South Africaに。香港と韓国のB Market Buildersはそれぞれ B Lab Hong Kong & Macau と B Lab Koreaに。B Lab Singapore、B Market Builder: Japan、B Market Builder: Southeast Asiaが新設。

【27】2020年5月には、Danoneの日本法人であるダノンジャパン株式会社も日本の大手消費財メーカー、そして食品業界で初めてB Corp認証を取得した。世界でB Corp認証を取得したグループ内の法人による売上高の合計はDanoneの全事業数の50%を超える（2021年12月時点）。

題となりました。これは、B Corp による初の 10 億ドル規模の買収でしたが、買い手が B Corp であったことが少なからぬ人を驚かせました[28]。

株式市場

世界中にキャンパスを有する高等教育企業 Laureate Education は、2017 年にベネフィット・コーポレーションとして初めて新規株式公開（IPO）を行ないました。同社は、かつて B Corp だった Rally Software と Etsy に次いで、アメリカで株式公開を行なった 3 番目の認証 B Corp でもあります。Laureate Education は、プライベート・エクイティ Kohlberg Kravis Roberts の支援のもと、4 億 9,000 万ドルを調達し、直前の 2016 年には Apollo Management、Kohlberg Kravis Roberts、Abraaj Group から 3 億 8,300 万ドルをも調達しています。同社の株式公開が大きな意味をもったのは、すべてのステークホルダー（学生、ワーカー、コミュニティ、環境など）を考慮して意思決定を行なうことを法的に義務付けられたベネフィット・コーポレーションに対して、市場がどのような反応を示すのか、多くの関係者が半信半疑だったからです。世界を見てみると、上場している B Corp には、オーストラリアの Australian Ethical、Murray River Organics、SilverChef、Vivid Technologies のほか、ブラジルの Natura、インドの Yash Papers、台湾の O-Bank などがあります。

ベネフィット・コーポレーションのガバナンス

政治が混迷するなか、B Corp は世界中で党派を超えた支持を得ています。アメリカでは、ルイジアナ州、サウスカロライナ州といった「赤い」（共和党支持）でも、カリフォルニア州、ニューヨーク州などの「青い」（民主党支持）でも、コロラド州やペンシルバニア州といった「激戦州」でも、あるいは Fortune 500 企業の 63％以上が本社を置く会社法の本拠地デラウェア州でも、B Corp の理念に基づく新しいコーポレートガバナンスの仕組みであるベネフィット・コーポレーションが法制化されました[29]。現在までに、アメリカの 37 州のほか、コロンビア特別区、プエルトリコで、数千のベネフィット・コーポレーションが生まれています[30]。国際的には、2014 年に G8 社会的インパクト投資タスクフォース[31] のお墨付きを得たことで、イタリアとコロンビアでベネフィット・コーポレーションが法制化されたほか、多くの国においても現在法制化が検討されています。B Corp の考え方がなぜ党派を超えて支持されるのかは想像に難くありません。ベネフィット・コーポレーションの法制化と B Corp 認証は、ビジネス、環境、マーケット、コミュニティに貢献するものだからです。

アカデミア

『B Corp ハンドブック』の第 1 版が出版された 2014 年当時、B Corp

【28】2021 年 10 月にはラグジュアリーメゾンの Chloé が B Corp 認証を取得し、世の中を驚かせた。意外なところでは、イギリスのサッカーチーム Grimsby Town や、グローバルビジネスメディア Quartz が認証取得を目指しており、Treefort Music Fest という音楽フェスティバルや、パズルゲームアプリの傑作『Monument Valley』で知られるデジタルデザインスタジオの ustwo が B Corp 認証を取得している。

【29】B Corp ムーブメントの軌跡がつづられた書籍、『Better Business: How the B Corp Movement Is Remaking Capitalism』には、ベネフィット・コーポレーションの法制化への動きが詳細に描かれている。B Lab のファウンダーたちと協力者たちとの出会い、超党派の法案にするための共和党議員への働きかけ、地元の弁護士の説得、カリフォルニア州やデラウェア州での苦戦などを経て、幅広い地域での法制化が実現したという。このプロセスは紆余曲折の物語のようでもあり、理念を実装する動き方としても参考になる。

【30】ベネフィット・コーポレーションのサイト（benefitcorp.net）によるとアメリカ以外の国では、カナダのブリティッシュコロンビア州、エクアドルが追加されている。（2022 年 4 月時点）

について教えている学校は、おそらく10〜20校程度でした。いまでは、パラナ連邦工科大学、ハーバード大学、ロンドン・スクール・オブ・エコノミクス、マサチューセッツ工科大学（MIT）、ノースカロライナ州立大学、スタンフォード大学、アルバータ大学、イェール大学など、世界のトップレベルの学術機関を含む500以上の大学で、1,000人以上の教員がB Corpについて教えています。いまや世界中の教授や学生、大学職員が、ビジネスのやり方を変えるためにはビジネスの教え方を変える必要があると考えています。B Corpに関する研究者のネットワークには、「Global B Corp Academic Community」と「Academia B」のふたつがあります。これらの学術ネットワークは、ビジネスをより良い社会をつくるために役立てることに向けて研究活動を前進させることを目指しています。

インパクトマネジメント

わたしたちは、計測できる物事しか管理することができません。これは、ビジネスにおける最も基本的な原則のひとつです。であるならば、わたしたちは、何よりも最も重要な物事を測定しなくてはなりません。それはすなわち、収益によって測定される事業価値ではなく、カスタマー、ワーカー、コミュニティ、エンバイロメントにあなたの会社がもたらした価値です。これまで実に4万社に上る企業がBインパクトアセスメントを利用してきました。Bインパクトアセスメントは、企業の社会的・環境的パフォーマンスを総合的に評価するための無料ツールです。

　Bancolombiaはコロンビアで最大、ラテンアメリカで第3位の大手銀行ですが、Bインパクトアセスメントを利用して、業務外の自社の価値を計測した企業の好例です。Bancolombiaは、Bインパクトアセスメントを用いて、主要なサプライヤー150社の社会・環境への影響を測定し、得られたデータをもとにパフォーマンスレポートを作成し、サプライヤーたちに求められる改善点を明らかにしました。Bancolombiaは、その取り組みを複数年にわたる取り組みの第一段階と考えており、最終的には、1万3,000社以上のサプライヤーと南米全域の100万人以上の顧客との間に、より深い関係性と連携を生み出すことを目指しています。

　また、もうひとつインパクトマネジメント・ツールである「Bアナリティクス」の活用も広まっています。Bアナリティクスは、Bインパクトアセスメントで得たデータを自動的に集計・分析する、使い勝手のいいデータプラットフォームです。Bアナリティクスの意義は、投資家やファンドマネージャー、非営利団体、大企業が市場の変化を加速させ、ビジネスコミュニティの変化を促すことにあります。Ashoka、Business Alliance for Local Living Economies、Conscious Capitalism、Family Business Network、Social Capital Markets、Young Professionals Organizationといった組織は、それぞれの

【31】2013年に、当時の先進国首脳会議（G8）の議長国であったイギリスのキャメロン首相による呼びかけにより創設されたインパクト投資を推進する世界的なネットワーク組織。2015年8月にThe Global Steering Group for Impact Investment（GSG）と名称変更をした。イギリスにおけるベンチャーキャピタルの先駆者であるロナルド・コーエン卿が会長を務める。日本国内ではGSG国内諮問委員会があり、調査研究・普及啓発・ネットワーキング活動を通じて、インパクト投資市場やエコシステムの拡大に貢献している。

ネットワークのなかにいる企業に向けて、このツールを用いてポジティブなインパクトを測定し管理することを支援しています。

Best For、+B キャンペーン

B Labは、それぞれの地域に根ざしたリーダーや地方自治体と連携し、世界各地でBest Forや+Bといった草の根レベルの取り組みも行なっています。2015年のBest for NYCキャンペーンでは、ニューヨーク市内のすべての企業に、自らのインパクトを測定し、比較し、改善するように働きかけました。このプログラムは、地域団体、企業・業界団体、大学、政府機関、銀行、地域経済の支援に尽力する大企業などとの連携によって実現しました。その後、Best for Calais（フランス）、Best for Geneva（スイス）、Best for PDX（オレゴン州ポートランド）、Best for PHL（ペンシルバニア州フィラデルフィア）、MZA+B（アルゼンチン・メンドーサ）、RIO+B（ブラジル・リオデジャネイロ）、STGO+B（チリ・サンティアゴ）といったキャンペーンが実施されました。近い将来、さらに多くの都市で同様のキャンペーンが行なわれる予定です。

インクルーシブエコノミー・チャレンジ

B Labは、2016年に「Inclusive Economy Challenge」（インクルーシブエコノミー・チャレンジ）[32] をローンチしました。このチャレンジは、多様性のある公正な社会の実現に向けて、そのポジティブな影響力を高めるべくアクションを起こすことを、B Corpコミュニティに対して呼びかけるものでした。インクルーシブエコノミー・チャレンジに参加する企業は、Bインパクトアセスメントの質問項目のなかでも、弱い立場のワーカーの支援、気候変動の緩和、サプライヤーの選別、コーポレートガバナンスなどのテーマに焦点を当てた「インクルーシブエコノミー・メトリックセット」から3つ以上の目標を選択し、それを毎年クリアすることを目指します。2016年には、175の企業が参加し、全社合わせて合計298のゴールをクリアしました。B Labがこのチャレンジを始めたのは、多くのB Corpと同様、コミュニティ全体のビジョンである持続的に分かち合われる繁栄は、インクルーシブエコノミーなしには実現できないと考えているからです。

　また、B Labは、インクルーシブエコノミー・チャレンジはスタート地点にすぎないことも認識しています。B LabやB CorpコミュニティがDEIについて学ぶべきことは、まだまだたくさんあります。認証B Corpになることに興味があろうとなかろうと、B Labは、どのような企業でも、よりインクルーシブなビジネスを構築するために利用することができる、適切で実用的かつ使いやすいベストプラクティスガイドを作成しました。bcorporation.netでは、これらのガイドをダウンロードし、インクルーシブエコノミー・チャレンジについて詳しく学ぶことができます。

【32】2022年4月現在、同チャレンジは終了している。B Lab とB Corpのコミュニティでは、社会情勢に合わせてさまざまな試みを行なっており、一定期間を経て終了するものもある。最新の情報はbcorporation.netを確認してほしい。

第1章

Overview
B Corpのはじまりから現在地まで

とあるバスケットボールシューズのメーカーがなければ、B Corpは
生まれなかったかもしれない……B Lab誕生の背景、ムーブメント
の軌跡、そして多国籍企業、上場企業、投資家との関係など、B
Corpに関する俯瞰図をご紹介します。

B Corpのはじまり

貧困の解消、生態系の保全、強固なコミュニティの
構築などを目指す社会に対して、
ビジネスはどのような貢献ができるのだろうかと考えてきましたが....
そのやり方があることをB Labが証明してくれました
マドレーン・オルブライト｜元国務長官｜アメリカ

AND 1のミックステープ

ライアン[1] がAND 1のミックステープ[2] に出会ったのは、1990年
代後半のことでした。そのミックステープとは、バスケットボールシュ
ーズとアパレルの人気企業AND 1が制作した「ストリートバスケ」の
ビデオで、桁違いの驚くべき才能をもった選手たちによる、目にも留
まらぬボールさばきやアクロバティックなスラムダンクなどの映像が収
められていました。

　ライアンはAND 1のビデオの大ファンでした。ライアンが、このミ
ックステープの虜となったのは、目も眩むような派手なプレイが、それ
まで大学やNBAでプレイされていた伝統的なバスケットボールとはま
ったく違うものだったからです。あまりに魅了されたライアンは中国の
浙江省で英語教師をしていたときに、わざわざこのミックステープを
授業に取り入れたほどでした。

　それから何年も経って、ライアンは、AND 1の共同設立者であるジ
ェイ・コーエン・ギルバートとバート・フラハン、そして彼らの長年
の友人で元ウォール街のプライベートエクイティ投資家であるアンド
リュー・カソイが、認証B Corpをつくった人物であることを知って大
変驚くこととなります。そしてライアンは、コーエン・ギルバートとフ
ラハンのAND 1での経験と、カソイのウォール街での経験こそが、B
Corpの活動を支える非営利団体B Labの設立につながったことも知
ることとなるのです。

　AND 1は、その言葉をもって自社を定義づけることはしていません
でしたが、その概念が知られる前から「社会的責任」を果たすビジネス
を行なっていました。AND 1の靴は、オーガニックでもなく、地元
産でもなく、リサイクルタイヤを使っているわけでもありませんでしたが、
社内にはバスケットコートがあり、ヨガレッスンが開催され、育児休暇
も充実し、会社のオーナーシップは社員とともにシェアされていました。
毎年、5%の利益を、都市部で質の高い教育や若者のリーダーシップ
育成を行なっている組織を支援する地元の慈善団体に寄付していま
した。また、AND 1は海外の工場と協力して、ワーカーの健康と安全、
公正な賃金、専門能力の開発を達成するために、同種の企業としては
最も要求の高い行動規範をサプライヤーたちと共有していました。

　こうした取り組みは、いちバスケットボールシューズのメーカーのも

【1】著者が自分のことを名前で呼ぶことを少し不思議に思うかもしれない。本書はライアン・ハニーマンとティファニー・ジャナ博士による共著であるため、どちらの著者の執筆箇所であるかを明確にするために、人称代名詞ではなく氏名を使って書かれていると考えられる。ライアンのみが著者であった第1版の同じ箇所では、一人称の代名詞が用いられている。

【2】ゼミではAND 1のミックステープの話と関連して、ニューヨークのハーレムで50年以上にわたって行なわれてきたバスケットボールトーナメント「The Rucker」を軸として、都市における黒人のバスケットボール文化を描いたドキュメンタリー映画『#Rucker50』と、トーナメントが行なわれていたRucker Parkを扱った書籍『Echoes From Rucker Park: Memories of The Golden Era of the Rucker/Harlem Pro League』を取り上げた。Rucker Parkが雇用を生み出したり、教育機関的な役割をコミュニティのなかで果たしたりしていたことを振り返りながら、スポーツと政治、経済、B Corpムーブメントのつながりに思いをめぐらせた。

のとしては極めて先進的なもので、それはターゲットとなる消費者が
可処分所得の多い意識の高い消費者ではなく、10代のバスケットボー
ルプレイヤーであったことを考えればなおさらです。AND 1は何より、
従業員が誇りをもって働くことのできる会社でした。

　AND 1は経済的にも成功しました。1993年に手弁当で立ち上が
ったスタートアップは、1995年に400万ドルのささやかな収益を生
み出したのち、2001年にはアメリカ国内で2億5,000万ドルを超え
る収益を上げるまでになりました。AND 1は10年足らずで、バスケ
ットボールシューズの世界で（Nikeに次ぐ）ナンバー 2ブランドにまで
成長したのです。けれども、あらゆる事業の常として、成功は新たな
課題をもたらします。

　1999年にAND 1は初めて外部の投資家を迎え入れました。この頃、
フットウェアや衣料品の小売業界は統合されつつあり[3]、それがAND
1の利益率を圧迫していました。さらに悪いことに、Nikeは年次のグ
ローバルセールスミーティングで、AND 1を標的とすることに決めた
のです。こうした外部要因と、さらに社内の不手際がいくつか重なっ
たことで、AND 1の売上は当然落ち込み、創業以来初めて従業員を
解雇せざるを得なくなりました。ビジネスを再び軌道に乗せるための
試行錯誤を経て、コーエン・ギルバート、フラハンと彼らのパートナー
は、さまざまな選択肢を検討した末、2005年に会社を売りに出すこ
とを決めました。売却は首尾よく進みましたが、そのプロセスは、コー
エン・ギルバートとフラハンには見るにたえないものでした。覚悟を決
めて売却に臨んだとはいえ、従業員、海外のワーカー、地域社会に対
して行なってきたそれまでのコミットメントが、売却をめぐる数カ月の
間にすべて剥ぎ取られていってしまったのです。

「次は何を？」の答え

バスケットボール（とウォール街）からB Corpへといたる道の半ばで、
コーエン・ギルバート、フラハン、カソイの3人は、AND 1の次に何
をやりたいかを漠然とは共有していました。「できるだけ多くの人に、
できるだけ長く、最もよいものを」。そんな思いはあったものの、それ
がいったいどのようなかたちのものになるのかは皆目見当がつきません
でした。

　社会変革を目的としたプライベートエクイティ・ファームのEchoing
Greenや、のちに認証B CorpとなるFreelancers Insurance Com-
panyの役員として仕事をするなかで、カソイは次第に社会起業家た
ちの影響を受けるようになりました。フラハンは、成長すると同時に
社会と環境への責任を果たそうとしている価値観重視型の企業が、資
金調達する上での最良の方法論を見つけ出すことに興味を抱いてい
ました。コーエン・ギルバートは、AND 1の文化とやってきたことに
強い誇りをもっていましたが、Ben&Jerry's、Newman's Own、Pa-

【3】2001年には1908年に創業したフットウェアメーカーのConverseが倒産し、2003年にNikeが同社を買収した。他にも、Adidasは90年代前半に創業者一族の経営権争いにより経営が低迷、外部の経営者が入り経営改革を行なったのち、90年代後半から2000年代初頭にかけてSalomonやReebokなどを統合。大手の傘下にさまざまなブランドが吸収されることとなった。

tagoniaに象徴される、社会的責任を負ったブランドのストーリーに
感化され、社会を良くするためにビジネスを用いることの可能性を、
それらの会社の経営原理に見いだすようになりました。

　「次は何を？」という問いに対する3人の当初の直感的な答えは「新
しい会社をつくる」でした。AND 1には誇れるものがたくさんありま
したが、社会に貢献しようと具体的な意図をもって始めた会社でなか
ったことは、3人とも認めるところでした。そこでコーエン・ギルバート、
フラハン、カソイの3人は、「もし、自分たちがそのような意図をもっ
て会社を設立したらどうだろう？」と問い、検討を重ねた結果、Numi
Organic Tea [4] のアーメド・ラヒムとリーム・ラヒムや、Give Some-
thing Back Office Supplies [5] のマイク・ハニガンとショーン・マー
クスといった既存の社会起業家たちと肩を並べられるようなビジネス
ができたらいいのではないかと考えるようになりました。その一方で彼
らは、たとえそれがどんなに効果的なビジネスであっても、ひとつの事
業では世界の最も差し迫った課題を解決するには不十分なのではないか、
とも考えていました。

　そこで彼らは、ソーシャルインベストメントファンドの設立を検討し
はじめます。いくつもの会社をつくることができるというのに、なぜひ
とつしかつくらない？　彼らはそう問うたのです。けれどもこのアイデ
アもすぐに立ち消えました。たとえ、Renewal Funds、RSF Social
Finance、SJF Venturesといった既存のソーシャルベンチャーファン
ドと肩を並べられるほどの成果をあげたとしても、社会が直面してい
る問題に広く目を向けてもらうには、急成長する革新的な企業を10
数社つくりあげるだけでは不十分に思えたのです。

　何百人もの起業家や投資家、オピニオンリーダーたちと対話を重ね
るなかで、コーエン・ギルバート、フラハン、カソイの3人が気づいた
のは、社会的・環境的に責任のあるビジネスセクターの成長を加速さ
せその声を増幅させるためには、ふたつの基本的な要素が欠けている
ということでした。ビジネスリーダーたちが口を揃えて語ったのは、創
業当初のミッションや価値を維持しながら成長することを可能にする
法的枠組みと、誰もが「Good」であることを標榜する過密な市場に
おいて本当によい企業を差別化し、その価値を保証するための基準の
必要性 [6] でした。

　こうして、2006年に、コーエン・ギルバート、フラハン、カソイの
3人によって、社会を良くする力としてビジネスを役立てるグローバル
ムーブメントを支援する非営利団体B Labが設立されました。B Lab
のチームは、ビジネス界をリードする企業や投資家、弁護士たちと協
力し、企業のパフォーマンスを査定するための基準と、求められる法
的要件を一式にまとめ上げ、2007年に、B Corpの認証を開始した
のです。

【4】Numi Organic Teaは、1999年にカリフォルニアのオークランドで創業した飲料メーカー。Numiは、創業者兄妹が出身地のイラクで飲んだ乾燥したデザートライムを使ったお茶に由来する。欧米ではあまり知られていなかった中東のハーブティーを紹介し、その生産者たちとフェアトレードを行なってきたことで知られる。

【5】1991年創業のGive Something Back Office Suppliesは、B Corpの認証がスタートした2007年に認証を取得した82の創立企業に名を連ねるカリフォルニア州で操業していたオフィス用品サプライヤー。商品を配達しながら、地域のNPOなどの寄付物資を配送したり、利益を寄付したりしていたことで知られる。2012年にベネフィット・コーポレーションを取得したのち、2018年に同州で50年以上の歴史をもつBlaisdell's Business Productsに買収された。

【6】『Better Business: How the B Corp Movement Is Remaking Capitalism』によると、B Corpの認証基準ができる前から、オーガニック食品に関する認証基準や、Global Reporting Initiative (GRI) の報告基準は存在していた。ただし、より包括的かつパフォーマンスの良し悪しを判断でき、インパクトの創出を推し進めるような基準が必要だとB Labの創業者たちが考え、B Corp独自の認証基準がつくられた。

B Corp クイックガイド

B Corp ムーブメントについて初めて知ったとき、
「これこそがわたしたちがずっと言いたかったことだ」と
声をあげてしまいました。
わたしたちのアプローチや哲学と完全に合致していたのです
アレックス・ホウルストン｜Energy for the People｜オーストラリア

認証 B Corp とは、社会的・環境的パフォーマンスと説明責任、透明性に関する厳格な基準を満たしていると非営利団体である B Lab が認定した企業のことです。B Corp 認証は、LEED（Leadership in Energy and Environmental Design）のグリーンビルディング認証や、コーヒーのフェアトレード認証、牛乳の USDA オーガニック認証などと似たものです。ただ、B Corp 認証は、建物や製品といった事業の一側面ではなく、ワーカーに対する取り組み、コミュニティへの参加、環境フットプリント、ガバナンス構造、カスタマーとの関係性など、企業とその取り組み全体を対象としている点が大きく異なっています。このような大局的な評価に意味があるのは、それがよい企業と巧妙なマーケティングとを区別するのに役立つからです[7]。

　現在、何千もの認証 B Corp が、何百という業種にまたがってグローバルコミュニティをつくり、いまもなお拡大しながらひとつのゴールに向かって連帯しています。そのゴールとは、世界で一番になることではなく、世界にとって一番よいことを成し遂げることがビジネスの成功であるとし、いつの日か、あらゆる企業がその成功の定義にもとづいて競い合うようになることです。

　認証 B Corp になるためには、次の3つの要件が審査されます。「社会的・環境的パフォーマンス」「法的説明責任」「公に対する透明性」です。後ほど詳述しますが、ここでは、それぞれのステップについて簡単に説明していきます。

☞ 1. 社会的・環境的パフォーマンス
社会的・環境的パフォーマンスの認証要件を満たすためには、B インパクトアセスメントで80点以上のスコアを獲得する必要があります。B インパクトアセスメントは、ワーカー、コミュニティ、カスタマー、エンバイロメント（環境）に対して企業全体が及ぼしているインパクトを包括的に査定するものです。

☞ 2. 法的説明責任
すべての認証 B Corp は、あらゆるステークホルダー[8]に対するインパクトを考慮して会社の意思決定が行なわれることが法的に求められます。この要件は、有限責任会社（LLC）、伝統的な企業、ベネフィット・

【7】たとえば、SDGsに対する取り組みが十分でない企業がそれをマーケティングの「ネタ」として利用する際には、同じ表現が何度も繰り返される傾向にある。イギリスのクリエイティブコンサルタント Radley Yeldar が発表しているサステナビリティとブランディングについて分析したレポート「Words that work: effective language in sustainability communications」によれば、Forbes が選ぶトップ50企業のサステナビリティ活動の取り組みを紹介するウェブページには平均して10回「サステナビリティ」という単語が出てくるのだという。一方で、Patagonia や Ben & Jerry's などのウェブページには1回しか登場しない。同レポートは、中身がない企業は紋切り型でお茶をにごすしかないと結論づけている。日本企業のウェブサイトでも同じことがいえそうだ。

【8】原文は「stakeholder」。stake はもともと「掛け金」を意味し、賭け事を行なうときに、その結果が出るまですべてのプレイヤーから一旦お金を預かる存在のことを指していた。1990年代後半から、株主（shareholder）と対置されるかたちで、stake のもつ利益という意味から株主も含むすべての利害関係者という意味で使用されるようになった。

コーポレーション、協同組合といった、さまざまな組織形態で満たすことが可能です。

☞ 3. 公に対する透明性

透明性は信頼を築きます。すべての認証 B Corp は、自社の B インパクトレポートを bcorporation.net で公開することが求められます。B インパクトレポートは、B インパクトアセスメントにおける企業のスコアをカテゴリー別にまとめたもので、カテゴリーごとの点数は開示されますが、その先の具体的な質問とその点数までは開示されません。

アメリカの 501(c)(3) に該当する非営利団体、もしくは政府機関は、B Corp 認証を受けることはできません。認証 B Corp になることができるのは以下の形態の企業ですが、このリストがすべてではありませんので、詳細は bcorporation.net でご確認ください。

- ベネフィット・コーポレーション
- C コーポレーション
- S コーポレーション
- 協同組合
- 従業員持株会社
- 有限責任会社（LLC）
- 低収益有限責任会社（L3C）
- パートナーシップ
- 個人事業主
- 完全子会社
- アメリカ国外の営利企業

B Corp の認証を受けるための最後のステップは、B Corp コミュニティを定義する価値観を示した文書「B Corp Declaration of Interdependence」(B Corp 相互依存宣言) と、認証 B Corp に求められる条件と役割を定義した条件規定書「B Corp Agreement」に署名し、企業の年間売上高に応じて算出される年間認証料を支払うことです。認証 B Corp の認証期間は 3 年です。3 年後も継続して認証を維持するためには、最新の B インパクトアセスメントを作成し、最初と同じプロセスを経て再び認証を受けなくてはなりません。

B エコノミーの台頭

B Corp とは「どうやって相手より優位に立てるか」という考え方から「どのようにみんなのインパクトを組み合わせ増幅できるか」という考え方へ、マインドセットを転換することを意味しています。

前者のマインドセットは早晩底をつきますが、後者にはまだ
誰にも触れられていない莫大な価値が眠っていると信じています
　　　　　　　　　　コーリー・リエン｜DOMI Earth｜台湾

『B Corp ハンドブック』の第1版が刊行されて以来、発展し広まって
きた重要な概念のひとつが「Bエコノミー」です。Bエコノミーは、認
証B Corpのコミュニティよりも大きな潮流です。Bエコノミーには、
何千もの認証B Corp、何千ものベネフィット・コーポレーション、B
インパクトアセスメントを利用して自社のパフォーマンスを査定し改
善に取り組んでいる4万社以上の企業[9]、認証B Corpやベネフィッ
ト・コーポレーションに対して投資を行なうますます多くの投資家たち、
B Corpムーブメントについて教え研究する何千人もの学者たち、子
会社や取引先の社会的・環境的パフォーマンスを向上させるべくアセ
スメントを利用する大企業、さらにこうした企業で働く何千人もの従
業員、そして社会を良くするためにビジネスを役立てようとしている
企業の商品を購入し支援する、何百万人もの顧客を含んでいます。
　　Bエコノミーの注目すべき点は、それが認証B Corpに限らず、あ
らゆる人が参加することのできる、より広いムーブメントであることです。
いつの日か、Bエコノミーという呼び方が不要となり、グローバルエコ
ノミー[10]という言葉が持続的な繁栄と同義になることが、わたした
ちが目指すべき達成なのです。

<u>投資家はB Corpをどう考えているか</u>

B Corp認証は、投資家に対して大きな意味をもっています。
認証があることが、途上国の農業従事者の生活向上という
目標に向かってわが社が前進していることを、
投資家に証明してくれるからです
　　　　　ガブリエル・ムウェンドワ｜Pearl Capital Partners｜ウガンダ

認証B Corpやベネフィット・コーポレーションになることで、資本調
達に支障をきたすのではないかと考える起業家は少なくありませんが、
実際には、そんなことはありません。B Labの調査によれば、これまで
に120社のベンチャーキャピタルが、20億ドル以上を認証B Corpや
ベネフィット・コーポレーションに投資しています。そこには、An-
dreessen Horowitz、GV、Kleiner Perkins、New Enterprise
Associates、Sequoia Capitalといったメインストリームのベンチャ
ーキャピタルも含まれます。Kickstarterに出資したベンチャーキャピ
タルUnion Square Venturesは、B Corpが魅力的であるのは、今
後10年で最も多くの価値をステークホルダーにもたらす企業こそが、
最も優れた財務的利益を生み出すことになるからだと語ります。また、

【9】Bインパクトアセスメント
は無料で使えるツールであるた
め、認証取得を検討したり、認
証を取得しなくとも自主的な点
検を行なったり、改善の指針と
するために使用する企業が、営
利・非営利企業に限らず存在する。

【10】原文は「global econo-
my」。世界経済を表す言葉とし
ては、international econo-
myという表現も存在する。もと
もと球体を示すglobalが地球
全体の視点を意味しているの
に対して、international は国
家の垣根を越えたつながりを意
味する。ここではBエコノミー
の理念が地球全体で受け入れ
られた結果、経済としての地球
標準となる目標が示されている。

B Labの法務責任者リック・アレキサンダーは、「B Corpのほとんど
が非上場企業ですから、ベンチャーキャピタルが投資することには合
理性があります。現時点でシリコンバレーの主要なベンチャーキャピタ
ルのほぼすべてがB Corpに投資しています」とも語っています[11]。

認証B Corpとその投資家

投資家	認証B Corp
Kohlberg Kravis Roberts	Laureate Education（大学運営）
Andreessen Horowitz	Altschool（教育機関）
Goldman Sachs	Ripple Foods（代替乳製品）
Union Square Ventures	Kickstarter（クラウドファンディング）
Greylock Partners	Change.org（オンライン署名）
New Enterprise Associates	Cotopaxi（アウトドアギア）
Red Sea Ventures	Allbirds（フットウェア）
Investeco	Kuli Kuli（スーパーフード）
Sequoia Capital	Lemonade（インシュアテック）
Obvious Ventures	Olly（サプリメント）
Kleiner Perkins	Recyclebank（リサイクルプログラム）
Foundry Group	Schoolzilla（エデュテック）
Collaborative Fund	Fishpeople（水産品）
Draper Fisher Jurvetson	WaterSmart Software（水資源管理）
Tin Shed Ventures	Bureo（環境配慮アパレル）
Force for Good Fund	Spotlight: Girls（女性キャリア支援）
White Road Investments	Guayaki（マテ茶）
Silicon Valley Bank	Singularity University（教育機関）
Builders Fund	Traditional Medicinals（ハーブ飲料）
FreshTracks Capital	SunCommon（太陽光発電システム設置）

※原著出版時の情報。2022年現在はB Corp認証を取得していない企業もある。

【11】ゼミのなかには、ベンチャー投資を専門とするメンバーもいた。社会的インパクト投資への関心をもつベンチャーキャピタル（VC）が増えるなかで、B Corpを取得したスタートアップに投資を行なう流れは日本でも想定されうるという。ただし経営者が株主の利益に加えて他のステークホルダーの利益を追求した判断を行なったときに、VCとしてどのような判断をすべきか整理する必要がある。資金を提供する機関投資家とVC、VCとスタートアップの間での契約など、法的な課題の洗い出しが不可欠なものとなるだろう。たとえば、アメリカではベネフィット・コーポレーション法が施行され、投資家とB Corpの関係について整理が進みつつある。詳しくはP.196を参照。

事例 Ripple Foods

── CEOのアダム・ローリーさん[12]にお聞きします。Ripple Foodsは、GV、Goldman Sachs、Khosla Venturesといった有名な投資企業から1億ドル以上の資本を調達しています。御社がベネフィット・コーポレーションであることに対して、投資家はどんな反応を示しましたか？

ポジティブな反応がほとんどですよ！ 投資会社の多くは、社会や環境に利益をもたらす企業とともに歩み、独占的に投資している場合が多いのです。そして、投資会社からは、嘘をつかないことが求められます。測定可能な結果を出し、企業の得意不得意について透明性を保ちながら、継続的に改善できる能力が構築されていることが最も重要です。これまで、投資家が、弊社がベネフィット・コーポレーションであることを理由に投資をしなかったことは一度もありません。

──投資家がベネフィット・コーポレーションの法的な仕組みを理解するためには、どのような言葉遣い、事例、論証が効果的だと思いますか？

「この法人形態は、従来の法人にはない新しいもしくは追加的な負債を生じさせるのでは？」という懸念を耳にすることがあります。投資家が安心するので、株主規定について理解しておくことをおすすめします。深く掘り下げる必要がある場合は、その分野に精通した弁護士を呼ぶとよいでしょう。わたし自身、より専門的な質問に答えるために、ベネフィット・コーポレーションの法令に詳しい弁護士に依頼をしたことがあります。

──ベネフィット・コーポレーションへの変更を考えているけれど資金調達に不安をもっている起業家へのアドバイスをお願いします。

問題ないと思います。むしろ、ベネフィット・コーポレーションであることは、資金調達のプロセスにおいて有利に働くものです。ただし準備は必要です。そして、投資家の心配を解消するために協力が必要であれば、助けを求めてみてください。

──投資家から、ベネフィット・コーポレーションのエグジットや市場流動性についても質問されることはありますか？

市場流動性に関する仕組みは、ベネフィット・コーポレーションも他の法人形態と同じです。投資家がサインする契約書の条件によって決まります。重要なのは、「売れない」ことではなく、「売り逃げ」（市場流

【12】アダムは、Ripple Foodsを起業する前にB Corpの草分けとして知られるエコ洗剤製造企業Methodを起業している。同社は、2012年に同じくエコ洗剤を製造するEcoverに買収されたのち、2013年にベネフィット・コーポレーションとなった（ちなみにEcoverとMethodは2017年にS. C. Johnson & Sonに買収された）。Ripple Foodsがあるカリフォルニア州では、認証を取得したB Corpはベネフィット・コーポレーションへの法人形態の変更を求められる。以上から、アダムはB Corpとベネフィット・コーポレーションを極めて近い概念として話していると考えられる。

動性を求めてミッションを妥協すること）ができないことです。これに反発
する投資家もいますが、持続可能なビジネスに投資したいと言ってい
る投資家が本気かどうかを見極めるリトマス試験紙になるともいえます。
ベネフィット・コーポレーションやB Corpを否定する投資家のことを、
わたしは疑ってしまいます。そもそもパートナーシップを結ぶ投資家と
してふさわしくないというサインかもしれません。

<u>B Corp認証は多国籍企業や上場企業にも役立つ？</u>

買収を検討する際には、
常にその企業が*Unilever*にフィットするかどうかを考慮します。
*Unilever*のビジョンや価値観に近い企業を探すのです。
パートナーシップの成功のためにこれは不可欠です。
*認証B Corp*は、わたしたちの長期的な目標や
文化に合った属性をもっています。
であればこそ、近年買収した*Seventh Generation*、
Pukka Herbs and Teas、*Sir Kensington*といった企業が
*B Corp*であることは、驚くにはあたりません
　　　　　　　　　　ポール・ポールマン｜Unilever｜イギリス

多国籍企業や上場企業を含む大企業が、Bエコノミーに参入するやり
方はたくさんあります。認証B Corpになること、ベネフィット・コー
ポレーションとして法人化すること、Bエコノミーのムーブメントの普
及に尽力すること、あるいは、BインパクトアセスメントやBアナリティ
クスを利用して、主要なステークホルダーに社会的・環境的パフォー
マンスの向上を促すこと、などです。
　あるいは、別のやり方としては、B Corpを買収し子会社化するとい
う方法もあります。消費財の大手多国籍企業のUnileverは、近年、相
次いでB Corpを買収しています。2016年から2017年にかけてUni-
leverは、Mãe Terra、Pukka Herbs、Seventh Generation、Sir
Kensington's、Sundial Brandsといった5つの認証B Corpを買収
し、さらに2000年に買収したBen & Jerry'sも、2012年に認証B
Corpになりました。
　その他の大手多国籍企業では、Anheuser-Busch、Campbell
Soup Company、Coca-Cola、Group Danone、Hain Celestial
Group、Nestlé、Procter & Gamble、楽天、SC Johnson & Son、
Vina Concha y Toroといった企業が、認証B Corpを買収、子会社
化しています。
　Danoneは、上場している多国籍企業のなかでも、さまざまなレベ
ルでB Corpムーブメントに深く関わっている企業の好例です。同社の
2017年の年次株主総会で、当時のDanoneのCEOのエマニュエル・

ファーベルは、Fortune 500企業として初めてB Corp認証を取得する意向を示しました[13]。また、Danoneは、B Corpムーブメントに深く関わることを明らかにして以来、いくつかの子会社に対して、B Corp認証取得に向けた支援を始めてもいます。その際、どの子会社が認証取得の準備が整っているか、あるいは改善を必要としているかを見極める上で、Bインパクトアセスメントが役に立ったといわれています。「Bインパクトアセスメントが求める基準は非常に高いものですが、わたしたちの子会社のなかにはすでにその基準を満たすものがあります」とDanoneのB Corpコミュニティディレクターのブランディーヌ・ステファニは語ります。「また、そうではない会社にとっては、B Labのサポートを受けながら認証B Corpを目指すことは、これまでの会社のあり方を変えていく上で、格好の目標ともなるのです」。B Labがファシリテートするコホート（集団）でのプロセスを通じて、親会社はB LabのBアナリティクスツールを使い各子会社の進捗と改善をモニターすることで、各子会社はBインパクトアセスメントを完了することができました。Danoneのような大企業にとって、B Labの「インパクトマネジメント・コホート」[14]は、子会社のB Corp認証取得を、より簡単に、素早く、より透明なかたちで可能にしてくれるものなのです。

2018年の時点で、B Corp認証を取得した子会社を9つ保有するDanoneは、アメリカではベネフィット・コーポレーションの法制度を活用するほか、B Labのインパクトマネジメント・ツールを用いて多くの事業部を評価・教育することで、多国籍企業によるムーブメントへの参加の道筋を示すリーダーとなっています。

さらにDanoneは、自社の資本と環境・社会・ガバナンス（ESG）をめぐる指標を結びつける新たなやり方として、Danoneが世界にポジティブなインパクトをもたらすに従って融資の利率が下がっていくという取り決めを世界の大手銀行12行と交わしました。ここでは、Danone全体の売上において認証B Corpの売上が占める割合が、環境・社会・ガバナンスにおけるインパクトを査定するひとつの指標となっています。つまり、B Corp認証を取得した子会社からの売上が多ければ多いほど、資本コストを下げることができるというわけです。

Danoneの20億ドル規模のシンジケート・クレジットファシリティは、BNP Paribasが主導し、Barclays、Citibank、Crédit Agricole、HSBC、ING、J.P.Morgan、MUFG、Natixis、NatWest、Santander、Société Généraleなどの金融機関が参加しています。これによって、世界最大級のクレジット会社12社の法人・機関投資家向け銀行業務を執り行なう責任者たち、つまり、あらゆる取締役会のなかでも最も財布の紐の固い人たちが、認証B Corpになることはリスクを軽減しコスト削減にもつながると認めたことになります。

【13】エマニュエル・ファーベルは、2021年3月にDanoneの会長兼CEOを解任された。アクティビスト（もの言う株主）などが、業績不振の責任を取って交代すべきだと主張した結果だという報道もある。ファーベルが目指したB Corp化への取り組みが今後どうなるのか注視したい。ファーベルは退任後、2022年1月から国際サステナビリティ基準審議会（ISSB）の議長として活動している。

【14】2022年4月現在、インパクトマネジメント・コホートは「B Movement Builders」に進化し、年間収益が10億ドル以上の企業に向けて提供されている。同プログラムはDanone、Naturaなどの多国籍企業がメンターを務めている。また、年間収益が1億ドル以上の多国籍企業に向けた「Large Enterprise certification pathway」（大企業認証パスウェイ）という制度も提供されている。詳しくはbcorporation.netを確認してほしい。

大手企業に買収された認証 B Corp

親会社	買収された認証 B Corp
Anheuser-Busch	4 Pines Brewing Company（ビール製造）
Azimut Group	AZ Quest（投資ファンド）
BancoEstado	BancoEstado Microempresas（零細企業向けバンキング）、Cajavecina（個人向けバンキング）
Campbell Soup Company	Plum Organics（ベビーフード）、The Soulful Project（シリアル）
Coca-Cola	Innocent Drinks（スムージー飲料）
Fairfax Financial	The Redwoods Group（保険・リスク管理）
Gap	Athleta（フィットネス用品）
Group Danone	Aguas Danone Argentia（飲料水）、Alpro（オーツミルク）、Danone AQUA Indonesia（飲料水）、Danone Canada、Danone North America、Danone Spain、Danone UK、Earthbound Farm（オーガニックサラダ）、Happy Family Brands（ベビーフード）、Les 2 Vaches（乳製品）
キッコーマン	Country Life（サプリメント）
Lactalis	Stonyfield Farm（乳製品）
Land O'Lakes	Vermont Creamery（乳製品）
Nestlé	Essential Living Foods（スーパーフード）、Garden of Life（サプリメント）
OppenheimerFunds Inc.	SNW Asset Management（資産運用会社）
Procter & Gamble	New Chapter（サプリメント）
楽天	OverDrive（電子書籍配信）
SC Johnson & Son	People Against Dirty〈Method, Ecover〉（石けん・洗剤）
Unilever	Ben & Jerry's（アイスクリーム）、Mãe Terra（オーガニック食品）、Pukka Herbs（ハーブティー）、Seventh Generation（石けん・洗剤）、Sir Kensington's, Sundial Brands（調味料）
Vina Concha y Toro	Fetzer Vineyards（ワイン）

※原著出版時の情報。2022 年現在は B Corp 認証を取得していない企業もある。

第2章

Benefits of Becoming a B Corp
B Corpであなたの会社はこう変わる

B Corpを取得することのメリットを知り、B Corpがもたらす価値を把握することは重要です。アセスメントという長いプロセスを歩むためには、明確なメリットを社内・社外のステークホルダーと共有することが不可欠だからです。第2章では、実際の取得企業からのアンケートをもとに、先駆者たちが感じたメリットを6つのポイントに分けて解説します。

Intro
認証の先で得られるもの

他のB Corpと接することで、
何カ月にもわたって活力を得られることでしょう

スザンヌ・コールホフ｜Re-Vive｜ベルギー

認証B Corpになることで得られるメリットには、会社の事業と直結するものが少なくありません。B Corp認証は、優秀な人材の確保と維持、群雄割拠の市場におけるビジネスの差別化、地球上で最も社会・環境への責任を果たしている企業としてのブランド確立などに役立ちます。何が最も魅力的なメリットであるかは、業界や何を目標・目的とするか、ビジネスのライフサイクル（創業、事業拡大、継承など、どの段階にいるか）によって異なります。

　著者のライアンは、B Corpコミュニティの質の高さに最も引かれたといいます。King Arthur Flour、Method、Seventh Generationが認証B Corpであることを知ったとき、彼は自分の会社もB Corp認証を得ることを目指さねばならないと確信し、自分が大切にする価値を共有し、志を同じくする革新的でダイナミックな起業家のグループをB Corpのコミュニティに見つけたのです。

　一方でジャナ博士は、B Corp認証が、能力があってやる気に満ち、自分の価値観に忠実に生きるミレニアル世代[1]を引きつけていることに興味をもちました。B Corpになれば、能力の高いスタッフが向こうから見つけてくれる、つまり自分から探しに行かなくてもいいことに気づいたのです。ライアンはコミュニティに引かれ、ジャナ博士は優秀な人材を引きつけることにメリットを見いだしました。一方で、Ben & Jerry's、Numi Organic Tea、Preserveといった消費財企業は、マーケティング上のメリットに大きな価値を感じているかもしれません。認証を得ることで、認証印を製品パッケージにつけ、B Corpの広告キャンペーンに参加したり、小売業同士でパートナーシップを活用したりすることができるようになるからです。

　さらに、B Corp Peer Circles[2]に参加することに興味をもつ企業もあります。このサークル内では、多様で公平でインクルーシブな雇用におけるベストプラクティスが共有されています。これ以外にも、たとえばPatagoniaは、創業者のイヴォン・シュイナードと妻のマリンダが引退したあとにも会社内で社会と環境に対するミッションが継続されるための方策として、B Corpに注目していました。B Corpのどこに魅力を感じるかは企業次第です。ここに挙げたメリットの複数のものに価値を感じることもあるでしょう。

　以下のセクションでは、B Corp企業の多くが価値を認めたメリットを解説していきます。ただし、これらの価値に優劣があるわけでは

【1】日本の就職活動においても、SDGs、ESG、ダイバーシティといったキーワードが注目されている。社会貢献を行なっているかどうかを、進路を決める上で重視する学生が増えているという統計も多い。ただ、概念のみがバズワード化しつつあり、本腰を入れて取り組んでいる企業かどうかの見分け方を知りたいという声も学生から上がっているという。

【2】B Labは「Peer Circle」と呼ばれる認証企業同士の集まりを企画している。もともと「Peer Circle」とは、Peer（同じ立場にいる仲間）の集まりを指す言葉。シェリル・サンドバーグの『LEAN IN（リーン・イン）：女性、仕事、リーダーへの意欲』〈日本経済新聞出版〉のなかでは、「Peer Support」が大事であるとされ、女性が定期的に集まって交流し、建設的に話し合う場の重要性が説かれている。

ありませんので、一番興味を引かれ、価値があると感じたところから
読みはじめてみてください。

Point1
先駆的なグローバルコミュニティの一員になれる

B Corp になったのは、同じ考え方をもったコミュニティに入り、
社会に良い変化をもたらすムーブメントの一端を担いたかったからです。
アフリカに、こんなことわざがあります。
「早く行きたくば一人で行け。遠くへ行きたくば共に行け」[3]
　　　　　　　　ザラ・チョイ｜Digital Storytellers｜オーストラリア

B Corp になった企業の多くは、B Corp コミュニティの一員になるこ
とで得られる価値[4]に驚いたといいます。多くの企業は、マーケティ
ング面において得られるメリットや、商品・サービスのディスカウント、
自社の社会的・環境的パフォーマンスを測定することの必要性からB
Corp 認証を得ようと考えます。けれども実際に取得した企業から返っ
てくる答えは、コミュニティの結束の強さ、一企業の枠を超えてよ
り大きな運動の一部に属している感覚に最も満足したというものがほ
とんどなのです[5]。

　ポジティブさ、コラボレーション、経験の多様性、イノベーション、
そして会社のコアバリューや目的意識を共有するグローバルコミュニ
ティの一員であるという喜びが、認証 B Corp に、ビジネスをより良い
社会をつくるために活用していこうというエネルギーをもたらします。
企業同士の固い信頼、公平な仲間意識、そして起業家たちの出会いが
生み出す閃きが、B Corp コミュニティに魅力を与えているのです。

　B Corp コミュニティにこのような価値が生まれるのは、ある意味当
然のことでもあります。B Corp の認証プロセスは厳格で、やり遂げる
にはかなり骨が折れます。そして、パフォーマンス、説明責任、透明性
の基準に達していない企業を明らかにします。その結果、B Corp コミ
ュニティは、地球で最も社会と環境に対する責任意識が強い会社が
集まる、情熱的で革新的な集団となるのです。

　B Corp ムーブメントはアメリカで始まりましたが、当初からアメリ
カ国内だけにとどまるつもりのものではありませんでした。2014 年に
本書の第 1 版が刊行されて以来、認証 B Corp の数は、アメリカ国外
のほうが多くなるほどまでになりました。社会を良くするためにビジネ
スを用いることが、世界中で受け入れられているのです。個人事業主
であれ、大手ナショナルブランドであれ、10 億ドル以上売り上げるグ
ローバル企業であれ、大きなムーブメントの一部となることで、地元コ
ミュニティの強化や貧困対策、気候変動といったさまざまな取り組み
において、合意の形成、新しい基準・指標の導入、資本の投下、公共

【3】アル・ゴアやコーリー・ブッ
カー、ウォーレン・バフェット、
岸田文雄などの著名人に引用
されたことで有名になったこと
わざ。ただし、インターネット
上では、アフリカで生まれた証
拠がないとして、「出典」に関
する議論が繰り広げられるこ
とも多いフレーズである。いず
れにせよ個人を重んじる近代
的な価値観と異なり、コミュニ
ティを重視するアフリカ的価値
観が表れていることわざである
ことに間違いはなさそうだ。

【4】アメリカや諸外国と比較
して、日本における B Corp は
認証された企業が 2021 年時
点で 6 ～ 7 社と、現状では大
きいコミュニティとはいえない
が、「取得によってグローバル
のコミュニティに直接参加で
きることが大きなメリットな
のでは？」という声がゼミでは
上がった。地方都市でビジネ
スを行なっていたとしても、認
証を取得することで世界のス
タンダードの一端を担う意識
をもつことができれば、その意
味は決して小さくないだろう。

【5】ゼミでは、モチベーション
の高いグローバルコミュニティ
にさえ入れればいいと捉えられて
しまうことを懸念する声が上
がった。B Corp は仕組み上、
一度認証されてしまえばその地
位を永続できるものではないと
いうことに留意しておきたい。

支援策の推進、消費者の行動変容などを、素早く効果的に促進することが可能になるのです[6]。

　B Corp が国際的ムーブメントであることを感じてもらうために、B Lab のグローバルパートナーに、各地で達成した成果をハイライトしてもらいました。もちろん、これらの事例はほんの一部でしかありません。より多くの事例を知りたい方は、ぜひ B Lab のウェブサイトをご覧ください。それでは以下、各パートナーによる大きな成果と鍵になるマイルストーンをご紹介します。

Sistema B ラテンアメリカ（2012 年設立）

☞当初はアルゼンチン、ブラジル、チリ、コロンビアの 4 カ国で始まったが、現在 B Corp ムーブメントは 15 カ国まで広がっている

☞コロンビアの銀行最大手 Grupo Bancolombia が「Measure What Matters」（大事なことを計測しよう）プログラムの第 1 弾をスタート。このプログラムは当初、B インパクトアセスメントを活用し、グループの重要取引先 150 社の社会的・環境的なインパクトを測定・管理することが目的だったが、以後、ラテンアメリカの大手企業 15 社が同様のプログラムを実施

☞B Corp であるブラジルの上場企業 Natura Cosméticos は THE BODY SHOP と Aēsop を買収し、B Corp ムーブメントを 70 カ国に広げた

☞サンティアゴ（チリ）、メンドーサ（アルゼンチン）、リオデジャネイロ（ブラジル）の 3 都市が、各地域における社会的・環境的難題を解決するために企業、大学、財団、公的機関、起業家、市民を集めて行なわれるプロジェクト「Cities+B イニシアチブ」を開始。B インパクトアセスメントを利用して、各都市の企業に自社の社会的・環境的インパクトを測定・管理・改善を促すことが目的

☞ラテンアメリカで B Corp ムーブメントを広げるという名目のもと、2,500 人以上が Multiplicadores B（取得をサポートするプログラム）に参加

☞コロンビアはアメリカ、イタリアに次いで 3 番目にベネフィット・コーポレーション法を導入した国となった。これ以外にも、現在ラテンアメリカ 5 カ国の国会でベネフィット・コーポレーション法の導入が検討されている

B Lab オーストラリア・ニュージーランド（2014 年設立）

☞オーストラリアでは、認証 B Corp である Australian Ethical Investments、Murray River Organics、Silver Chef、Vivid Technology の 4 社が、国内市場で上場している

☞2017 年、ローカルパートナーの主催としては初となる B Corp チャンピオンズリトリート（B Corp メンバーの合宿）が実施され、200 名を

【6】「社会を良くする」と一概に言っても 1 社の働きかけでできる範囲は限られている。業界団体を含む多様なネットワークを通して、集団で社会に対して働きかけなければ、より大きなミッション（「ビジネスにおける成功を再定義する」）は達成できないというのは、B Corp ムーブメントに通底する考え方だ。「コレクティブ」「仲間」「ネットワーク」という概念が B Corp ムーブメントにおいて重視されているのはこのためだ。点を面に変えていくことで、社会的インパクトが増大する。認証 B Corp の M ＆ A が多いのも、ともに取り組む仲間をつなぎ合わせ「面」をつくっていくためだと考えれば納得できる。

超えるメンバーが参加した
- ☞ B Lab オーストラリア・ニュージーランドは B Corp ムーブメントに参加し、その成長を加速させようという意志をもった組織（銀行や公益事業会社、大学など）とともに、エコシステム形成のためのパートナーシップモデルをスタート
- ☞ ベネフィット・コーポレーション法が多くの企業や団体から幅広く関心を集めており、現在オーストラリア連邦議会で導入が検討されている

B Lab カナダ（2015年設立）
- ☞ 2008年、FlipGive がアメリカ国外で初の認証 B Corp となる
- ☞ カナダビジネス開発銀行が同国政府系機関として初めて B Corp 認証を取得。カナダ西部での B Corp ムーブメント推進に専門の担当者を充て、他地域にも広げる予定
- ☞ Dutch Canadian Credit Union が、信用組合として初めて B Corp 認証を取得。今日までに5つの組合（計60万人以上が所属）が認証 B Corp となった
- ☞ ブリティッシュコロンビア州は、州として初めてベネフィット・コーポレーション法の導入を検討中[7]

B Lab UK（2015年設立）
- ☞ スコットランドがカントリー（イギリスを構成する地域）単位としては初となるインパクトマネジメント・プログラムを開始
- ☞ B Corp ムーブメントに参加し、B インパクトアセスメントを使って自社の社会的・環境的パフォーマンスを測定している大企業は、100社以上。上場企業も
- ☞ B Lab UK が、B Corp 普及を促進する人を増やすべく、B リーダー養成プログラムを提供
- ☞ 国際開発省からの支援をもとに、SDGs を B インパクトアセスメントにマッピングするプロジェクトを開始
- ☞ 政府が、ベネフィット・コーポレーションに準じた法人形態の導入を検討中

B Lab 台湾（2015年設立）
- ☞ 王道銀行（O-Bank）が、上場している銀行として世界で初めて B Corp 認証を取得
- ☞ 2016年のアジアフォーラムにおいて、台湾の馬英九前総統が B Corp の「革新を呼び起こす精神と公共への奉仕心」を称賛し、政府として B Corp や社会的企業を支援しつづけると明言[8]
- ☞ 台湾証券取引所では、B Corp 認証が IPO 申請のための有効な裏づけとして認知されている

【7】2020年、カナダのブリティッシュコロンビア州では「ベネフィット・カンパニー」として法制化された。

【8】台湾の国家発展委員会が選ぶスタートアップのキーオピニオンリーダーとして NEXT BIG 代表に選出されている、サステナブル美容を手がける台湾の認証 B Corp、Greenvines を招き、「B Corp ハンドブック翻訳ゼミ・アネックス Vol.4」と題したオンライン公開インタビューを2021年12月に行なった。ゼミのファシリテーターであった鳥居希、若林恵とともに、ゼミメンバーのひとり『@cosme』編集長 篠田慶子もホストとなり、日本の美容業界事情を共有しながら、同社の先進的な取り組みや、台湾のソーシャルイノベーション、さらにカスタマーと向き合う姿勢などを学んだ。

☞ 23カ国の首脳が集うAPECビジネス諮問会議においてB Corpが議題に上がり、支持された

B Lab ヨーロッパ（2015年設立）

☞ DanoneグループがB Labとパートナーシップ協定を結び、多国籍企業としてグループ全体の社会的・環境的インパクトを測定・比較・改善する取り組みをスタート

☞ ジュネーブ（スイス）とカレー（フランス）が、都市ぐるみで「Best For キャンペーン」を実施。地方自治体や市民社会団体と共同で、地域の企業が社会的・環境的インパクトの測定・比較・改善を行なっていくことを促す取り組み

☞ オランダの認証B Corpを含む200以上の企業・団体連合が、オランダ政府に対し次の連立政権において国連SDGsを重点的に扱うよう要求

☞ イタリアでは、Nativa[9]の共同創始者エリック・エゼキエリ、パオロ・ディ・チェーザレの尽力により、アメリカ以外では初となるベネフィット・コーポレーション法が成立

B Lab 東アフリカ（2017年設立）

☞ B Lab東アフリカはSustainable Inclusive Business（ケニアにおける最大の民間セクター連合の一部門）、Self Help Africa、B Team Africaと協定を結び、Bインパクトアセスメントを用いたインパクトの測定を奨励

☞ ケニア初のランニングシューズメーカーEnda[10]はアメリカでベネフィット・コーポレーションとして登記され、認証B CorpであるKickstarterを通じて創業資金を調達

☞ B Lab東アフリカの事務局長オリビア・ムイルが、2017年のSkoll World Forumにおいて、次世代のリーダーとして選出

Bマーケットビルダー 香港（2017年設立）

☞ B Corpムーブメントを広げるため、Hong Kong Social Enterprise Summitや大学、政府の効率促進室、内務次官にプレゼンを実施

☞ 2017年、B Lab UKのサポートを受けて、Bリーダー養成コースを複数回開催

☞ 過去2年で、B Corpに関する書籍が中国語で2冊刊行

☞ 「シェアバリューや良識ある資本主義といったモデルは数多く知っていますが、香港においてはB Corpの考えがしっくり来ますし価値があると思います。B Corp認証は、ビジネスをより良い社会を生み出すものとしてつくり変えるための具体的かつ計測可能なロードマップを提供してくれる唯一のフレームワークです」（K.K. ツェ | Edu-

【9】サステナビリティ・コンサルティング会社として活動する同社は、もともとスウェーデンで設立された国際的な非営利団体「The Natural Step」のイタリア支部だった。ヨーロッパ初のベネフィット・コーポレーションに活動形態を変えたのち、イタリア初の認証B Corpとなった。

【10】同社のスニーカーは、黒、緑、赤のケニア国旗に使われる色が印象的。たとえば緑のプロダクトは、同国で珍しい森林を擁するアバーデア国立公園から「Arberdare white and green」と名付けられている。コロナ禍では、ナイロビ郊外に住む障がいのある子どもたちの母親たちがつくるマスクを販売し、地域経済をサポートしていた。

cation for Good | 香港)

B Corp 中国チーム（2017年設立）

☞ 中国で最も有名かつ影響力のある経済学者、吳敬璉[11]は、北京で開かれた中欧国際工商学院のCSRフォーラムでの講演にて、ベネフィット・コーポレーション法とB Corpの国際的な動きが「いま最も注目すべき経済トレンドのひとつ」であると明言

☞ ビジネスを社会をより良く変える力として活用する国際的なムーブメントについて、学生を啓蒙し、ムーブメントへの参加を促し、支援することを目的としたリーダーシッププログラム「Bジェネレーションプログラム」が、ニューヨーク大学上海校、中欧国際工商学院、北京大学、清華大学で開講

☞ ハーバード・ケネディスクールのクリス・マーキス教授は、中国初の認証B Corpである第一反応（First Respond）[12]のケーススタディを発表。初の認証を得た同社の功績は、『China Daily』でも記事になっている

B Lab 韓国（2018年設立）

☞ 韓国の金融委員会によって始められたスタートアップ向けのGrowth Ladder Fundで、B Corpが投資判断基準のひとつに含まれる

☞ 韓国国際協力団は、Creative Technology Solutionsプログラムの助成対象企業に対してB Corp認証の取得を求めている

☞ 韓国政府は国内におけるソーシャルベンチャー関連政策のロードマップを公開し、B Corpムーブメントを政府レベルで支援する意思を明示

ジャナ博士のTips わたしたちは、人口・社会・経済におけるさまざまな立場を代表するリーダーたちによる、国をまたいだインクルーシブなコミュニティを構想しています。不公正な立場に置かれている世界中の人びとの声に直接耳を傾け、インクルージョンの土壌をつくりあげていくことで、B Corpがコレクティブとしてもたらすインパクトは劇的に増していくでしょう。こうしたグローバルな対話を促進していくためには、さらに多様な背景をもつB Corpリーダーやワーカーたちが求められています。

Point 2
才能が集まる、従業員と強固な関係を築ける[13]

自分のすべてを受け入れてくれる職場に
来ることができて感動しています。
これまで職場を転々としていましたが、

[11] 社会主義体制から市場経済へ改革を進めてきた中国の理論的指導者とされ、通称「ミスター市場」。その影響力は、学界のみならず、経済界、共産党指導部にも及び、習近平政権が進める改革路線にも吳の主張の影響が見られる。

[12] 上海、深圳、北京に拠点をもつ、高品質の応急処置に関するトレーニング、ソリューション、サービスを提供する企業。2010年に設立され、2016年10月の段階で9万人以上の市民に基本的な救命訓練を行ない、100社以上の企業クライアントにサービスを提供していると、Bインパクトレポートには記されている。そのほかにも応急処置を提供するためのシステムの開発・提供を行なっている。

[13] 原文では「engaging employees」。「エンゲージ」という単語については、B Corpの思想を踏まえてどのように訳すのがしっくり来るか、ゼミで議論があった。『「主体的に関わる」だと軽めの印象もあるが、エンゲージは結婚にも使うので、より重い意味があるのではないか』という声があがった。ここでは、エンゲージが双方向の関係性の下に成り立つ意味を含んだ訳とした。

ようやく自分がずっといたい場所を見つけることができたのです
オンニア・ハリス｜Method｜アメリカ

認証 B Corp になることで、ビジネスの背景にある意義と従業員を結びつけ、ワーカーのモチベーションや主体性を高め、さらにはイマジネーションを解き放つことができるようになります。Goldman Sachs によれば、現在、世界の労働力の50%以上、2025年には75%以上を占めるミレニアル世代は、「それまでの世代と仕事に求めるものが大きく異なる。この世代にとって重要なのは、個人の価値観と勤める企業の価値観の整合性だ。ミレニアル以降の世代を引きつけ、選ばれつづけるためには、企業は経済的な報酬以上の見返りを提示する必要がある」としています。

　ミレニアル世代が求めているのが、仕事以外の時間とエネルギーを残せるようワークライフバランスを改善するだけでないことは、これまでの調査で明らかになっています。彼ら・彼女らが求めるのは、情熱を感じる対象に夢中になることのできる「ワークライフ・インテグレーション」[14] なのです。それは、より大きな目的のために生きたいという思いと個々人の経済事情の双方を満たすものです。認証 B Corp になることは、自らの高い志をもったパーパス[15] と、「ビジネスにおける成功を再定義する」グローバルなムーブメントをリードする B Corp コミュニティの集合的なパーパスの両方を会社の中心に置くことを意味します。そこに魅力を感じる従業員がいるかもしれませんし、彼ら・彼女らが企業と長期的で強固な関係を築いていく一助にもなるでしょう。実際、『The Wall Street Journal』はこう書いています。「経済的利益と社会的な使命の両立を求める企業に勤めたいと思っている若者を引きつけるべく、環境と社会に配慮していることを示す第三者認証である B Corp のロゴを求める企業が増えている」

　さらに B Corp 認証は、一流大学で MBA を取得した人材の採用にも役立ちます。学生の求めに応じて、コロンビア大学、ハーバード大学、ニューヨーク大学、イェール大学のビジネススクールは、卒業後に認証 B Corp やベネフィット・コーポレーションに就職する学生の学費ローンを免除しています。他にも、ゴールデンゲート大学やプレシディオ大学院大学は、認証 B Corp の従業員に対して学費の割引をしています。さらに認証 B Corp の従業員は、社会正義、環境の再生や長期的展望に基づくビジネスに必要な要件（ビジョン、企業文化、戦略、オペレーションなど）を学ぶ起業家向けのオンラインコース「LIFT Economy's Next Economy MBA」への申し込みも割引になります。

　ジャナ博士のTips　採用の領域には、多くの認証 B Corp が変革に取り組まなければならない余地がまだまだたくさんあります。認証 B Corp がアメリカのリベラルな考えをもった白人中間層の若者にアピールす

【14】2008年に経済同友会が『21世紀の新しい働き方「ワーク＆ライフ インテグレーション」を目指して』と題した提言書を発表するなど、この概念は日本でも受容されつつある。ただしコロナ禍で一般化したテレワークによって「勤務時間」の概念が曖昧になるなか、労働時間が長くなっているという調査も少なくある。デジタルがもたらした「常時接続」がワーカーの「オフ」の時間を奪っているという問題意識から、近年では勤務時間外の業務連絡を禁止する「つながらない権利」にも注目が集まっている。「インテグレーション」とは仕事とプライベートの境目をただなくすことではないのだ。

【15】企業の「パーパス」（目的・存在意義）が重視されてきた背景には、2019年にアメリカの経営者団体のビジネス・ラウンドテーブルが「従業員など他のステークホルダーの価値を重視すべき」と表明したことや、株主とそれ以外のステークホルダーの利益が対立した際に「場合によって株主価値が劣後することもありうる」という考えが広まったことがある。ただし、早稲田大学教授の経済学者・宮島英昭は、『「そのパーパスはどこまで本気か？」パーパスブームに違和感を覚える理由』と題された『ダイヤモンド・オンライン』の記事のなかで「米英の動きが、行き過ぎた株主主権の揺り戻しとして企業が自らの存在意義を規定しようとするものだとすれば、日本では、そもそも株主主権が十分に実現されていないのだから、安易に追随するのもおかしな話」と昨今の表面的な「ブーム」に釘を刺している。

ることは比較的簡単です。一方で、北米の多くの認証B Corpは、そ
れ以外の、人種的、民族的、社会階層的に多様な人たちを引きつけら
れずにいます。社会において周縁化されてきた人びとにとってもB
Corpは価値あるはずのものですが、そこに向けた働きかけは十分とは
いえません。認証B Corpは、認証を取ったことを周知させるだけでは、
責任を果たしたとはいえません。さまざまな交流の場やイベント、特
定の職業の集まりに顔を出すことで、閉じたサークルの外にいる人た
ちと新しい関係を築くことが必要です。多様な人材の採用に積極的
に取り組み、インクルーシブなプロセスが自ずと繰り返されることで、
認証B Corpはさらに多様かつ自らが求める働き手に認知されるように
なります[16]。受け身の採用は、多様性とは真逆の組織の同質性[17]を
必ず招きます。多様な働き手を得ることで、企業はローカル、グロー
バル双方において価値を高め、成長する新市場とつながり、そのニー
ズに的確に応えることができるようになるのです[18]。

Point 3
信頼が増し、信用を構築できる

自分たちがビジネスと社会にポジティブな変化をもたらす
カタリスト（触媒）であると信じています。
B Corp認証は、この変化を実現することができる証しなのです
スティーブン・スミス｜IQbusiness｜南アフリカ

著者のライアンは、サイモン・シネックによる「How Great Leaders
Inspire Action」（偉大なリーダーは、いかにアクションを起こさせるか）のビ
デオを初めて見たときのことをよく覚えているといいます。ビデオのな
かで、シネックは消費者の購買行動の裏に存在する法則を説明してい
ます。「消費者は『あなたの行動』ではなく、『その理由』にお金を払う
のです」。シネックによれば、消費者は、ブランドの裏にあるストーリ
ーに共感したいのです。消費者は、働く人たちの人生の目的、朝ベッ
ドから出る理由、さらにその組織の存在理由を知りたがっているのです。
　マーケティングの第一人者であるセス・ゴーディンは次のようにも
言っています。「価格や販路では、もはや優位に立てない（すべてのもの
が入手可能で、価格はもはやニュースのネタにならないから）。むしろ人びとは
脆弱性や透明性に引かれ、それを通して結束し、『彼ら・彼女ら』を
自分たちの一員として迎え入れる。（中略）あなたが導こうとしている
人びとと、次のトレンドや興味深い兆しを見つけてくれる人びととは、値
引きではなく人間性を求めている」
　Patagoniaは、すべての行動の背景にある理由を説明しながらビ
ジネスを行なっている好例といえます。同社のミッションステートメン
ト[19]は「最高の製品をつくり、環境に与える不必要な悪影響を最小

【16】本書第3章のコミュニティのパートでは、学歴や職歴はもとより、受刑歴や薬物の使用経験などを問わないオープンな採用を行なうポリシーをもつ認証B Corp、Greyston Bakeryの事例が記載されている。(P.103)

【17】原文では、「homogeneity」。ひとつの物体中のどの部分を取っても同等の性質をもっている状態を指す。ダイバーシティと対置されて使われることが多い。ゼミのなかでは、「インターンを募集した際、意図しないのに応募者の学歴に偏りがあることに気づいた」という声もあった。同質性が高いといわれる日本だが、人種、ジェンダーはもとより、学歴、職種、出身地、学生時代の部活やサークルといったものが図らずも組織内に同質性と偏向をもたらし、格差や分断を生み出していることは少なくないはずだ。であればこそ組織内の「ダイバーシティ」を考えるにあたっては、まず自分の組織の「同質性」に目を向け、それを実体的なものとして把握する必要がある。

【18】日本で介護事業を営む企業フリージアによれば、B Corp認証を取得した理由のひとつは、日本の介護現場に対して海外の人たちに関心をもってもらうことだったという。外国人技能実習制度をめぐる問題などが噴出し日本における移民制度の課題が浮き彫りになっている状況下では、B Corpのような透明性のある基準が海外から来る日本で働きたい人にとって安心材料となる可能性もある。

限に抑える。そして、ビジネスを手段として環境危機に警鐘を鳴らし、解決に向けて実行する」というものです。このステートメントには、Patagonia が「何をするのか」（最高の製品をつくる）だけではなく、「なぜそれをするのか」（ビジネスを手段として環境危機に警鐘を鳴らし、解決に向けて実行する）が示されています。多くの人と同様、ライアンも Patagonia に強く共感しています。Patagonia の製品を何度も購入するのは、Patagonia のストーリーが心に響くからです。

　とはいえ、よいストーリーが企業のすべてを表しているわけではありません。消費者は「環境に優しい製品」を求めているというよりも、製品やサービスを提供しているのがどんな企業かを知りたいのです。B Corp 認証は、従業員の処遇から地域社会への貢献、環境への影響など、ビジネスのあらゆる側面を独立した厳格な第三者の基準で評価するものなので、そうしたブランドの信頼性、信用を築く上でも役に立ちます。

　これが重要なのは、建物や製品、サービスなどを対象とした狭く限定的な認証とは異なり、B Corp 認証は企業全体の包括的な姿を明らかにすることで、「グリーン」や「責任ある」といったあいまいなコンセプトを、計測可能で実体のあるものに変えることができるからです。

　さらに、B Corp 認証は厳格な基準に基づいているため、消費者の信頼を得ることに加えて、企業の社会的・環境的パフォーマンスをめぐる透明性と説明責任を高めることにも貢献します。B Corp のウェブサイトにアクセスすると、シリアルの箱にレイアウトされた栄養ラベルのようにも見える「B インパクトレポート」を見ることができます。そこには、ワーカー、コミュニティ、エンバイロメント（環境）、ガバナンス、カスタマーの各項目における各企業のスコアが示されています。これを見ることによって、消費者も、投資家も、政策立案者も、メディアも、「よい企業」と「巧妙なマーケティング」の違いを見極めることができるようになるのです。

　現代の消費者にとって社会的・環境的信頼性が重要なものとなっていることは、調査からも明らかになっています。Goldman Sachs は、消費者のブランドロイヤリティに影響を与える要因として、低価格、製品の入手しやすさ、品質、製品の評判よりも「社会的責任を果たしていること」のほうが重要である可能性を示唆しています。さらに同レポートは、アメリカの消費者の 52％ が、社会的責任に関する情報の開示を企業に「常に」もしくは「ときに」求めると答えたことを明かし、「ミレニアル世代が消費者に占める割合が大きくなれば、この傾向は加速するだろう」と結論づけています。

（ジャナ博士のTips）世界中のあらゆる産業で、リーダー層にも、従業員にも、広く多様性がもたらされるようになることが、わたしたちが目指す B Corp の未来です。あなたのブランド、あなたの会社が関わっているムーブメントに多様性が反映されていることを社会から周縁化され

【19】2018 年 12 月、「We're In Business To Save Our Home Planet」（わたしたちは、故郷である地球を救うためにビジネスを営む）というフレーズに変更された。創業者のイヴォン・シュイナードは、地球環境の深刻さが増していることがこの変更の背景にはあったと、『Fast Company』での独占インタビュー（2018 年 12 月 13 日）で明かしている。

た人たちが知ることで、B Corp のコレクティブとしての信頼性[20] も高まります。そうやってムーブメントが多様化することで、世界的な問題はパーソナルなものとなっていきます[21]。異なる人びとを受け入れることで「家族」の概念が拡張し、自分たちの問題となっていきます。そこから真の変化が訪れるのです。

Point 4
パフォーマンスを計測し、改善できる

B Corp 認証を取得すると、他の企業とスコアを比較し、
「なぜポイントを取得できなかったのか？」と
自分たちに問うことができます。
競争心を駆り立てることで、よりよい影響を生み出せるのです
スティーブ・ボーシェーヌ｜Beau's All Natural Brewing｜カナダ

多くの認証 B Corp は、認証プロセスで得られる最大のメリットは、「B インパクトアセスメント」であると答えています。同アセスメントは、企業全体の社会的・環境的パフォーマンスを 0 から 200 ポイントのスコアで計測する無料のツールです。このツールによって、あらゆる企業が、自社の事業がワーカー、コミュニティ、およびエンバイロメントに与える影響を計測し、同業他社と比較することや、パフォーマンスを定量的に改善していくことが可能になります。さらに B インパクトアセスメントによって、ビジネスがすでにどんなに持続可能であったとしても（または持続可能なかたちでなかったとしても）、ステークホルダーにさらに利益を還元するための気づいていなかったポイントを見つけることができるようにもなります。

Patagonia は、継続的な改善のために B インパクトアセスメントを使用している企業の好例といえます。2012 年の最初の B Corp 認証で、地球上で最も環境に優しい企業のひとつである Patagonia が取得したスコアは、200 点中 107 点でした。結果を綿密に評価し、改善すべき領域を特定することで、Patagonia は 2016 年までにスコアを 152 点に上げ、世界で最もスコアの高い B Corp の 98 位に入ることに成功したのです。

B インパクトアセスメントは、低いスコアが出るよう厳しく設計されています。最初の挑戦で完全なスコアを取得しようとする必要はありません。完全な会社はありませんし、そうなることは実際不可能です。アセスメントを使用して会社の社会的・環境的パフォーマンスを測定し、新しいアイデアを生み出すのに役立つ貴重なインサイトを得ること、さらに今後スコアが向上するように会社のモチベーションを保つことが大切なのです。

Badger Balm、Bancolombia、Ben & Jerry's、King Arthur-

【20】原文では「collective authenticity」。authenticity は、「本物である」ことを示すが、「飾らない」「真摯である」という意味も含む。ストリートでの体験を歌うヒップホップのミュージシャンにとって、authenticity がないことは、体験がリアルでないことを意味し非難の対象となることが多い。近年はマーケティングなどの文脈でも「嘘をつかない」「一貫性がある」といった意味で使われることが増えている。

【21】「世界的な問題がパーソナルなものになる」の一文の背後には、対岸にいる他人としてではなく、自分自身が当事者となって問題と向き合うことでしか問題は解決しないという認識が横たわっている。多種多様な経験や背景をもつ人と直接関わり合うことで、遠いものと認識していた問題は身近なものとなり、働きかけが可能な具体的なものとなる。「ビジネスを社会を良くするために使う」ためには、まずはさまざまな社会問題を自分たちの事業や組織の内部の問題として捉えることが重要だ。

Flourなどの一部の認証B Corpは、アセスメントを主要なサプライヤー選定の基準にしています。アセスメントによる包括的で厳密かつ比較可能な指標は、企業がサプライチェーンのもつ総合的な影響とベンダーの個々のパフォーマンス、その両方をよりよく理解するのに役立っているのです。

　さらに、多くのB Corpは、企業の社会的責任報告のガイドとしてアセスメントを利用しています。多くの場合、従来の企業のCSR報告をアセスメントに置き換えることで、かなりの時間と費用を節約できるからです。

　ジャナ博士のTips　Bインパクトアセスメントによって、測定可能で、効果的で、持続可能なやり方でダイバーシティ、エクイティ、インクルージョン（DEI）を企業のシステムに組み込むことができるようになります。たとえば、インクルーシブエコノミー・チャレンジに関連するアセスメントの質問に答えることで、企業はより多様で公平かつ、インクルーシブに行動できるようになります。B Labが作成した「DEIベストプラクティスガイド」を参考にしつつ、スコアを意識しながら改善に取り組んでみてください。次第に組織によい結果がもたらされるはずです。

Point 5
企業のミッションを長期的に守れる

ベネフィット・コーポレーション法は、
創業者の価値観や文化、プロセス、高い基準を制度化し、
ミッション主導でありつづけることを法的に可能にしてくれます
　　　　　　　　　　イヴォン・シュイナード｜Patagonia｜アメリカ

B Corpが取り組む課題のひとつに、企業がもつ本来の社会的・環境的価値を弱めることなく資本を集め、ビジネスを成長（もしくは売却）させることがあります。認証B Corpは、社会と環境の厳格な基準を満たすことに加え、社会的・環境的ミッションを維持していくために、ビジネスの法的なDNAといえるガバナンスに関する文書を変更することとなります。

　企業のミッションを法的に保護することは、企業の事業承継計画を考える上でも重要です。Ben & Jerry'sやBurt's Bees、Tom's of Maineといった企業は、社会や環境への意識が高い、活動的なカリスマによって創業されました。しかし、創業者が引退したり、会社の成長のために新たな投資家を迎えたり、会社が売却されたりすることで、新しいCEOや投資家やオーナーが目先の利益を優先し、創業時のコアバリューが薄まってしまうことがあります。

　認証B Corpになることで、起業家は事業の中核となる社会的・環

境的バリューを法的に保証し、創業時のミッションを守ることができるようになります。これは、新しい投資家や新しい取締役会が、将来意思決定を行なう際に、株主とステークホルダーの双方に考慮する義務が発生することを意味します。こうして、企業は安定的かつ長期的に社会や環境のために存在しつづけることができるようになるのです。

　Patagoniaは上場企業ではありませんので、株主の利益を最大化しようとするアクティビスト・ヘッジファンドに株を買い占められるリスクはありません。ただ、Patagoniaの共同創設者であるイヴォン・シュイナードとマリンダ・シュイナードに引退が近づいてきているのも事実です。ふたりがカリフォルニア州で最初のベネフィット・コーポレーションとしてPatagoniaを登記したのは、それが引退後も同社の長年の成功の中心にあった環境に対するミッションを守ってくれると信じているからです。

（ジャナ博士のTips）インクルーシブであることを優先することに賛同してもらうためには、ときに骨が折れます。しかし、B Corpが求める法的な要件をクリアすることで、インクルーシブな価値観と実践を、長い旅路の途上にある企業のDNAのなかに埋め込むことができるようになります。であればこそ、インパクト、ビジョン、ミッション、価値観を明文化し、DEIの観点を除外しないことが重要なのです[22]。もしビジョンのなかにDEIの要素を入れることが現実的でなかったり、手に届かないと思えたり、困難が予想されたとしても、まずは一旦入れてしまいましょう。明文化することで、それを常に視野に入れておくことができるようになるからです。自分自身に向けて、常に厳しい問いを投げかけましょう。自社が完全にインクルーシブで公正だった場合、自分たちのビジョンはどう見えるだろう。排除されている人はいないだろうか。そのビジョンは、多様なステークホルダーにどう貢献しているだろう。DEIというレンズを通して会社を見ることで、インクルーシブが実現された状態に目を向けつづけることができます。ゴールを目に見えるように明らかにすることは、実現に向けた強力な一助となります。現行のチームメンバーにいちいちゴールを思い起こさせる必要はなくとも、あとから参加するメンバーには必要な場合もあります。

（事例）Whole Foods Market

2017年のAmazonによるWhole Foods Marketの買収は、ミッションドリブンな創業者が株主のために利益を最大化しなければならないプレッシャーに直面した例としてわかりやすい。Whole Foods Marketは、アメリカの消費者がオーガニックで健康的な自然食品に関心をもつ大きなきっかけをつくった企業だが、過去5年から10年にわたってたくさんの競合企業がオーガニック食品市場に参入したことで、Whole Foods Marketの利益は次第に圧迫されてきた。同社は、

【22】ゼミから派生したBインパクトアセスメント勉強会では「暗黙の了解で取り組みはしているが、明文化はしていないことがある。アセスメントで点数を取るために明文化しているように思えてしまうが、果たしてそれでいいのか？」という声が上がった。それについて「明文化をすることによって、なんとなくではなく常に取り組むことにコミットすることになる。明文化の効果があるからこそ、アセスメントのなかの多くの項目で求められているのではないか」という意見があった。

2016年から2017年に6四半期連続で既存店舗売上を減少させてしまったのだ。

アクティビスト（モノ言う株主）[23]たちはWhole Foods Marketの株価の転落を利用した。2017年にあるアクティビストヘッジファンドが取締役会への影響を強めるために多くの株を取得し、企業の売却を主張しはじめた。そうしたなか、当時CEOだったジョン・マッケイはAmazonへの売却をとりまとめた。それが、ありうるもののなかで最もよいシナリオだったのだろう。ただ、この経験はマッケイと社内チームを揺さぶり、挫折を味わわせることとなった。

買収のあと、B Labの共同設立者であるジェイ・コーエン・ギルバートはマッケイにインタビューを行なった。そのなかでマッケイは、この一連の出来事が、ベネフィット・コーポレーションの法的なフレームワークがアクティビストとの対決からWhole Foods Marketを守ることができたのかどうかを明らかにするテストケースになればよかったと語っている。

「わたしはいつもB Corpはよいアイデアだと思っていました。（中略）ただ、それが本当に必要だとは思わなかったんです。すでにステークホルダーモデルがあって、ステークホルダーを大事にしていましたので、何のためにこうした法的枠組みが必要なのだろうと思っていたんです。（中略）知らぬ間にアクティビストたちが会社の株式を買ってしまっていました。（中略）会社が乗っ取られようとしていたんです。投資家たちは、わたしたちに身売りを迫りました。（中略）そのとき、Whole Foods MarketがB Corpだったらと悔やみました。（中略）B Corpの法的フレームワークをもってアクティビストたちと対決することを、もし試すことができていれば……。そう思うんです」

ジョン・マッケイは短期的な利益至上主義が、Whole Foods Marketのような個々の企業だけでなく、他の「意識が高い資本家」への脅威であることを危惧している。

「わたしは資本主義の最も病的な部分を知っています。それは金融業界[24]です。金融業界は価値というものをめぐる指針が壊れています。お金と利益を生むためだけのものとしか見なされないのです。アクティビストが現れたとき、わたしはこのことを痛感しました。Whole Foods Marketが体現してきたいかなるバリューも彼ら・彼女らにとっては重要でなく、ただどうすれば少しでも多くの利益を株から得られるかのみが議論されていました。90,000人の職と160億ドルの売上がある企業を破壊することについても、『そんなこと誰が気にするものか。数億ドルの利益が得られるのなら、全部捨てちまえばいい』といった調子です。これが資本主義の最も病的な部分です。B Corpとベネフィット・コーポレーションは、資本主義全体にとって必要な改革運動なんだと思います」

【23】アクティビストたちによる攻撃を受けた認証B Corpとしては、ハンドメイドの商品を売買するマーケットプレイスを提供していた上場企業のEtsyがある。同社はベネフィット・コーポレーション法が制定される前にB Corp認証を取得していたため、制定後にベネフィット・コーポレーション化を目指していたが、株主との合意が得られなかったため、B Corp認証も取り消されることになったと、『Bloomberg』が報じている（2017年5月18日）。

【24】原書の出版後ではあるが、金融機関のB Corpがコミュニティとして動いた例がある。2021年イギリスの認証B Corpである金融機関11社が「The B Corp Finance Coalition UK」を発足し、11月にグラスゴーで行なわれたCOP26で、世界の金融業界に対して、ステークホルダーへの説明責任を強化するようなガバナンスの変更を呼びかけた。

Point 6
メディアに取り上げられ、認知が高まる

*B Corp は、パフォーマンス、説明責任、および透明性に関する
厳格な基準を満たした企業に対して与えられる、
世界的に認められた「しるし」です。
認証を取得したことで得られた最もわかりやすいメリットは、
企業の認知度が向上したことです*

ジュリアナ・アランゴ｜Portafolio Verde｜コロンビア

クリーンテック、マイクロファイナンス、地産地消、協同組合運動など、多くのムーブメントはみな、ビジネスをいかに良い方向に活用するかという考えの現れです。B Corp は、企業がよりよいビジネスの側に立っていることを示す、信頼がある統一的なブランドです。その力によって、多様な市場の声を増幅させることが可能になります。さらに、ビジネスの力をもって社会課題や環境問題の解決を目指すことで、ポジティブかつ革新的で、説得力のあるストーリーが生まれ、メディアの強い関心を集めつづけています。B Corp は The Atlantic、Conscious Company、The Economist、The Guardian[25]、The New York Times、The Wall Street Journal、Fast Company などのメディアに、数千もの記事が掲載されています。Fast Company は、B Corp ムーブメントを、iPhone やヒトゲノムプロジェクトと並ぶ「全世界を前進させた過去20年間の20の瞬間」のひとつに選出しています。

　また B Corp は、CBS イブニングニュース、CNN、PBS ニュースアワーなどでも特集されています。CNBC のインタビューで、Danone の CEO エマニュエル・ファベールは、B Corp のムーブメントの重要性を語り、Danone North America が B Corp に認証されたと宣言しました。また、CNBC のインタビューでは GAP の CEO アート・ペックが、Athleta を B Corp とし、デラウェア州のベネフィット・コーポレーションとして法人化することを決定したと語りました。

　「B Corp 認証の取得は、カスタマーがとても気にしている価値観をめぐる課題に対応するものです。Athleta のブランド・エンゲージメントは素晴らしく、それはまさに今日の消費者が求めているものです。ミレニアル世代であろうと70歳の女性であろうと構いません。彼女らは、B Corp 認証を通して、このブランドが自分の価値観に見合うものであるとわかってくれます。B Corp 認証が非常に強い関係性をつくり出してくれるのです」

　また、ストーリーテリングは、ビジネスの文化と、それに対する期待値を変えるための重要な要素です。「B The Change」は、B Corp ムーブメントのデジタルストーリーテリング・プラットフォームです。B The Change は、B Lab と、認証 B Corp のコミュニティ、そしてビジ

【25】The Guardian 自体も、国際的な報道機関としては世界初となる B Corp 認証を取得している。2019年10月16日に発表された取得に関するプレスリリースでは、環境に関する報道を拡大することが明言されており、メディア企業としてムーブメントへ貢献する意思が読み取れる。

ネスの力で社会を良くしていきたい人たちとのコラボレーションによるものです。2017年春にMedium上で創刊され、初年度に、B Corpコミュニティが共有するベストプラクティスや教訓を求める1万4,000人のフォロワーを得ました。B The Changeでは、認証B Corpやベネフィット・コーポレーション、インパクト投資ファンド、そして経済の新たな分野をつくりあげようとする人びとや財団、組織が、それぞれのストーリーを投稿しています。

B Labは、Medium上のストーリーテリング・プラットフォームB The Changeに加え、毎年「Best for the World」リストを発行し、B Corpムーブメントの認知度向上に取り組んでいます。このリストは、社会と環境へとポジティブなインパクトを与えている世界のB Corpのうち高得点を獲得した上位10%の企業を表彰するものです[26]。またこのリストには、総合的なトップ企業に加え各分野（ワーカー、コミュニティ、エンバイロメント、カスタマー、ガバナンス）でのインパクトにおけるトップ企業もリストアップされています。2017年には、前年比で大幅な改善を達成した企業を表彰する「Best For The World: Change-maker」リストが追加されました。「Best For The World」リストは、Bloomberg Businessweek、Conscious Company、Fast Company、Forbes、The Guardian、Inc. といったメディアからも大きな注目を集めています。

さらにB Labは、多くのB Corpにも投資を行なっているインパクト・インベストメントバンクであるBig Path Capitalと、B Corp認証を得たメディア企業 Real Leadersと連携し、毎年発表される高成長・高インパクト企業のリスト「Real Leaders 100」にも協力しています。その他にも、B Labは、『Bloomberg Businessweek』の「トップ・ソーシャル・アントレプレナー」、GOOD Company Project、アメリカで最も急成長している株式非公開企業の年次リストである『Inc.』の500/5,000リストなど、栄誉ある賞やリストに認証B Corpを推薦するなどの支援を行なっています。

LIFT Economyが提供するポッドキャスト「Next Economy Now」では、Patagoniaのローズ・マーカリオ、Beneficial State Bankのキャット・テイラー、Green Canopyのアーロン・フェアチャイルドなど、50人以上のB Corpムーブメントの推進者が紹介されています。Next Economy Nowは、再生可能性やバイオリージョン[27]、民主性、多様性、全体性といったことへの配慮をビジネスに取り込むことで社会を良くしていくことを目指すリーダーたちを取り上げています[28]。

ジャナ博士のTips 企業やB Corpムーブメントにおける多様性が高まることで、世界とのつながりはより強くなり、報道される機会も増加します。より多くのグローバル市民の求めに応えることで、B Corpは、身近で親しみやすく、効果的なものとなるのです。

【26】2021年のBest for the Worldは上位5%の企業となっている。

【27】原文では「bioregion」。「生命地域」とも訳される。政治的な要因で定義された境界線ではなく、生態系によって定義される地理上のエリアを指す。ポッドキャストでは自然環境を破壊することなく社会正義を実現するドーナツ経済の提唱者、ケイト・ラワースもゲストに招かれている。

【28】第2章の翻訳はゼミの希望者6名が集まって小グループで手分けして進めたもの。会では概要や論点の発表・議論も行なわれた。発表者からは、B Corpの知名度が海外よりも高くない日本では、本パートで挙げられているマーケティング上のベネフィットなどは享受できないのでは？という率直な意見も飛び出した。一方で認証取得企業が少ないアジア諸国の例から、初期に認証を取得した企業がムーブメントの担い手となることの重要性についても確認された。

第3章

Bインパクトアセスメント
5つの評価指標

・ワーカー　Workers
・コミュニティ　Community
・エンバイロメント　Environment
・ガバナンス　Governance
・カスタマー　Customers

B Corp認証取得のために避けて通れないのが、Bインパクトアセスメントです。ここではワーカー、コミュニティ、エンバイロメント（環境）、ガバナンス、カスタマーという5つのセクションの評価指標に沿って、あなたの会社が社会に与えているインパクトを計測していきます。本パートでは、スコア向上のための実践的なアドバイスを提供するほか、質問の背景なども解説します。

<u>ビジネスで社会をより良くするために</u>

B Corp認証を取得するつもりがなくとも、
Bインパクトアセスメントをやってみることをおすすめします。
人であれ、社会的・環境的インパクトであれ、未来の可能性であれ、
まずは、自分たちが大切にしているものを測定してみてください。
きっと驚くはずです。そして、なぜもっと前にやらなかったのかと
微笑みながら後悔することになるでしょう

マット・ホッキング｜Leap｜イギリス

<u>アセスメントに関するクイックＱ＆Ａ</u>
Bインパクトアセスメント（BIA）は、より良い社会をつくるための力としてビジネスを用いるという考えを、計測・行動可能な一連の具体的ステップに落とし込むためのツールです。B Corp認証を取得しようとしている企業、取得の予定はないけれども社会的・環境的パフォーマンスを評価、比較、改善するための無料ツールを求めている企業にとって、BIAは格好の出発点となります。

BIAとは？
BIAは、自社の社会的・環境的パフォーマンスを200点満点で測定するだけでなく、その結果を何千もの他の企業と比較したり、長期的にパフォーマンスを向上させるために必要な情報やベストプラクティスガイド[1]にアクセスしたりすることもできる、企業機密に配慮した簡単に利用可能な[2]無料オンラインマネジメントツールです。
　BIAは、製造業から小売業、農業、サービス業まで、あらゆるタイプの事業に対応できるようにつくられており、企業規模についても個人事業主からグローバル企業、あるいは、先進国市場の企業でも新興市場の企業でも計測可能です。あらゆる企業が公平に審査されるよう、BIAは、誰でも使いやすいよう柔軟に標準化されています。社会と環境に関する取り組みを始めたばかりの企業でも長年続けてきた企業でも、どこがうまくいっており、どこに改善の余地があるかを見極めるのに役に立ちます。

BIAにかかる費用は？
BIAは、B Labが一般公開している無料のサービスで、ベストプラクティスガイドや比較データ、個別の改善提案レポートなどが含まれていますが、B Corp認証の取得には自社の年間収益に応じた年間費用[3]がかかります。ただしBIAを利用したからといってB Corp認証の取得が義務付けられるわけではなく、単なる計測ツールとして利用することも可能です。

【1】Bインパクトアセスメントとゴ Lab グローバルサイトのナレッジベースからアクセス可能な、各項目ごとの基礎知識や認証B Corpによる実践例が掲載された手引き。たとえば、「職場でのダイバーシティとインクルージョン（D&I）」と題されたガイドでは「上級管理職からの賛同を得ること／D&Iプログラムをビジネス構造とプロセスに統合する／基本的な方針を正式に決定する／チームへの効果的なトレーニングの実施／D&Iの目標達成のための外部組織や専門家との関係構築」といった章立てで、事例や用語解説などが記されている。

【2】BIAは「easy to use＝簡単に利用可能」であると原文では書かれているが、本当に誰もが簡単に使えるツールなど存在しないのも事実だ。デジタル上でフォームを入力した経験がない人にとっては、ハードルが高い作業になるかもしれない。そして、非英語圏の人にとっては英語で書かれたアセスメントを読み、英語で答えることのハードルの高さは計り知れない。B Labもアセスメントのスペイン語化などハードルを下げる取り組みをつづけている。

【3】年間費用には、企業の年間収益と規模に応じた費用体系が用いられており、地域ごとに基準が決められている。具体的にはイギリス、ラテンアメリカ、ニュージーランド、オーストラリアなどはその地域ごとの費用体系が用いられる。2022年4月時点では日本の企業には、アメリカ・カナダ以外の多くの国と同じ費用体系が適用されることになっており、年間売上150,000ドルまでが最少額の500ドル、年間売上10億ドル以上は50,000ドル以上の支払いが必要となる（会社の構造にもよる）。たとえば年間売上20億円の日本企業には、約120万円が年間費用となる。（2022年4月現在の為替レートで計算）

データは機密情報として扱われますか？
BIA に記入された企業情報は、すべて機密情報として扱われ他者に共有されることはいっさいありません。比較可能なベンチマークを策定するために、B Lab は BIA を利用する数千人から匿名のデータを収集していますが、これは集計にのみ使用され、個々のデータが特定の企業に紐づくようなことはありません。

どれくらいの時間がかかりますか？
BIA を、ひと通り記入し終えるには 2 ～ 3 時間かかるでしょう。初めて取り組む方にとって最も大事なのは、とにかく前に進むことです。おおよその答えでも構いませんし、答えがわからないときはスキップしても構いませんので、とにかくアセスメント全体を短時間で終わらせることが大切です。ここでの当面のゴールは、BIA でどんなことが問われることになるのか、その全体像を把握することなので、すべての質問に最初から正確に回答する必要はありません。

会社のどの立場の人が、アセスメントに回答すべきでしょうか？
小さな企業の場合、まずは CEO 自身が BIA に答えていくことをおすすめします。なぜなら CEO は、会社のオペレーション全体を俯瞰できる唯一の立場にいるだけでなく、社全体の戦略的方向性を把握し、B Corp 認証取得のためのプロセスを社内で動かしていく力があるからです。大企業（あるいは、CEO が BIA に最初から関わることができない企業）の場合は、「インターナルチャンピオン」[4] を任命し、その人に BIA に最初に取り組んでもらい、その結果をレビューするためのチームメンバーを選出してもらうことを推奨しています。インターナルチャンピオンは、CFO でも COO でもサステナビリティ担当ディレクターでも HR マネージャーあるいはアソシエイトでもインターンでも、誰がなっても構いません[5]。

よいスコアとは？ また自分のスコアは何を意味するでしょうか？
よいスコアを得ることができたなら、あなたの会社は社会と環境に貢献していることを意味します。大半の企業のスコアは、だいたい 200 点中 40 ～ 60 点あたりに落ち着きますが、B Corp 認証の取得を検討している企業は 80 点以上のスコアが必要となります。ちなみに、B Corp 認証を得ている全企業のスコアの中央値は 95 点です。

B インパクトレポートとは何でしょうか？
B インパクトレポートとは、BIA における 5 つのセクション「ワーカー」「コミュニティ」「エンバイロメント（環境）」「ガバナンス」「カスタマー」それぞれにおける、あなたの会社のスコアを記載した 1 枚のレポートで、無料で提供されます。このレポートは、会社にとって重要なインパク

【4】「internal champion」とは、社内におけるプロジェクト推進者を指す。もともと championには、優勝者の意味のほかに、弱者や主義などを擁護する者という意味がある。ビジネスの文脈では、プロジェクトなどのアイデアを気に入り、他人にも薦めてくれる人のことを指す。社内における「応援団長」のような役割をイメージすればよさそうだ。

【5】ゼミから派生した BIA の勉強会では、新入社員が社外のアドバイザーに伴走してもらい、B Corp プロセスを推進する担当者になった事例が共有された。プロセスを通して会社のことをよく知ることができたという。その話を聞いて、担当者の求人に踏み切った企業もあった。

トエリア[6] において、いかにスコアを改善していくかを計画する上で役に立ちます。

この本はオンライン版の BIA とはどのように違うのでしょうか？
本章のセクションのタイトルや順序[7]、構成は、オンライン版の BIA に即してはいますが、厳密には同じではありません。さらに、BIA で回答する必要があるすべての質問を、ここでカバーしているわけではありません。ここでの目的は、BIA に取り組むプロセスの理解を促し、答えるのが困難な質問に取り組む手助けをし、スコアを改善するために何をすべきかアイデアを提供することなので、ここで順を追ってアセスメントのすべての項目を説明することはしません。そうすることで、本書はより幅広いタイプのビジネスに対応したものとなるだけでなく、B Lab が BIA を改訂したあとにも役立つものとなるはずです[8]。

もっと手助けが必要です。どうすればいいでしょう？
BIA に取り組む上ではさまざまな手助けが必要となります。まずは、アセスメントの質問の上部にある「Explain This」（説明）と「Show Example」（例示）ボタンを使ってみてください。質問にある言葉の定義やアドバイスが表示されますので、より正確に答えることができるようになるはずです。

コンサルタントを雇うべきでしょうか？
責任をもって BIA や B Corp 認証のプロセスを完了するためだけなく、有用な助言や他社の事例などを得るべく、外部に指導を求める企業は増えており、B Corp 認証取得のプロセスを導いてくれる B Corp コンサルタントのコミュニティが、現在成長しつつあります。
　また、B インパクトチームに頼ってみる[9] という手もあります。B インパクトチームは、インパクトを計測し、管理する実務を助ける大学生の独立したコミュニティです。こうした学生主導のコンサルティングチームは、BIA を用いて企業の社会的・環境的パフォーマンスを評価することで地域社会に貢献しています。B インパクトチームは各地の大学のキャンパスにあり、地域のビジネスに貢献しています。また、B Lab を通じて、あなたの会社のある地域の B Corp コンサルタントや B インパクトチームを教えてもらうこともできます。

他に何かアドバイスは？
忘れてはいけないのは、よい企業になるためのたったひとつの正しいやり方などは存在しないということです。あなたの会社のコアバリュー、働き手たちの興味や関心、業界の状況とあなたの会社の事業戦略に基づいて、あなたは自分で自分の道のり[10] を選び取らなくてはなりません。BIA は、あなたの会社の価値を強化するためのフレームワーク

【6】「impact area」は、企業がビジネスを通じて影響を及ぼす領域のこと。BIA では「ワーカー」「コミュニティ」「エンバイロメント」「ガバナンス」「カスタマー」の5つが、インパクトエリアとされている。原文ではこれらのインパクトエリアをセクション＝sectionと記している箇所もある。

【7】本書とは異なり、2022年2月時点のBIAの順序はガバナンス、ワーカー、コミュニティ、エンバイロメント、カスタマーとなっている。

【8】BIAは、2007年につくられた当初から改訂を繰り返すことを前提としている。2022年2月時点のBIAはVersion 6（2019年1月改訂）。BIAの改訂は、さまざまなステークホルダーからの意見も取り入れられ、最終的にBIAのStandards Advisory Council（基準諮問機関）の承認を得てから行なわれる。

【9】2022年2月時点では、日本にこのようなチームは存在していないが、B Corpに関心を寄せる学生は複数の大学や地域におり、ゲスト講師による講義を含め大学の授業でB Corpを扱うケースも出てきている。

【10】原文は「path」。キャリアパスなどの言葉で使われるように、大きな計画の道筋となる方針という意味をもつ。もともとは誰かが歩いたことでできた小道のことを指し、その道がつながっている最終的な行き先もイメージさせる。この箇所で示されている通り、B Corpを取得するための道はひとつではなく、さらにいえば認証を取得しても終わりではない。ただし、あなたがつくった道を後ろから誰かが歩いてくる可能性はあるのかもしれない。

であり、ミッションを完遂するためのロードマップ、社会と環境への責任を負った新しいビジネスのやり方を実践するためのツールです。どこから始めても構いません。大切なのは、とにかく次の一歩を踏み出すことなのです。

スタートアップのための「Pending B Corp」

B Corp認証は、前年までの会社の行動とその指針を評価するもので、これからやろうと考えていることは対象にはなりません。ですから最低でも12カ月操業している企業しか、B Corp認証を取得することはできません。

　しかしながら、設立直後の企業が、自社が認証B Corpへの道を順調に歩んでいることを投資家や顧問委員会、従業員、将来の顧客や他のステークホルダーに示したいと考えるケースは少なくありません。そこでB Labは「Pending B Corp」というステータスを用意し、起業直後のスタートアップがB Corp認証取得に向けて取り組むことができるようにしました。

　このステータスを得ることで、「Pending B Corp」のロゴを利用できるだけでなく、法的な枠組みを使って強固なガバナンスを示すことや、B Corpコミュニティの多くの仲間たちとつながることが可能になります。この認証を取得するためのステップは企業の所在地によって異なりますが、一般的には以下の条件を満たす必要があります。

☞ B Corp認証取得に必要な法的説明責任の必要条件を満たすこと
☞将来に向けてBIAを一旦完了させ、提出すること
☞Pending B Corp同意書に署名し手数料を一度支払うこと

Pending B Corpを取得した企業は、12カ月後に完全なB Corp認証のプロセスを通過する必要があります。詳細はbcorporation.netをご確認ください。

3-1

ワーカー

B Corp になったのは、正当な賃金を支払わず、
まともな労働環境を提供していない過半数以上の
アパレル企業と違うものでありたかったからです

フランシスカ・カバレロ｜Bordechi｜チリ

クイックアセスメント

以下の13の項目に従ってクイックアセスメントを実施してみましょう。達成している項目数を数えることで、ワーカーのセクションにおけるBインパクトアセスメントの概算スコアを把握することができます。（各項目の詳細は、リストのあとに説明があります）

□ 従業員と会社のオーナーシップを共有している

□ 従業員（パート・アルバイト、派遣社員を含む）や取引先に生活賃金を支払っている

□ オープンブックマネジメントを採用し、
　従業員すべてが財務データと業務コストにアクセスできる

□ 正規従業員と非正規従業員に対してヘルスケアを提供している

□ トランスジェンダーを考慮した明確なヘルスケアポリシーを提供している

□ 従業員に対して有給の育児・介護休暇制度を設けている

□ 必要に応じて、パートタイム、フレックスタイム、
　または在宅勤務の選択肢を従業員に与えている

□ 401(k)や企業年金、プロフィットシェアリングのような、
　定年退職後のプログラムを提供している

□ 社会的責任投資を退職プログラムの選択肢として提供している

☐ 無料の銀行サービスや低金利貸付、必要に応じて前払いされる給与のような、
　従業員の緊急事態に対応するための金融商品やサービスを提供している

☐ ワーカーの専門スキルの習得やトレーニングを助成している

☐ 健康とウェルネスに関するプログラムがある

☐ 定期的に匿名のワーカー満足度・エンゲージメント調査を
　実施している

___

チェックをつけた項目ごとに1ポイントを加算してください。

☞ 得点が0から3の場合：B Corp認証を得るためには、まだまだやることがありそ
　うです。ただ、他のセクションで高いスコアを取得していれば、挽回できる可能性
　もあります
☞ 得点が4から6の場合：他のセクションでも同様のスコアであるなら、B Corp認
　証の取得はもうすぐそこです
☞ 得点が7から12の場合：素晴らしいです！　すでにB Corp認証に必要なスコア
　を満たしています

アセスメントの実践に向けて

「ワーカー[1]にとってよいこと」の意味は、企業の規模や業界、所在地によって異なります。とはいえ、着眼すべき点の多くは通底しているので、どんなビジネスにも適用することが可能です。たとえば、太陽光発電企業の福利厚生[2]と、銀行における福利厚生のあり方は異なりますが、従業員をサポートすることの重要性はどちらの業界でも変わりません。

このセクションでは、ワーカーにとって会社がよいものとなるための方法を取り上げ、それがなぜ重要なのか、なぜそれがアセスメントにおいて重視されているのか、また、改善していくためのヒントやリソースなどを提供します。まだインパクトアセスメントを終えていない方は、このセクションの冒頭にあるクイックアセスメントを参照することをおすすめします。

①オーナーシップが、みんなの力を生む

クイックアセスメントの「従業員と会社のオーナーシップを共有している」という項目の背景を知り、それを実践する方法を学びましょう。

それはなぜ重要か

企業のオーナーシップのあり方は、インパクトとインクルージョンを推進する上で重要な役割を担うだけでなく、事業にユニークな価値をももたらします。ビジネスをより良い社会をつくるための力として用いるべく歩みを進めるにあたって、従業員が会社のオーナーシップをもつようにすることは、正しい第一歩だといえます。企業の利益をできるだけ多くの人と共有し、従来の不平等がなくなるよう会社のオーナーシップのあり方を最適化することで、経済的な成功と大きな社会的インパクトの双方を達成する好循環が生まれるでしょう。オーナーシップを共有するためのやり方としては、協同組合、従業員持株会[3]、ストックオプション、架空の株式を対象としたファントムストックなど、数多くの選択肢があります。

どう実践する?

次のステップへ進むにあたって、まずは、以下の質問を自分に問いかけてみましょう。

☞会社のステージ、規模、業界、複雑性は?
☞現在のオーナーは、どのようにエグジット(あるいは売却)を行なうつもりなのか?
☞従業員オーナーシップによって達成されるゴールは、現在のオーナーシップのあり方が目指しているゴールといかに一致しているか(あるいはしていないか)?

【1】原文では「worker」。本書では、最も一般的な「働き手」を意味する箇所については「ワーカー」とし、文脈に応じて「従業員」「社員」などの訳語を割り振っている。被雇用者を意味する「employee」についても「従業員」「社員」などの訳語を適宜使用している。企業の労働力全体を示す「workforce」については「全従業員」とした。

【2】原文では「benefits」。社会や企業のシステムによって支払われる給付金、手当などを指す。ここでは、金銭以外の手当も含むため「福利厚生」とした。

【3】日本では、上場企業の9割で従業員持株会が設置されているという統計もあるなど、他国と比較して普及が進んでいる。その背景には外国資本による乗っ取りに対する防衛策という企業側から見たメリットと、金融資産形成という労働者側のメリットがあったとされる。持株会は労働組合との関係が深く、若者の「組合離れ」の結果加入率は低下傾向にあったが、近年、年金制度への不安などの理由から、その存在が再注目されている。

☞ 従業員がオーナーシップをもつことで得られるビジネス上のメリット
は何か？

☞ 他に取り組むべき可視化されていない課題は何か？

ジャナ博士のTips ワーカーのオーナーシップによって、すべての従業員
を経済的にエンパワーすることができます。とりわけ歴史的に周縁化
されてきた人びとにとって、それは大きな力となります。企業のオー
ナーシップを従業員と共有することで、貧困の世代間連鎖やシステミッ
クバイアスといった外的要因によって社会経済的な不安を感じてきた
人びとに安定と成長をもたらすことができるようになります。オーナー
シップの共有は、従業員のエンゲージメント、生産性、定着率の向上
にもつながるでしょう。

② 犠牲なき仕事のための「生活賃金」

クイックアセスメントの「従業員（パート・アルバイト、派遣社員を含む）や
取引先[4]に生活賃金[5]を支払っている」の項目の背景を学び、それ
を実践する方法を学びましょう。

それはなぜ重要か

企業の多くは、「最低賃金」が、食費や住居、育児、医療といった基本
的なニーズを満たすためには不十分であることを理解しています。そ
の結果雇用主たちは、優れた人材に仕事の魅力を感じてもらい働きつ
づけてもらうためだけでなく、ワーカーたちが構造的な貧困から抜け
出すのを助けるためにも、「生活賃金」をもとに給与水準を設定するよ
うになっています。Bインパクトアセスメントは、すべての従業員に対
してこうした施策を導入する雇用主の努力を高く評価しています。

　従業員の給与水準を「生活賃金」に従って上げることには、直感に
反して、予想外のメリット[6]があります。たとえばGoldman Sachsは、
「従業員1人当たりの給与とキャッシュフローには、すべての部門で高
い相関関係がある」ことを発見し、「給与を削減することで業務効率
が改善するという一般的な先入観とは裏腹に、ワーカーに対する投資は、
むしろ指数関数的な利益を生み出す可能性がある」とさえ語っています。

どう実践する？

まず、地域における生活賃金（正社員が家族を養い、家族の生活のために必
要な賃金）を調べてみましょう。MIT Living Wage Calculator[7]、
Living Wage for Families Campaign、Living Wage Founda-
tionは、それぞれアメリカ、カナダ、イギリスに拠点を置く企業にと
って有用な情報源となるでしょう。またGlobal Living Wage Coa-
litionは、さまざまな発展途上国の生活賃金に関する情報を求める企
業に情報提供を行なっています。自社が置かれた地域の生活賃金に関

【4】原文では「independent contractor」。contractorは請負業者と訳される場合が多いが、法的には業務委託または業務請負の契約を結んだ取引相手のことを指す。「業者」や「外注」という表現には、発注元が上であり発注先が下であるというニュアンスが含意されているため、よりフラットな「取引先」という表現を採用した。

【5】行政によって定められたミニマムの賃金水準とは異なり、地域において労働者が不自由なく暮らす生活費から算出された賃金水準。イギリスでは後述の「Living Wage Foundation」による啓蒙活動によって存在が知られ導入企業が増えたのちに、2016年には政府による「全国生活賃金」が導入された。日本における最低賃金の水準は先進国でも低いことが知られており、地域ごとの「生活賃金」の算出、概念の浸透が待たれる。

【6】2021年のノーベル経済学賞を受賞したデビッド・カードは、1990年代にアメリカのファストフード業界における最低賃金引き上げによる雇用の影響を調査した。「人件費は一定のため、賃金が上がれば業界全体の雇用が減る」という直感に反して、雇用の減少は見られなかったという。

【7】マサチューセッツ工科大学が提供する「生活賃金計算表」によると、「生活賃金」ではテイクアウトや外食などの調理しなくてよい食事、娯楽や外食、貯蓄や投資、退職金や住宅購入の準備の費用はカバーできない。ここで言う「生活賃金」は、政府が示す貧困線（生活に必要な物を購入できる最低限の収入）よりは高いが、自給自足を可能にする最低限の額ではなく、けっして生活を保障する額を示しているわけではない。「生活賃金」という言葉の定義も国によって違いがある。

する情報や算出方法がない場合は、同じ地域の他社や組織と協力して算出してみましょう[8]。

　また、可能であれば、自社の報酬率を、同業他社と比較してみてください。地元の業界団体が、参考になる給与実態調査を発表しているかどうかも確認してみましょう。他業界の平均賃金については、アメリカ労働統計局でチェックすることも可能です。

　次いで、何％の従業員の給与が地域の平均賃金（もしくは、それ以上）に達しているかを算出しましょう。多くの雇用者は、ほとんどの従業員がすでに生活賃金の水準に達していることを知って驚きます。賃金の上げ幅は、当初の予想よりもはるかに小さなものになるかもしれません。生活賃金に達していない従業員がいる場合は、それに達するためのコストを算出しましょう。その際、離職率を下げることで節約できる潜在的なコストを考慮することも忘れないでください。財務に大きな影響がある場合は、賃金調整を段階的に行なう、もしくは追加コストを補うために資金調達を検討する必要があります。

　すべての従業員の給与を生活賃金まで引き上げましょう。公平性を確保するために、場合によっては、すでに生活賃金を超える給与を得ている従業員と交渉する必要もあるかもしれません。また、新入社員に対しても同様の水準が守られるようなシステムをつくる必要もあります。生活賃金は、地域における生活費の変化に基づいて年々変わりますので、毎年算出方法を見直すのが望ましいでしょう。最後に、生活賃金を満たすために行なった取り組みの全容と、実現までにどれくらいの時間が必要とされるかを、全社に向けてきちんと公表しましょう。スタッフは、経営陣がどのように尽力し、どんな計画のもとでこの長期的なプロセスを継続していくつもりなのかをきっと知りたいはずです。

事例 Our Table Cooperative

オレゴン州ポートランド郊外にある同組織は、レジリエントで相互扶助的な地域の食文化を醸成するために協力する人びとが集まった協同組合。アメリカに存在している唯一のマルチステークホルダー型の協同組合でもある。その名が示す通り、マルチステークホルダー協同組合は、ふたつ以上のステークホルダーのグループによって運営される。同組織は、以下のように運営されている。

・従業員は、58エーカーもの認定有機農場で作物を育て、育てたものを集めて付加価値のある加工をし、流通、小売サービスを行なっている
・地域の農家や職人のような独立したメンバーは、生産したものをOur Tableで販売。製品の多様性と量の両面から規模拡大に役立っている
・Our Tableの製品を購入もしくは定期購入する消費者は、財政的

【8】日本では、全国労働組合総連合などが生活に必要な経費を調査する取り組みを行なっている。同団体が2021年に発表した調査では、地方は首都圏と比較して家賃は低いものの、交通費は自動車が不可欠な地方の方が上回る傾向にあり、食費に関してもチェーン店の浸透により首都圏と地方の格差はなくなりつつあるとし、全国一律の生活賃金を策定すべきだと主張している。

に組織を支援し、透明性がある公正な食のコミュニティを育んでいる

Our Tableのモデルは、徹底的に垂直統合されたコミュニティ規模のフードシステムといえる。すべての人が役割と投票権をもち、メリットを共有している。

事例 Namaste Solar（ブレイク・ジョーンズCEOとの対話）
Namaste Solarは住宅、商業施設、非営利団体、政府機関を対象に、太陽光発電システムの設計、設置、保守を行なう企業。ワーカーオーナーシップを採用し、投資家からの資本調達を実現している。

──なぜ、ワーカーオーナーシップ企業になろうと決めたのですか？
　いくつかの理由がありますが、主にガバナンス構造に沿うような資本構成にするためです。ワーカーオーナーシップ企業は、民主的な理想にとてもマッチし、従業員オーナーの所有における割合に応じて、事業のリスクや報酬を公平に分配します。さらに、内部の意思統一を妨げずに、外部投資家を受け入れることが可能になるのです。

──資本調達は難しかったですか？
　そんなことはありません。投資家からの資本調達に関しては、多くの成功を収めることができました。Namaste Solarは、ここ数年で120もの投資家から累計400万ドルを調達しています。価値観が非常に近いインパクト投資家たちが熱心にビジネスを応援してくれています。インパクト投資セクターがどれだけ成長しているか、レポートを読んで知ってはいましたが、いまは、自分たちのような会社に投資する機会をうかがっている投資家との対話を通じて、直接その状況を目撃しています。最終的には従業員オーナーや投資家の現金化または売却に応えられるように、数年ごとに資金を調達し、継続的な成長資金と流動性を担保する予定です。われわれは事業とミッションに資本を投下する従業員オーナーや価値観の近い投資家が自在に入れ替われるドアをつくることができたのです。

ジャナ博士のTips 生活賃金に見合った給与を支払うことで、新入社員も含めたすべての従業員が生活に必要な賃金を得ることができるようになります。これまで、あまりにも多くのワーカーが、家庭を犠牲にして複数の仕事をかけもちすることを余儀なくされてきました[9]。継続して生活賃金の水準を維持することと、公正かつ客観的な採用とを組み合わせることで、組織は、多様性と公平性を高めることができるようになります。

【9】厚生労働省による「平成29年就業構造基本調査」によれば、副業をしている人のうち全体の約3分の2を本業の所得が299万円以下の人たちが占めるという。「働き方改革」の一環として副業が推奨されてはいるが、「副業をせざるを得ない」という現実が、すでに先行して存在している。

③財務情報の共有から信頼は生まれる

クイックアセスメントの「オープンブックマネジメントを採用し、従業員すべてが財務データと業務コストにアクセスできる」という項目の背景を知り、それを実践する方法を学びましょう。

それはなぜ重要か

透明性は信頼をつくります。信頼は強い関係性の基盤です。社員に財務の状況を公開するためには、基本的な収益に関する透明性だけでは不十分かもしれません。すべての財務情報（損益計算書、貸借対照表、および／もしくは給与情報）へのアクセスを認める必要がある場合もあります。たとえば、従業員に財務情報が含まれた資料を配布したり、プレゼンテーション中に情報を共有したりすることも必要でしょう。

　加えて、一部の企業では、従業員が財務と経営に関するデータにリアルタイムでアクセスできるオープンブックマネジメントを採用しています。これにより従業員と各部門が、独自の財務目標を設定・維持できるようになることで、会社の成功に貢献できるようになるはずです。オープンブックマネジメントの詳細については、ジャック・スタックとボー・バーリンガムによる『The Great Game of Business, Expanded and Updated』（グレートゲーム・オブ・ビジネス：社員の能力をフルに引き出す最強のマネジメント〈徳間書店〉）[10]をご覧ください。

どう実践する？

この決定に必要なファクターは、企業ごとに異なります。まだ財務情報を共有していない企業は、まず少なくとも基本的な財務数値（コアとなる収益源や業務コストなど）を従業員と定期的に共有することをおすすめします。

　情報の共有だけでなく、特定の財務と運用に関するデータの価値を従業員に伝えることは、お互いにとって有益です。たとえば、自社がプロダクトを製造している場合、どの製造ラインが収益や利益率を伸ばしているか、その傾向を共有してみましょう。さらに、財務予測の前提条件も説明するようにしましょう。もちろん未解決の課題についても透明性を保つ必要があります（たとえば「新商品製造ラインのコストを削減できそうだが、次のステップについては確信がもてない」など）。新しいビジネスドメインにおける従業員の学びを支援することで、エンゲージメントが向上するチャンスにもなります。

事例 New Belgium Brewing Company

同社は、財務の透明性、コミュニケーション、イノベーションを促進するために、以下のようなオープンブックマネジメント・プログラムを実施している。

【10】オープンブックマネジメントは、アメリカ・ミズーリ州で閉鎖寸前だった修理工場を買収したジャックが立ち上げたSpringfield ReManufacturingで採用され、8年で売上高4倍、株式評価額180倍という伝説を達成したことで知られる。FedExやTHE BODY SHOPといった企業が導入したという。日本で会計システムによって経営改革を推進したことで有名なのは、京セラの「アメーバ経営」だろう。部門別採算制度と組織の細分化により「全員参加経営」を目指す同メソッドでも、透明性が重要なキーワードになっている。

☞ 新入社員は全員、オリエンテーションで財務の基本的な概念とツールを学ぶ

☞ マネージャーは、定期的に部門の財務情報をチームと共有する

☞ 月に一度、業績について話し合ったり、社員が質問したりするための全社会議を開催している

☞ 遠隔地にいる社員は、オンラインフォーラムに参加して意思決定者と交流し、ビジネストレンドについて学んでいる

☞ 従業員数は社内のイントラネットからさまざまな情報にアクセスが可能。随時更新される財務情報や業務の進捗がわかるダッシュボードの指標、他の従業員との交流手段などが提供されている

同社のオープンブックマネジメント・プログラムは、従業員のエンゲージメントと創造性を育み、それが会社のサステナビリティに関する取り組みの原動力となっている。たとえば最近、2名の従業員が12本のボトルパックに入っている仕切りを廃止する提案を行なった。これにより会社は28万ドル以上を節約できただけでなく、紙の廃棄物を150トン削減し、機械のダウンタイムを減らすことができた。

ジャナ博士のTips 財務の透明性を高めようとする際によく耳にするのは、給与に関する情報を共有することに対する懸念です。給与は多くの場合、個人情報や機密情報として扱われているからです。しかし、特定の情報を非公開にすべきかどうかは、性別、民族、年齢、国籍の違いによる報酬の格差が広がっている現実とのバランスのなかで決断される必要があります。報酬に関する情報を共有することは、給与やその他のリソースの配分が、リーダーシップによって公正かつ公平な状態を保つために役立ちます。財務の透明性は、より客観的な報酬に関する慣行を支え、最終的には従業員が自分自身は尊重されていると感じることにもつながります。

④公平なヘルスケアが不安をなくす
クイックアセスメントの「正規従業員と非正規従業員に対してヘルスケアを提供している」「トランスジェンダーを考慮した明確なヘルスケアポリシーを提供している」という項目の背景を知り、それを実践する方法を学びましょう。

それはなぜ重要か
ヘルスケアに関する福利厚生を従業員に提供することで、たとえ家族の介護や教育などが理由でフルタイムで働けない場合でも、手頃で質の高いヘルスケアサービスにアクセスできるようになります。さらにヘルスケアを受けている従業員は健康を維持できることが多く、病気のまま出社したり病欠したりする可能性が低くなるでしょう。

トランスジェンダーであったとしても、ヘルスケアは他の人と同じように必要です。ただ、保険会社（や一部のヘルスケア提供業者）においては、トランスジェンダーであること[11]がケアを受ける障壁になることがあります。しかし、クライアントである企業は被保険者であるトランスジェンダーの人びとの声を代弁し、障壁があるという事実を啓蒙することができます。雇用主は、保険会社や管理部門と協力して、トランスジェンダーが排除されていない保険を提供しましょう。

どう実践する？
もしアメリカのように企業による従業員への健康保険の提供が一般的な国であれば、チームにとっての最もよい福利厚生を特定するために、健康上のリスクに関するアンケートや、フォーカスグループによるフィードバック収集を試してみてください。そうすれば、医療提供者の協力のもと、あなたの職場に最も合った福利厚生を提供できるようになるはずです。
　現在の健康保険プラン（あるいは将来のプラン）がトランスジェンダーが排除されていないかを見定めるために、LGBTQの権利団体であるHuman Rights Campaignは、以下のことをおすすめしています。

☞ プランに含まれない事項を調べ、トランスジェンダーのためのサービスが利用できるのかを確認し、必要であれば福利厚生の担当者に連絡して説明を行なう
☞ トランスジェンダーが必要とするヘルスケアを排除しないプランかどうか、保険の管理者に確認してもらう

⑤人生の一大事へのサポート
クイックアセスメントの「従業員に対して有給の育児・介護休暇制度を設けている」という項目の背景を知り、それを実践する方法を学びましょう。

それはなぜ重要か
有給の育児・介護休暇[12]を設けることで、ビジネスが従業員の家族にとって親しみやすいものになれば、従業員は仕事と健全な家庭の関係を築くための時間をやりくりしやすくなります。有給育児・介護休暇は、性別を問わず、すべての従業員にメリットをもたらすものです。従業員の（とりわけ女性の）定着率やエンゲージメントを高め、新しい従業員をトレーニングするコストを減らし、全従業員の多様性を高めることが実証されています。
　多くの企業が、「マタニティ休暇」という言葉の代わりに、ジェンダーニュートラルな「主介護者休暇」という言葉を使うようになってきています[13]。この変更は善意によるものですが、評論家のなかには、こ

【11】多くの日本の医療機関では患者を男性と女性に分けて診療するシステムが構築されていない。性別を明らかにしたくないトランスジェンダーにとって、受診そのものが高いハードルとなる場合が多い。また人口の少ない地域の医療機関で、受付担当者や医師がトランスジェンダーの顔見知りだと、守秘義務の問題が発生する可能性もある。トランスジェンダーに対応した公平な福利厚生を設計するためには、それぞれの要望からスタートすることが不可欠だ。

【12】原文は「caregiver leave」。介護・ケアを提供するための休暇を指すが、本文脈においては家族が子どもや要介護者をケアするための休暇を指すため、より具体的な「育児・介護休暇」とした。

【13】原文では、マタニティ休暇は「"maternity" leave」、主介護者休暇は「"primary caregiver" leave」。日本語においては、マタニティ休暇を指す「産前・産後休暇」と、男性の育児にも適用される「育児休暇」はそもそも違うものであるため、本書では原文を直訳するかたちで訳出した。

れだと有給休暇がひとりの「主介護者」のためのものであるという認識を変えられないと主張する人もいます。『Harvard Business Review』のなかで、ヒラリー・ロウとジョアン・C・ウィリアムスは、次のように書いています。「多くの場合、主介護者制度は、マタニティ休暇が生みの母親のみ取得可能でパートナーや養親は取得できなかった時代の名残なのです。このような制度には、家族のなかにはひとりの主介護者しかおらず、パートナーはその人を扶養するだけで育児に対して責任をほとんどもたない、という思い込みが反映されています[14]。それは、うわべだけのジェンダーニュートラルをまとった、旧態依然とした専業主婦／大黒柱モデル[15]なのです」。

　ふたりによれば、育児休暇には2種類あればよいのです。妊娠や出産などによって身体的に働けない女性のための休暇と、性別や育児への参加の有無にかかわらず全従業員が平等に取得可能な育児休暇です。ロウとウィリアムスは企業に対して、こう考えるよう促します。「会社が、従業員を尊重し職場における公平さや多様性にコミットしていることをメッセージとして強く発信すれば、有給の育児休暇が採用や人材をつなぎ止めるための力強いツールになるでしょう。主介護者であるという申告と関係なく、この制度を生物学上の親、育ての親、LGBT、正社員、パートタイム社員に対して平等に適用すれば、メッセージが弱まることはありません」。

どう実践する？
育児休暇に関して取り組む場合は、以下のような実践に役立つ基本的なステップがあります。

☞有給の育児休暇のために必要な潜在的なコストを計算し、このコストと、会社の評判、採用における競合優位性、従業員の生産性と定着率とのバランスを検討する
☞休暇への移行をサポートする手順を設計する。たとえば、従業員が育児休暇に入る数カ月前に、本人が関わっているすべてのプロジェクトと、本人がいない間の担当者候補のリストを作成する。もし誰も思い浮かぶ人がいなければ、会社が誰かを見つけるか、追加の従業員を雇う必要があることを伝え安心してもらう。本人との対話のなかで、計画を立てる
☞従業員がスムーズに仕事に復帰できる手順を設計する。たとえば、休暇取得者が復帰したとき、マネージャーは計画について話し合うためのミーティングを設定する必要がある。その計画には、十分かつ適切な仕事をこなせるようにできるまでのならし運転の時間も含める必要がある
☞適切な仕事量を用意する。育児従事者が休暇から復帰したときは、仕事があまりに少なすぎたり多すぎたりすることが起こりがちである。

[14]「子どもひとりを育てるには村がひとつ必要だ」ということわざが英語圏ではしばしば使われる。子どもは「親」もしくは「家族」だけで育てるものという考えに対する戒めとして使用され、出自はアフリカと推測される。韓国ドラマ『未成年裁判』にも、このフレーズが登場する。

[15]日本では、2021年に育児・介護休業法が改正され、子どもが生まれる従業員へ育休の取得を働きかけるよう義務付けられた。男性の育児休暇取得率を高めることが目的とされている。従来の育児休業に加えて、男性のみに認められる出生時育休制度が新設されたことにより、多くのメディアでは同法改正が決定した際に「男性の産休」として報じられた。日本においても「育休・産休」は女性が取るものであるという考え方は根深い。

たとえば、徐々に目標にするフルタイムの労働時間に戻れるよう、
50％ほどの仕事量から予定を組んでみる
☞明瞭で一貫性のある公式ポリシーをつくり、それを従業員に伝える。
必要であればポリシーの内容を繰り返し検討し、よりよくなるよう
何度でも微調整する

【事例】Change.org
Change.org では、親になると（血縁または養子縁組のいずれの場合でも）
最初の1年間に18週間の全額有給休暇を取得することができる。親
になったすべての人のニーズに対応するために、上司と人事スタッフ
の間であらゆることが調整される。このポリシーによって、Change.
org が親の存在を大切にしていること、健全な職場にとっての家族の
重要性を理解しているということが従業員に伝わる。

【事例】Give Something Back Office Supplies
行政が育児・介護休暇の費用を完全に負担していないアメリカのよ
うな地域では、たとえ企業の方針や価値観がその必要性を唱えていて
も、育児・介護有給休暇の実施が困難であることに注意する必要が
ある。カリフォルニア州オークランドに拠点を構える最初期の認証 B
Corp、Give Something Back Office Supplies の代表であるマイ
ク・ハニガンは次のように語ってくれた。

「育児・介護有給休暇が、B インパクトアセスメントで評価されるべき
であることは疑いようがありません。ただ、このような方針は倫理や価
値観だけで片付けられる問題ではないという考え方も理解できます。
従業員の定着、生産性、モチベーションなどに明らかにプラスになる要
因ではあるものの、採用すれば企業の財務状況と密接に関係してくる
からです。だから、この方針が、企業経営における財務状況および業
務という現実の問題から切り離して示された場合、本書の読者は不
満を感じる可能性があります。Change.org であれば、主要な従業員
が18週間休みを取っても、まだ顧客を満足させられるし、企業として
もちこたえることができるかもしれません。しかし、多くの場合、それ
はとても難しいことなのです」

マイクの指摘は重要な点を示唆している。B Corp 認証を得ることは、
その企業の収益を無視してあらゆる社会的・環境的改善を行なわな
ければならないことは意味しない。社会起業家たちの集まりで「利益
なくして、ミッションの達成はない」という言葉をよく聞くことがある。
社会によりよいインパクトを生み出すためには、財務上健全なビジネ
スを行なう必要がある。だからこそ、B インパクトアセスメントのプロ
セスは価値あるものだと信じられている。最初から完璧である必要は

ない。自社がいまどの位置にいるのか、いま何ができるのかを明らかにし、継続的な改善を促せばよいのだ。

ジャナ博士のTips 有給の育児・介護休暇は、人びとの大きなライフステージの変化をサポートする福利厚生のひとつです。出産・育児などのライフイベントをサポートする貯蓄や、家族による援助、流動資産、万一に備えた保険がない社会的に取り残されている層においては、そのライフステージにおける困難さが、重大な打撃をもたらす可能性があります[16]。インクルーシブな福利厚生は、人が自分の人生を生き、サポートを得られる余地を生み出します。新しく生まれた子どもの世話をするにしろ、年老いた親を世話するにしろ、このような制度はインクルージョンをサポートし、従業員のロイヤリティを高めることができるでしょう。

⑥働き方の柔軟さがもたらすもの
クイックアセスメントの「必要に応じて、パートタイム、フレックスタイム、または在宅勤務の選択肢を従業員に与えている」という項目の背景を知り、それを実践する方法を学びましょう。

それはなぜ重要か
優秀な従業員の採用と定着は、多くの企業が直面する最も重要な課題のひとつであるといわれます。労働時間やスケジュールをワーカー自身がもっとコントロールできるように職場の柔軟性を高めることは、従業員のエンゲージメントや仕事への満足度の向上、ストレス軽減につながることが示されています。また、職場に柔軟性があると採用もしやすく、従業員の定着率とエンゲージメントも高まるため、会社の最終的な利益にもメリットをもたらします。

どう実践する？
従業員に柔軟に働いてもらうためには、組織としての明確な方針とガイドラインが必要です。マネージャーは組織の方針を熟知し、柔軟な働き方を推奨する必要があります。また、従業員が柔軟な働き方を実現するための戦略を提案するときには、仕事、同僚、顧客、会社のニーズを考慮する必要があります。Corporate Voices for Working Familiesのレポートでは、企業が柔軟な働き方を導入するためにできる、下記のようなステップを推奨しています。

☞業務と個人のニーズを両立する解決策を模索するときには、従業員本人と一緒に取り組む。ビジネス上の条件をしっかり理解する。従業員に要望を尋ねる。アイデアに耳を傾ける。クリエイティブで先進的なスケジュールの立て方を柔軟に受け入れる。会社が何を期待

【16】日本家族計画協会が発表している「男女の生活と意識に関する調査」では、人工中絶手術を受けることを決めた女性に対してアンケート調査を実施している。2016年の統計では中絶手術を受ける理由として「経済的な余裕がない」を挙げた率が24％。2010年の調査から11％増え、最も多い理由となった。経済的な背景でライフイベントを諦めざるを得ない人びとの存在は増えつつある。

しているかを明確に伝え、必要な情報やツールを提供し、求められる結果を出すために従業員に権限を与え、信頼する

☞マネージャーに説明責任を与え、その遂行をサポートする。柔軟な働き方が選択できることで持続可能な成功を収めている企業の場合、経営陣が柔軟な働き方を自社のコアバリューに結びつけ、それと従業員のエンゲージメントの関係を理解している。またそうした企業では、マネージャーは従業員に柔軟な職場を提供する責任を負っている

☞一貫性のある公正な待遇を保証するために、明確な方針を策定する。明確なポリシー、ガイドライン、プロセスは、柔軟な働き方を求める意見を承認する立場のマネージャーにとって強力なフレームワークになる。難しい決定や両立するのが難しい要求に直面しているマネージャーにとって、これは重要だ

同レポートでは、「給与が低い層の従業員が柔軟な働き方を選択できる企業は、よりよい人材の採用と定着率の向上、エンゲージメントの向上、ストレスや燃え尽き症候群の減少、生産性と効率の向上、顧客サービスの向上、そして最終的には財務上のプラスの結果が得られる。従業員と企業の双方に多くの好影響をもたらし、投資に対する高い見返りが得られる」と結論づけています。

ジャナ博士のTips　社会的に弱い立場にある、ひとり親の環境で育った人や、混合家族、障がいがある人や、障がいがある家族を介護している人にとって、フレックスタイムは職場での体験を大きく変える制度です。他にも、貯金がほとんどない人、社会人学生、高齢の親の介護をしている人など、フレックスタイムの恩恵を受ける人は数えきれないほどいます。制度の導入によって、仕事以外の生活も大切にされていることがチームの従業員に伝わるでしょう。業務を怠けるためにフレックスタイムが利用されるのではないか？という懸念があるのであれば、制度の利用者が果たす説明責任[17]が重要であると理解しましょう。Patagoniaのようにフレックスタイム制度を成功させている企業では、仕事を完遂するために大切にされ信頼されていると感じている従業員のほうが、仕事へのエンゲージメントが高く、忠実で協調性が高い傾向にあるというレポートがあります。

⑦「今後のお金」が未来を支える
クイックアセスメントの「401(k)[18]や企業年金プロフィットシェアリングのような、定年退職後のプログラムを提供している」「社会的責任投資を退職プログラムの選択肢として提供している」という項目の背景を知り、それを実践する方法を学びましょう。

【17】原文では「accountability」。「responsibility」が「これから起こることに対する責任」を示すのに対して、accountabilityは発言などを含めた「これまで起きたことに対する責任」を示す。Bインパクトアセスメントでは、従業員でも企業でも、いままでの行動が重視される。何を考えているか、これからどうするかは、考慮されない。CSR（Corporate Social Responsibility）に象徴される「未来への責任」とは異なり、リアリスティックな直近の行動が問われることになる。

【18】アメリカにおいて一般的な確定拠出年金の制度。事業主が掛け金を拠出し、加入者自らがその資産を運用し、その結果に応じて将来の受給額が決定する。資金は個人に属するため、転職時に別の口座に移すことができる。同国の内国歳入法401条(k)項を根拠とする。日本では確定拠出年金法が2001年に施行され、日本版401kと呼ばれる制度がスタートしたが、転職が少ない、運用への理解が低いなどの理由で、普及・拡大には至っていない。

それはなぜ重要か

従業員と強くつながった企業を育てるには、長期にわたる経済的安定を従業員が築いていくためのサポートを提供することが重要です。従業員に退職金制度を提供することで、素晴らしい従業員が集まり会社に定着してくれるでしょう。社会的責任ファンドがなくても、すでに他の退職金制度を導入しているのであれば、Bインパクトアセスメントで評価の対象になります。SRI（社会的責任投資）オプションは、評価を上げるチャンスをもたらしてくれます。

どう実践する？

あなたの会社に退職金制度がない場合、新しい制度を策定するハードルは比較的低いと言えるでしょう。もしすでにプランがある場合は、従業員に匿名のアンケートを実施し、SRIという選択肢が価値のあるものかどうかを確認してみましょう。Society for Human Resource Managementの調査によると、SRIファンドの数は、社会の関心の急速な高まりに伴い今後数年間で倍増する可能性が高いとされています。次に、自社のプログラムにSRIの選択肢があるかどうかを福利厚生担当者に尋ねてみましょう。もしない場合は、B Corpのウェブサイトで、この分野に精通した企業を検索してみてください。

ジャナ博士のTips　退職金積立制度は、誰にとっても価値をもたらすツールとなりえます。歴史的に周縁化されてきた人びとが世代を超えて格差を引き継いでいる場合は、なおさらです。退職金制度によって、負債と貧困の終わりのないサイクルに直面してきた家族や地域社会の経済的バランスが改善します。また、401(k)のようなプログラムは、金融教育と組み合わせることでさらに効果的になります。金融リテラシーや投資計画に関する知識量や知識へのアクセスが、誰もが同じではないと想定することを忘れてはなりません。

⑧レジリエントな家計のために

クイックアセスメントの「無料の銀行サービスや低金利貸付、必要に応じて前払いされる給与のような、従業員の緊急事態に対応するための金融商品やサービスを提供している」という項目の背景を知り、それを実践する方法を学びましょう。

それはなぜ重要か

短期貸付、長期的なファイナンシャルプランニングといった選択肢をつくることで、特に旧来の金融サービスにアクセスできない従業員に力強い経済的支援を提供することができます。経済的リスクに晒されている従業員を支援すれば、ロイヤリティが増し、転職率を下げることができるでしょう。

どう実践する？

B Corp インクルーシブエコノミー・チャレンジと認証 B Corp である
Rhino Foods が提供するモデルに触発されて、Heather Paulsen
Consulting は、共同収入向上プログラムとして従業員ローンアクセ
ス支援（Helping Employees Access Loans、以下 HEAL）を構築しています。
カリフォルニア州メンドシーノ郡のすべての認証 B Corp がその従業
員にプログラムを提供することに伴うリスクを、100％負ってくれる
地元銀行が見つかったことでこれは実現しました。企業が提供するそ
の他の所得促進プログラムと同様に、同プログラムは家計の緊急事態
をしのぐ必要がある従業員に支援を提供し、ペイデイローン[19] より
も現実的で返済しやすい選択肢を提供しています。このような取り組
みは、個人の信用を増やすチャンスをリスクを冒さずに得ることがで
きるだけでなく、価値ある金融教育を提供し、貯金の増加につながる
ことも多いでしょう。従業員によりよい金融サービスを提供するため
のステップを列挙してみます。

☞従業員と話し、特定の財務的なニーズを理解する
☞財務サービス支援の提供に必要な潜在的なコストを計算する。将来
　発生する財務上のメリットも考慮に入れること
☞福利厚生の提供を支援してくれる地元の非営利団体、金融機関、行
　政機関、その他の事業者とのパートナーシップを模索する
☞ポリシーを文書として策定する
☞従業員に対してポリシーとスケジュールを伝える。言語、難易度、コ
　ミュニケーション方法、メディア（オンライン／オフライン、テキストのレ
　ポート／ビデオ、同僚によるプレゼンなど）を考慮すること。この機会に、
　従業員が新しいプログラムの価値を明確に理解するためのコミュニ
　ケーション手段を構築することができる

事例 Rhino Foods

Rhino Foods は、従業員約150人のアイスクリーム原料メーカー。従
業員への特典として、地元の信用組合と提携し、60日以上問題なく
勤続した従業員全員に1,000ドルまでのローンを提供している。申請
者の勤続年数が支払い能力を十分に証明するため、比較的低金利の
ローンが信用調査なしで利用できる。さらに、ローンは通常は申請日
に現金で信用組合から支給され、返済は給与天引きで行なわれる。

　Rhino Foods で同プログラムが成功した結果、同社のビジネスは
より強固なものとなった。開始以来、同社は数百件、総額数十万ドル
規模の融資を行なったが、導入から3年以内に離職率は39％から15
％以下へと低下した。さらに、従業員の生産性、出社率、ロイヤリテ
ィも向上したというレポートもある。

【19】給与を担保に提供され
るアメリカで一般的な消費者
金融。自身の信用では銀行で
お金を借りられない人たちが
利用する場合が多い。法定利
息を回避するためにさまざまな
抜け道が設けられている場合
があるため貧困ビジネスの温
床となっており、ドキュメンタ
リーシリーズ『汚れた真実』の
第2話で特集されている。日本
における「街金」「闇金」に近
いニュアンスか。

ジャナ博士のTips 社会から周縁化されていたり、公的な保護下にあったりする人は、十分でない与信枠や金融リテラシーの欠如、過剰な借金といった社会経済的に不利な状況に置かれていることがよくあります[20]。そして、こうした状況が緊急時の対応をさらに難しくしてしまう場合が多いのです。医療的な緊急事態に一度陥っただけで、外部からの支援を受けられない家庭が破産してしまうこともあります。こうした緊急時に利用できる財務サービスは、人種にかかわらず従業員の生活を維持するのに役立ちます。それは従業員とその家族のウェルビーイングをどれだけ大切に考えているかを伝えるための、インクルーシブな実践だと捉えてください。また、HEALのような例は、福利厚生を提供する財務的なリスクを雇用者が必ずしも引き受けなくともよいことも示しています。

⑨公平なスキル開発が変化を生む
クイックアセスメントの「ワーカーの専門スキルの習得やトレーニングを助成している」という項目の背景を知り、それを実践する方法を学びましょう。

それはなぜ重要か
ダニエル・ピンクは著書『Drive: The Surprising Truth About What Motivates Us.』(モチベーション3.0：持続する「やる気！」をいかに引き出すか〈講談社〉)のなかで、従業員のモチベーションは「自律性」「達成感」「目的」の3つから生まれると説明しています。Gallupによると、ミレニアル世代の87%が、専門的能力の習得やキャリアアップの機会が仕事の非常に重要な要素となっていると答えています。従業員に教育やスキル習得の機会を提供することは、チャレンジ精神を高め、特定の専門的な能力の取得を促すことにつながり、マネージャーやその他の社内ポジションに就くための準備にもなります。

どう実践する？
自社の目的やニーズに合った専門スキル教育を知るために、従業員がどのようなトレーニングを求めているかを話し合ってみましょう。このなかには、主要業務におけるスキル、他の業務にも関連したトレーニング、さらに人生全体に関わるスキル（金融リテラシーや第二言語としての英語習得など）が含まれます。何を提供するかを決める際には、意図しない偏見や参加への障壁（たとえば、子どもがいたり介護をしたりしている社員は夜のイベントに参加できない、など）がないように注意しましょう。
　専門スキル習得を奨励するために、一部の認証B Corpは、従業員1人当たり1,000ドルから2,500ドルの年間研修予算を提供し、従業員の裁量で予算を使用できるようにしています。最近のAmerican Society for Training & DevelopmentによるState of the Indus-

【20】ミュージカルで映画化もされた『ジャージー・ボーイズ』では、元犯罪者のバンドマンたちが借金や社会的に不利な状況から抜け出す姿が描かれている。また日本では『ナニワ金融道』『ミナミの帝王』『闇金ウシジマくん』など、金融業者の視点から社会的に不利な状況にある人びとを描いた漫画作品が多く存在している。

tryレポートによれば、アメリカでは従業員1人当たりの研修・スキル習得に対する平均的な直接支出は1,182ドルとなっています。新しい研修予算を算出するための近道は、年間給与総額の1〜5%を計算してみることです。自由裁量のもと決められる研修予算では、どのような専門的な能力開発の機会を追求するかを社員が決めることができます。業界の展示会やカンファレンスに参加したり、業界ならではの資格を取得したりするといった選択もありえるでしょう。

事例 BluPlanet
カナダのアルバータ州カルガリーに拠点を置く認証B Corpリサイクル回収業企業、BluPlanetは、従業員向けにさまざまなカリキュラムのトレーニングコースやプログラムを提供する。コースやプログラムには、従業員の専門的な能力開発をサポートするものもあれば、会社のシステムの改善を目的としたものもある。従業員の個人的な能力開発に役立つものの業務にすぐに影響を与えないコースについては、給与審査の際に決定された通り、会社が受講料の一部を負担し、さらに専門能力開発コースを修了した社員は、追加報酬を受け取ることができる。システムの改善に直接関連するコースやプログラムについては、会社が100%負担しているという。

ジャナ博士のTips 公平かつ公正な方法で教育機会を提供することを心がけてください。会社が何にお金を出すか、そして出さないかを決める客観的な基準をつくることが重要です。そうすることで、偏見をもつことを避けられます。スキルアップの機会は、社員が昇進への道として利用することができる重要な福利厚生です。だからこそ会社が提供する機会は、公平でインクルーシブなものであることが不可欠なのです。研修を計画する際に考慮すべき点は、物理的なスペースや教材の利用しやすさ、使用する言語、利用する交通手段やその費用、地理的な位置や時間帯、識字能力のレベル、インターネットやコンピューターの利用、時給で働く従業員の給与への影響、育児支援などです。プログラムやポリシーの継続的な改善の一環として、専門能力開発の機会に参加していない従業員からのフィードバックも募り、参加を難しくしている隠れた障壁を把握することにも努めましょう。

⑩職場のウェルネスが人を活かす
クイックアセスメントの「健康とウェルネス[21]に関するプログラムがある」という項目の背景を知り、それを実践する方法を学びましょう。

それはなぜ重要か
一般的に、ウェルネスプログラムは、ストレス管理、メンタルヘルス、フィットネス、栄養、ワークライフバランスに焦点を当てるものです。

【21】近年では、これらに加えて幸福度を示す「ウェルビーイング」という概念が並べられることも多い。経営理念などに「社員の幸福を求める」ことが明記されることも増えてきた。一方で、健康やウェルネス、ウェルビーイングといった言葉は抽象的であり具体的な数値に落とし込むことが難しいため、概念のみが先行し施策が具体化しないことに注意しなければならない。

従業員の健康増進プログラムは、個々人に利益をもたらすだけでなく、企業の利益にも貢献することがわかっています。たとえば、Johnson & Johnsonは、2002年から2008年までの間に、同社の健康・ウェルネスプログラムのROI（投資収益率）は、1ドルの支出に対し2.71ドルであったと推計しています。別の企業を対象とした調査では、健康改善のために投資した1ドルにつき6ドルの医療費削減効果があり、さらに高いリターンが得られています。

　ストレスを軽減する革新的な方法のひとつは、ワーカーとその家族の距離を縮めることです。Patagoniaは1984年以来、社内託児所を運営し、利用する社員に補助金を支給しています。創設者のイヴォン・シュイナードは、職場での保育は経済的コストではなく、むしろ利益を生むと主張しています。「Patagoniaの従業員の71％が女性で、多くが上級管理職に就いています。研究によると、従業員の入れ替えには平均5万ドルのコストがかかることがわかっています。わたしたちの保育所は、スキルをもった母親が会社に定着することに貢献しているのです」

どう実践する？

従業員の健康とウェルネスを促進するためにできることはたくさんあります。B Corpでは、ワーカーに複数の多様な福利厚生を提供している場合があります。ガーデニング教室、オフィスヨガ、ジムの割引、ランチタイムのグループでのランニング活動、オーガニックフルーツや健康的なスナックの提供、ジュースづくり教室の開催、栄養士への無料相談、ウェルネスの目標設定支援、会社主催の地域支援型農業プログラムといった例があります。

　健康とウェルネスのプログラムをつくりたい（または改善したい）と思ったら、保険会社に割引やインセンティブの可能性について相談してみましょう。ウェルネスプログラムの提供は、保険会社にとってもメリットがあることです。従業員が健康であればあるほど、保険会社が支払う保険金は少なくなるからです。さらに、健康とウェルネスに関するポリシーを文書にしましょう。オフィシャルなポリシーは、社内のウェルネスカルチャーを下支えするコミュニケーションツールにもなるでしょう。

ジャナ博士のTips 職場の文化を通じて、従業員の健康を向上することができます。組織文化はいつの間にか生まれていることもありますが、デザインして醸成することも可能です。まずは組織文化のビジョンステートメントを作成してみましょう。スタッフと協力して、従業員にどのような体験をしてもらいたいかを表現した企業文化についてのステートメントを作成するのです。そして、そのメッセージをより強いものにする方法を見つけ、従業員がビジョンに反する行動を取ってしまっ

たときに参照できるようにします。誰でもわかりやすく、暫定的で拡張性が高く、後でより具体化できるのは「誰にとっても働きやすい職場」[22] というステートメントでしょう。健康的かつ支援に積極的な職場では、何者であるか、どんなバックグラウンドをもっているかに関わらず、スキルを活かして働くことができると伝えることができます。

⑪匿名調査で事前に問題を見つける

クイックアセスメントの「定期的に匿名のワーカー満足度・エンゲージメント調査を実施している」という項目の背景を知り、それを実践する方法を学びましょう。

それはなぜ重要か

従業員は、どれほどのモチベーションをもち、エンゲージメントはどれくらい高いでしょうか? 過去数年にわたる調査により、企業の財務業績と従業員のエンゲージメント率の間に強い関連性があることが確認されています。たとえば、近年のGallupによる調査では、「従業員のエンゲージメント率が高い組織は業績が良好である一方、それが低い職場では生産性が低下する可能性が高い」ということがわかっています。

さらに、エンゲージメントが低い従業員は、肥満や慢性疾患の発生率が高く、失業者と同じレベルの健康問題を抱えていることが示されています。Gallupは、「これらのグループから報告される肥満や慢性疾患の割合の高さは、長期的な健康に大きな影響を与える可能性がある」と述べています。このリサーチでは、他にもかなり心配な事実が提示されています。アメリカ人の従業員の71%が、仕事に「エンゲージしていない」または「積極的にエンゲージしていない」と報告しているのです。仕事の満足度、定着率、離職率、多様性などの指標を定期的に計測している企業は、問題が拡大する前に、その原因を特定することができるでしょう。

どう実践する?

従業員満足度調査で尋ねるべき質問の例を、以下に示します。

・あなたの仕事には、どのくらい意味があると思いますか?
・あなたの仕事には、どれほどやりがいがありますか?
・1週間のなかで、仕事でストレスを感じる頻度はどれくらいですか?
・あなたの仕事に対して、どれくらいのお金が支払われていますか?
・仕事についてのあなたの意見は、同僚にとってどのくらい重要ですか?
・上司から割り当てられたタスクのなかで、プロフェッショナルとして成長するために役立つものは、どれくらいありますか?
・職場で昇進するための機会は、どれくらいありますか?

【22】原文では「A workplace that works well for everyone」。一般的な日本企業において「誰にとっても働きやすい職場」という言葉が指すのは、女性や障がいのある人に対するインクルージョンが確保された空間の場合が多い。ただし、ここでの「everyone」には、日本語を母語としない外国出身者なども含まれうる。内閣府が2018年に発表したデータによると、全労働者に対する外国人労働者の割合は2.2%となっている。

・社外で別の仕事を探す可能性は、どのくらいありますか？

有益な情報を集めるためには、質問に加えて以下のような実践を行なうとよいでしょう。

☞ 懸念事項のフォローアップをすぐ計画する。満足度調査に回答するために時間を費やしたのに回答に対して何も変化がおきないと、従業員が会社に失望してしまう恐れがあるので、懸念には迅速に対処する。さもなければ、従業員は調査プロセスそのものに幻滅してしまう可能性がある
☞ 名前の記入は任意にする。従業員が調査を受けるとき、できるだけありのままを回答できることが望ましい。回答の際に無記名の選択肢があれば透明性のあるフィードバックを提供してもいい、と感じる人もいる
☞ 明確な言葉を使用する。従業員が理解できないバズワードや企業用語の使用は避ける
☞ 言葉を下手にいじらない。それぞれの調査や年々の調査において、一貫性のある文言を使うこと。そうすることで、企業文化を同じ角度から測定することができる

無料の従業員満足度調査（企業の社会的・環境的パフォーマンスに関連する質問も含む）に興味がある場合は、LIFT Economyのウェブサイトにアクセスしてください。DEIサーベイ・サンプルに興味がある場合は、本書の付録（P.202）を参照してください。ジャナ博士が、リーダーシップの構造的なインクルージョン調査と従業員の組織的DEIサーベイのふたつのサンプルを提供してくれています。それを読めば、インクルージョンに焦点を当てた作業を開始（または再開）しようとしたときに、答えるべきさまざまな種類の質問を知ることができます。

ジャナ博士のTips DEIに関しては、従業員からのフィードバックが重要です。人はしばしば、報復を恐れて、リーダーシップに対して異議を唱えることをためらいます。組織内で実際に何が起こっているかを明らかにするために、定期的に匿名で参加できる内密な機会を従業員に提供することが重要です。フィードバック収集プロセス中もしくは終了後に、従業員が自分は守られていないと感じた場合、心が閉ざされてしまい、それ以降は情報が共有されなくなってしまいます。こうして、正直な話し合いやターゲットをしぼった介入があれば解決できたかもしれない厄介な問題が世間に暴露され、ニュースの一面を飾ることになるのです[23]。スタッフと一緒に使用できるふたつのサンプルDEI調査については、付録（P.202）を参照してください。

【23】2021年、Appleの従業員が社内の差別を告発するためのウェブサイト「AppleToo」を立ち上げたことが話題となった。また同年TeslaはEV工場で働いていた黒人元従業員が受けた差別に関する訴訟で1億3,000万ドルの賠償金を支払った。日本でも外国人技能実習生問題などの告発など、企業による差別に対する視線は強まりつつある。

証言｜B Corp がワーカーにもたらすもの

1. 根付いた古い文化を変える
アドリア・パウエル
Cooperative Home Care Associates｜アメリカ

——B Corp になろうと思ったきっかけは？
弊社には従業員オーナーシップが根付いていたので、B Corp の理念と価値観は、わたしたちのミッションと根幹の価値観と同じ方向を向いていました。労働者が所有する協同組合として、現在協同組合の7つの原則の統合に取り組んでいますが、その多くはB Corp であることの哲学とエッセンスと一致しています。

——B Corp になって一番の驚きは？
一番の驚きは、B Lab の共同設立者たちがわが社を訪問してくれたことです。認証の取得を勧めてくれただけでなく、わたしたちをこころよくこのムーブメントに迎え入れてくれました。介護産業では一般的にそういったことはありません。まっとうなビジネスとして受け入れてもらったことが、本当にうれしかったです。繰り返しになりますが、この業界では、そういうことがあまりないのです。

——インクルーシブエコノミーのために何をしていますか？
弊社が事業を行なっている（そして事業を継続している）ことが、インクルーシブエコノミーの構築につながります。周縁化されたコミュニティによい仕事を提供し、最も脆弱で十分なサービスを受けられないコミュニティに質の高い在宅ケアサービスを提供しています。残念ながら在宅介護産業には、歴史的な人種差別と性差別が根付いています。わたしたちは、その存在とワーカーオーナーシップの文化を通じて、何世代にもわたってビジネスに加われなかった人びとに強い抗議の声を与えているのです。

Cooperative Home Care Associates｜ニューヨークのブロンクスを拠点とする在宅ケア企業。ラテン系とアフリカ系の女性を中心とした2,050人以上のスタッフを擁している。

2. 公平な世界をつくる
アイリーン・フィッシャー
Eileen Fisher｜アメリカ

——B Corp になろうと思ったきっかけは？
30年以上にわたり、社会的・環境的責任について熱心に取り組んできました。B Corp 認証とそれが提供する評価によって、自分たちが何者で、何を信じているかを共有することができ、ファッション産業におけるリーダーとして世界に大

きなインパクトを与えるための大胆な一歩を踏み出すことができるようになったのです。

——インクルーシブエコノミーのために何をしていますか？
わたしたちのベネフィット・コーポレーション宣言においては、すべての人びとの公正な処遇を支援するためにビジネスを行なうとともに、インクルーシブな職場づくり（「性別、年齢、人種、民族、宗教、性的指向、政治的見解の違いを尊重し、敬う」）のために会社を利用したいということを明記しました。

サプライチェーンでは、すべての労働者のために公正な賃金と福利厚生を確保する方法を模索しています。また女性が創業しオーナーの過半数を女性が占める企業として、女性をインスパイアし、ジェンダーが公平な世界をつくるためにどうすればよいか、ビジネスをあらゆる側面から検討しています。

——B Corp 認証取得を検討している企業にアドバイスはありますか？
認証をあなたがどう考えるか次第です。最初の認証を取得し、認証を更新するためには、時間と労力とリソースが必要です。しかし、コミュニティとのパートナーシップ、従業員のエンゲージメント、カスタマーに対する啓蒙、そして世界に対して会社が与えるインパクトを深く理解できる、そしてどうすべきかの道標をもらえる機会として捉えれば、それは信じられないほど有益なものです。

Eileen Fisher｜ニューヨークを拠点とする女性向けアパレル企業。女性支援、サステナビリティへの取り組みでも知られる。

---

3. ここで「家族」と出会えた
オンニア・ハリス
Method｜アメリカ

——B Corp で働いてみてどうですか？
Method での仕事が大好きです。コミュニティに貢献し、社会に良い影響を与え、職場環境は美しく、素晴らしいカルチャーがあります。環境性能評価システム LEED でプラチナ認証を取得した、シカゴ南部にある製造工場「Soapbox」は、居心地のよい家のようなものです。ここで素晴らしい人たちに出会いましたし、わたしの子どもたちも Method にいる人びとを家族だと感じています。「Earth Day」や「Family Day」などの社内イベントで、子どもたちも一緒にボランティア活動に参加してくれますから。

——Method での仕事で得られたことは？
入社して2年になりますが、プライベートでも仕事でも大きく成長できました。たとえば仕事では、入社してわずか1年半でオペレーションプロダクションリードに昇進できました。工場での経験もスキルもない派遣社員として入社したわ

たしにとって、これは大きな達成といえます。他にも福利厚生には、ガソリンカードが支給される相乗り通勤プログラムや、地域のボランティア活動に参加するための有給休暇「Care days」もあります。なかでも最も重要なのは、従業員や契約スタッフに自社製品を無料で提供する「Soapbox giveaway」でしょう。

——他に何かあれば。
自分のすべてを受け入れてくれる職場に来ることができて感動しています。これまで職場を転々としていましたが、ようやく自分がずっといたい場所を見つけることができたのです。

Method｜カリフォルニアで創業した洗剤メーカー。環境に配慮し、多くのプロダクトがCradle to Cradle認証を取得している。

3-2

コミュニティ

わたしたちがB Corpになったのは
障がいのある人たちに対して貢献できるのが
NGOや財団だけでないと理解しているからです

ニコラス・リ・カルジ｜BAU Accesibilidad Universal｜チリ

クイックアセスメント

以下の15の項目に従ってクイックアセスメントを実施してみましょう。達成している項目数を数えることで、コミュニティのセクションにおけるBインパクトアセスメントの概算スコアを把握することができます。（各項目の詳細は、リストのあとに説明があります）

□オーナー、経営者、従業員、役員会のメンバーなど構成員が多様である

□女性、有色人種、LGBTQ、障がいがある人、低所得者など、
　これまで排除されてきた人たちを採用している

□多様性向上のための具体的で測定可能な目標を設定しており、
　それを経営陣や役員が検証している

□すべての求人情報に、ダイバーシティ、エクイティ、インクルージョンへの
　コミットメントを示す文言を記載している

□ジェンダー、人種、民族、その他の属性別に同一労働同一賃金が実現されて
　いるかを検証し、必要に応じて平等な報酬改善計画や方針を策定している

□フルタイムで働く従業員に関して、最も高い賃金と一番低い賃金を
　何倍までの範囲に収めるかを定めている

□リスクを抱えた若者、ホームレス状態にある人たちといった継続的に雇用されて
　いない人たち、あるいは前歴のある人たちに就業の機会を提供している

□従業員に対して、ダイバーシティ、エクイティ、
　インクルージョンに関する研修を実施している

□社会奉仕に関する方針を定め、従業員が奉仕活動やボランティア
　活動を行なうにあたってのインセンティブを提供し、そうした
　活動に参加する従業員の割合を目標値として設定している

□収益の一定割合を慈善事業に寄付することや従業員が寄付した金額と同額の
　寄付を行なうことを公式に表明している。あるいは「1% for the Planet」
　といった慈善活動を認定する第三者的団体や取り組みに参加している

□地元のサプライヤーや、女性、有色人種、その他アンダーレプレゼンテッドな人が
　経営するサプライヤーと取り引きしている

□社会的・環境的パフォーマンスについて、サプライヤーの責任を
　明記した公式な行動規範がある

□認証B Corp、信用組合、地域開発金融機関、およびGlobal
　Alliance for Banking on Valuesのメンバーと取り引きしている

□サプライヤーの名称とその社会的・環境的パフォーマンスを
　ウェブサイトで公開している

□業界内における社会的・環境的基準の策定に取り組んでいる

チェックをつけた項目ごとに1ポイントを加算してください。

☞得点が0から3の場合：B Corp認証を得るためには、まだまだやることがありそ
　うです。ただ、他のセクションで高いスコアを取得していれば、挽回できる可能性
　もあります
☞得点が4から6の場合：他のセクションでも同様のスコアであるなら、B Corp認
　証の取得はもうすぐそこです
☞得点が7から12の場合：素晴らしいです！ すでにB Corp認証に必要なスコア
　を満たしています

<u>アセスメントの実践に向けて</u>

コミュニティに貢献するための最初のステップは、自分の会社が、地域、国、そして世界の一員として、さまざまなコミュニティとつながっていると認識することです。社会と環境に対して責任を負う一人ひとりの市民と同じように企業も振る舞うことで、企業は、才能ある働き手を引きつけ長く働いてもらうことができ、同時にメディアから好意的な注目を集めるのみならず、顧客からより多くの共感を引き出すことができるようになります。

　B Corpコミュニティはコミュニティ全体で、このコミュニティの拠って立つところ、どんなコミュニティでありたいのか、そしてこのコミュニティから排除されているのは誰なのかを常に自問しつづけなくてはなりません。地域、国、世界にもたらすインパクトを計測する上でも、まずわたしたちB Corpコミュニティ自身が、コミュニティのなかにおける欠如や懸念、そこで見過ごされているのは誰なのか、それを改善するために何ができるのかといったことを絶えず問い、注視していかなくてはなりません。

　このセクションでは、ワーカーのセクションと同様に、あなたの会社がコミュニティにとってよいものであるために実践すべきことをいくつか取り上げ、それらがなぜ重要でBIAで高く評価されるのかを解説し、さらに実際に会社内で実践するにあたってのヒントも提供します。

①オーナーシップが、みんなの力を生む

クイックアセスメントの「オーナー、経営者、従業員、役員会のメンバーなど構成員が多様である」「女性、有色人種、LGBTQ、障がいがある人、低所得者など、これまで排除されてきた人たちを採用している」という項目の背景を知り、それを実践する方法を学びましょう。

それはなぜ重要か

ダイバーシティがもたらすメリットはよく知られています。McKinsey & Companyの調査によると、女性役員の比率が高い企業は、他の企業に比べて平均株主資本利益率が47%高いことがわかっています。Credit Suisseは、ひとり以上の女性取締役がいる企業は、役員会に男性しかいない同業他社と比べて、株価のパフォーマンスが優れているとも明かしています。

　また、多くの研究は、ダイバーシティがもたらすこうしたメリットは少数民族、障がいがある人、LGBTコミュニティなど、他の多様なグループにおいても同様に当てはまることを明らかにしています。たとえばある研究は、ゲイの経営者の下で働く従業員は、仕事への満足度とエンゲージメントが35%高い傾向にあると報告しています。

　メインストリームのビジネスのリーダーたちも、ダイバーシティの推進を謳っています。6兆ドル以上の資産を運用する世界最大の投資会

社BlackRockのCEOであるラリー・フィンクは、2018年にCEOたちに宛てた手紙のなかで、「BlackRockは多様性ある取締役会の重要性を引き続き強調していく。多様なジェンダー、民族、キャリアや経験、考え方の人びとが混じり合った取締役会は、企業に柔軟で細やかなマインドセットをもたらす。それは結果として、集団思考[1]に陥ったり事業戦略に対する新たな脅威を見逃したりするリスクを低減し、逆に、長期的な成長をもたらすチャンスを見極められるようにしてくれる」と述べています。

　社会にはさまざまな宗教、民族、性的指向、身体能力、ジェンダーの人たちが存在しているにもかかわらず、上級管理職レベルでは、そうした多様性が反映されていません。女性は労働人口の約50%を占めていますが、Fortune 1000に含まれる企業の役員会における割合は17%にすぎません。しかしながら、多くの先進的な企業や推進者や業界団体の努力のおかげで、管理職のあらゆる階層において、多様な人びとが占める割合は徐々に増えつつあります。

どう実践する？
会社のなかに多様な人びとを受け入れることは多くの価値をもたらします。それを実践するにあたっては、以下のヒントが助けになるでしょう。

☞会社としてどのようにインクルージョンにコミットするのかを、具体的に明らかにすることから始める。インクルーシブな働き方の文化を育てることが、より多様な働き手をサポートし、引きつけ、長く働いてもらえる職場環境をつくり出す上では不可欠となる

☞社内のダイバーシティとインクルージョンを測定するためのベースラインを作成する。これには、現在の社内の多様性をデータ化し測定し、インクルージョンに関する調査を実施する必要がある。TMI Consultingが提供するふたつのDEI調査が役に立つ。本書の付録（P.202）を参照のこと

☞上級管理職や取締役会が評価を行なうことのできる、具体的かつ測定可能な改善目標を設定する。国勢調査や地域人口調査から得られる、地域人口全体の多様性に関するデータを参照するとよい。各チームとリクルーター、採用担当者とで具体的な目標を共有し、年次の人事考課において、その成果を評価し報奨できるようにする

☞インクルージョンに関する監査を実施し、現在の採用プロセス、ウェブサイト、ジョブディスクリプションなどにおいて、アンダーレプレゼンテッドな[2]（代表者をもつことができていない）人たちを排除したり、考慮していなかったりしないかを確認する。たとえば、ジョブディス

【1】原文は「groupthink」。アメリカの社会心理学者アーヴィング・ジャニスが提唱した概念で、複数人で合意形成を試みた結果、不合理な決定や判断を行なってしまう状況のこと。「集団浅慮」と訳される場合もある。ジャニスは『Victims of groupthink: a psychological study of foreign-policy decisions and fiascoes』（集団思考の犠牲者：外交における決断と失敗の心理学的研究）と題された著書のなかで、ピッグス湾事件やウォーターゲート事件をめぐるアメリカ政府の判断ミスの原因を分析している。

【2】原文は「underrepresented people」。正確には「自分たちの声を代表する人が意思決定プロセスから排除されている人たち」のこと。underrepresentedは「代表者（議員など）が選ばれていない」ことを示す形容詞であり、「取り上げられることが少ない」「過小評価された」とも訳される。ジェンダー、人種、障がいの観点から取り上げられることも多いが、たとえばIT企業の経営層にエンジニアがいない場合、エンジニアは「underrepresented」であるといえる。

クリプションの書き方については、「ロックスター」「ニンジャ」「実績の裏付けがある」[3] といったフレーズを使用すると、女性の応募者が少なくなることが調査からもわかっている。同じように「文化的に合う人」を求めていると書く企業は、すでに社内にいる人たちと同じような人しか雇わないという印象を与えてしまう

☞ すべての求人情報に、自社のDEIへの取り組みを必ず記載する。たとえば、B Labが自社の求人情報に使用している文言は以下の通り。「B Labは、働き手が多様であることを重んじます。女性、有色人種、障がいのある人、LGBTQコミュニティのメンバーの応募をおおいに歓迎します。B Labは、公正でインクルーシブな職場環境と多様性によって力を得たチームが、わたしたちのミッションを達成する上で欠かせないものであると考えます。わたしたちは自社の社風に合った人を探しているのではありません[4]。B Labが求めているのは、会社の文化を発展させ、これまでとは異なるビジネスに挑戦し、それに自分の全力を注ぐことのできる人です。わたしたちはそうした人たちに、公正でわかりやすい採用プロセスを提供したいと考えています。採用プロセスについてのご希望や、弊社の求人活動をさらにアクセシブルなものとするためのご意見などがありましたら、ぜひお寄せください」

☞ 調査結果に基づいて、採用プロセスを改善するためのプランを作成しよう。あなたの会社のことを聞いたことがない人たちが多い地域に意識的にアプローチしてみよう。その際、多様な学生が学ぶ地域の学校と連携するのは、ひとつの手となる。アメリカでいえば、歴史的に黒人の割合の多い大学や、トライバルカレッジ[5]、コミュニティカレッジ[6] などで開催される就職相談会などに参加することから始めるのが有効だ

☞ 面接では、応募者全員に同じ質問をしよう。これによって、各候補者を同じ基準で評価することができ、バイアスを抑えることができる。洗剤メーカーのMethod[7] では面接で以下のような質問をしている

・あなたが成し遂げたなかで、最も誇りに思っていることは何ですか？
・自分自身やチームのために「物事を成し遂げた」ときのことを教えてください
・困難で複雑な状況のなかで、自分自身（場合によっては他人も）のために明確で高いゴールを設定し、熱意とエネルギーをもってゴールを追求した経験について教えてください
・自分が満足できる具体的で明確な結果を出すために、あなたが力を発揮した瞬間について教えてください

【3】アメリカでは、「customer service rockstar＝ロックスターのようなカリスマ性をもったカスタマーサービス・マネージャー」や「data ninja＝データを忍者のようにたくみに扱うエンジニア」、「Sales Manager B2B Experience Proven Track Record＝B2Bの分野で裏付けられた実績がある営業管理職」といったタイトルで募集があることがある。前者ふたつは自分たちの企業文化を伝える主旨がむしろ文化的な同質性を表すものとなり、後者は「実績」の指すものが抽象的であるがゆえに、ともに応募者の意欲を失わせることにつながってしまう。日本でも「アットホームな職場です」「自由な社風」といった紋切り型は「地雷求人」として敬遠されることが多い。

【4】B Labが採用に関して行なってきた学びや実践については、P.188にも詳細に記されている。

【5】アメリカでマイノリティを支援する目的で設定された高等教育機関。政府からの資金援助を受けながら、連邦政府に認められた原住民部族によって管理・運営されており、部族の歴史、文化といった伝統がカリキュラムにもり込まれている。原住民部族出身者とそうでない人びととの間で学力差などの問題が懸念されており、2011年にはオバマ大統領が改善に向けた大統領令に署名した。

【6】アメリカの地方自治体によって設立された2年制の高等教育機関のこと。4年制の大学への編入、職業技術訓練の提供、生涯学習の提供が主な機能。地域に密着しながら、女性や退役軍人、移民といったマイノリティへの高等教育を提供してきた背景がある。

・自分が間違っていた場合、どのように対処しますか？ また、最近自
分が間違っていたことを認めなければならなかった場面を教えてく
ださい

☞社内にDEIを管轄する専門の委員会を設置する。委員会と協力して、
社内の多様なスタッフが定着・昇進し、会社と強い関係を築くため
には何が必要であるかを特定しよう。あるいは、ダイバーシティマネ
ージャーやチーフ・ダイバーシティオフィサーといった役職を設置す
ることも有用だ

☞定期的にチームにアンケートを実施し、社内のダイバーシティと職
場環境のインクルージョンを測定・追跡する。目標は継続的に更新
しよう

☞地元の認証B Corpを訪ね、多様性のあるリーダーシップチームや
職場づくりの体験について聞かせてもらう

Methodは、面接プロセスにおける「無意識バイアス」を特定するた
めに、多くの取り組みを行なっています。無意識バイアスとは、自分
が意識しないところで知らぬ間に生まれる偏見のことで、脳が人や状
況を素早く理解しようと努めることから引き起こされます。わたした
ちのバイアスは、それぞれの人が育ってきた背景や文化的環境、個人
的な経験などによって左右されます。以下の表は、Methodが特定し
たありがちな過ちの詳細を記したもので、これは社員面接のトレーニ
ングにおいて注意すべき事項とされています。

ありがちなバイアス

バイアスのタイプ	解説	例
確証バイアス	新しい証拠を自分の既存の信念や理論の裏付けとして解釈する傾向のこと。採用面接官が、面接外で得た情報に基づいて、応募者について確固たる意見を形成する場合に起こりうる	応募者の学歴を知ることによって、その学校に対する好意的もしくは好ましくない印象が先行し、応募者の資質を考慮できなくなってしまう
ヒューリステック	目立つタトゥーや体重など、応募者の表面的な特徴などに対する偏見	面接官が問題解決能力などの重要な特性を無視して、ひとつの側面から応募者を判断してしまう

【7】カリフォルニアで創業した洗剤メーカー。環境に配慮し、多くのプロダクトがCradle to Cradle認証を取得しており、シカゴにある製造工場「Soap-box」は業界屈指の環境性能を誇る。同社の従業員のインタビューがP.091に掲載されている。

アンカリング	最初に提供された情報を過度に重視し、判断してしまうこと	ある応募者を気に入っていた面接官が、そのあとに面接した応募者の優れた資質を認識できなくなる
直感	勘に頼ること	応募者のさまざまなスキルセットを十分に比較検討しなくなってしまう
親近感バイアス	自分たちに似ている人を好む傾向のこと	似たような人ばかりが集まってしまう、いわゆる「クローンエフェクト」[8] のリスクがあり、無意識のうちに多様性を制限してしまう (テック業界がその典型) [9]

[8] 採用の担当者が無意識のうちに、自分とよく似たタイプの求職者を採用してしまうこと。学歴やスキルだけでなく、地域や趣味、性格といった個人的な性質についても同質性が高い人間を評価してしまう場合が多い。

[9] テック業界では多様性への取り組みが進まないことの原因の多くは、採用しようとしても適正な能力をもった人が十分にいない「パイプライン問題」にあるとしてきた。たとえば、女性エンジニアを採用したくてもできないのは、募集中の職務に適したスキルを獲得できている女性が少ないことを原因とする考え方が主流だった。現在では教育現場の多様性が高まっているため、採用プロセスに問題があることが認識されはじめており、この考え方は企業の責任転嫁と非難されている。

ジャナ博士のTips 一般的な企業の場合、ワーカーの多様性は、入社したての人たちや給与の低いポジションなど、組織の下層部に見ることができます。マネージャーやリーダー層にアンダーレプレゼンテッドな人びとが複数いたとしても、それは例外的なケースです。組織上層部に多様性がもたらされれば事業に好影響を与えることは実証済みであるだけでなく、ダイバーシティやインクルージョンをさらにもたらす好循環を生み出します。

　マイノリティの人びとが目に見えるかたちでリーダーシップを発揮することで、インクルーシブさが持続的な仕組みとして経営層も含めて社全体に行き渡っていることが、他のマイノリティグループに対しても示されることとなります。あなたの組織が多様性を促進する意思と能力があることが示されることで、向上心が刺激されます。逆に、そうした代表者がいない場合、人は自分がリーダーシップを発揮する機会から締め出されていると感じ、昇進に向けた努力をしなくなってしまいます。多様なリーダーシップが可視化されないと、「自分のような人がこれまでリーダーになっていないなら、自分もここで成功することはできない」という自己抑制が蔓延してしまうのです。アンダーレプレゼンテッドなスタッフが、昇進の可能性を求めて他社へ転職してしまう大きな理由はここにあります。

②同一労働同一賃金を徹底する
クイックアセスメントの「ジェンダー、人種、民族、その他の属性別に同一労働同一賃金が実現されているかを検証し、必要に応じて平等な報酬改善計画や方針を策定している」という項目の背景を知り、それを実践する方法を学びましょう。

それはなぜ重要か
雇用主はジェンダーや人種、性的指向や年齢、社会・経済的な地位や

その他の要素に左右されず、平等に賃金を支払う責任があります。同一労働同一賃金を徹底することで、すべての従業員が同じように評価され報酬を受け取り、経済的に豊かになる機会を得ることができます。公正な支払いを積極的に実行することは、会社がより広範で多様な人材や視点にアクセスできるようになることのほか、従業員のエンゲージメントの向上や訴訟リスクの低減にもつながります。

どう実践する？
同一労働同一賃金を達成するための方法を、以下にご紹介します。

☞報酬に論理的根拠をもたせる
・何に対して報酬を支払うか決める（例：在職期間、負っている責任、実績）
・業務評価の基準を設ける。業界を参照しながら、自社独自のものを策定しなくてはならない
・多様な声を代表する人からなる評価委員会や賃金委員会の創設を検討する

☞賃金決定プロセスを客観的に構築する
・役職、おおまかな仕事内容、責任範囲、求められる技能や経験などを記した、社内のあらゆる職務に関するジョブディスクリプションをまとめる。ディスクリプションを記述するにあたっては、誰にでも伝わるインクルーシブな言葉遣いをすること、個人の特性ではなくスキルにフォーカスすることを心がける
・その仕事が労働市場においてどれくらいの価値をもっているかを把握する。同業他社が、同等の役職に対してどの程度の賃金を支払っているかを調べてみる
・役職ごとに賃金やボーナス、その他の手当を比較できる一覧を作成し、各階層の賃金のレートを決める
・役職に就いている個人ではなく、業務そのものが評価対象であることを明確にしながら、賃金目標の基準をつくる。これは、過去の待遇（以前の仕事では人種や民族、ジェンダー、性的指向のせいで賃金が不当に低かった、など）や無意識のバイアスによって採用候補者を過大評価／過小評価してしまうことを避ける上で役立つ

☞同一労働同一賃金がなされているか分析する
・ジェンダー、人種、性的指向、年齢[10]などによる賃金、ボーナス、手当の差を明らかにする
・自社で同一労働同一賃金を達成するためには何が必要かを理解する
・賃金格差を是正するための具体的な目標と期限を設定する
・スタッフ間の賃金格差の調整は、必要に応じて給料を上げながら時間をかけて行なう

【10】年齢に応じて賃金が上昇する「年功序列」は日本的雇用慣行と呼ばれ、終身雇用と併せて日本の大企業の雇用システムの特徴とされてきた。若い年次で受けた職業教育が陳腐化しないような環境変化が緩やかな状況下では合理的だが、技術の変化が大きい現代においてその合理性は失われつつあるという意見もあり、トヨタ自動車など、多くの日本型大企業でも見直しが進んでいる。

・スタッフの給料が上がるに従って役員の賃金や報酬も上がるような
　仕組みを検討する
・公平性が保たれているかを継続的にモニタリングすることを忘れない

ジャナ博士のTips　採用候補者の前職の給与額を尋ねることを違法とす
る州もあります[11]。構造的なバイアスによって賃金格差是正が妨げ
られているのだとするなら、過去の給与額を知れば、そのバイアスをあ
なたの組織内にもちこみ正当化してしまうことが、違法である根拠と
なっています。ですから、まずは過去の給与を尋ねることが合法であ
るかどうかを確認してください。また、過去の給与を尋ねることをやめ、
経験や他の客観的な基準に基づいて、その仕事に見合った金額を払
うことを定めたポリシーの策定を検討してください。同一労働同一賃
金は、職場を公平な場所にする上で不可欠なものです。白人男性が1
ドルもらう業務で、アメリカの黒人女性は63セントしかもらえていま
せん。黒人家庭の80％が母親の収入で支えられているため、この差
がもたらす影響はことさら甚大なものとなります。

③賃金の差に目を向ける
クイックアセスメントの「フルタイムで働く従業員に関して、最も高
い賃金と一番低い賃金を何倍までの範囲に収めるかを定めている」と
いう項目の背景を知り、それを実践する方法を学びましょう。

それはなぜ重要か
2017年の経済政策研究所（Economic Policy Institute）の発表によると、
アメリカの大企業350社のCEOは、一般的な従業員の平均給与の
271倍の年収を得ていたことがわかりました。このギャップを埋める
ことは、従業員の満足度の向上、離職率の低下、また社内全体のエン
ゲージメントの高まりにつながります。賃金格差を是正することは、ジ
ェンダーや人種といったバイアスが仕事の評価に与える影響を減らす
ことにも役立つほか、歴史的に周縁化されてきたグループの人たちの
地位向上を助けます。

どう実践する？
賃金の格差比率に上限を設けはじめている企業もあります。Namaste
Solarはその比率を最大6:1と定めています。同様に施策を導入してい
る認証B Corpでは、その比率を、およそ3:1から10:1の間で設定
しています。
　一般的な企業では、賃金格差是正のために基本給を調整することは、
社歴の浅い一部の社員に影響があるだけですので、目立ったコストに
はなりません。この領域で改善を実施するためのステップを以下にご
紹介します。

【11】アメリカでは、男女間な
どで存在する給与差別の連鎖
をなくすことを目的として、過
去の給与を雇用主が面接で尋
ねることが21の州で法的に禁
止されている。一方で日本の
転職サイトなどを見ると、「前
職の給与を聞かれたら、その
まま答えるのが賢明？」という
質問に対して、「採用後に過去
の源泉徴収票を提出した際に
年収額が判明するので、企業
からの信頼を失わないために、
正直に答えましょう」と回答
している場合が多い。まず、前
職の給与を尋ねること自体が、
格差を助長していることを意
識しなければならない。

☞ 人事部、役員報酬を管理する役員、執行役員、取締役など、関係する意思決定者を巻き込む。またジェンダーや人種、民族、身体障がいの有無、性的指向などさまざまな立場のグループの代表者で構成された評価委員会によって、意思決定のプロセスを主導することも検討する。どのようにして賃金体系を変え、なぜそうすることが重要なのかを議論するところから、まずは始める

☞ 最も賃金の高い従業員と低い従業員を特定し、給与とボーナスそれぞれの差の比率を計測する。なお、ここには、自社株の株価は含めないこと[12]

☞ 議論を行なった上で、目標とする上限比率を定め、格差是正に向けたプランと期限を策定する。ここには、最も低賃金の従業員の賃金率を上げることも含まれる

☞ 役員の給与やボーナスとスタッフの給与向上が連動するようなポリシーの策定を検討する

☞ 社内に広める。取り組みの結果や、格差是正がいつ完了するかを全社に向けて発信する

ジャナ博士のTips　給与比率の差を縮めることは、社内における公正性（この場合は給与の公平性）が制度化された嘘いつわりのないものであることを示し、従業員のやる気を高めます。これをさらに進めるのであれば、同じ業務での給与をジェンダー間で同じにしたり、日の浅い社員とこれまでの在職者との間に給料差が生まれないようにすることも考慮しましょう[13]。給与体系を公正なものへとつくりかえることを恐れてはいけません。経営者がそれを恐れているとき、従業員はそのことを察知し、モチベーションを低下させられるだけでなく、信頼感を削がれていきます。

④雇用で社会復帰を支援する
クイックアセスメントの「リスクを抱えた若者[14]、ホームレス状態にある人たちといった継続的に雇用されていない人たち、あるいは前歴のある人たちに就業の機会を提供している」という項目の背景を知り、それを実践する方法を学びましょう。

それはなぜ重要か
前歴があったり[15]、過去にホームレス状態に置かれたりした経験や、薬物を使用した過去がある人たちは、仕事のスキルや交通機関へのアクセスの欠如、あるいは健康上の理由などから雇用を阻まれるという障壁に直面しています。仮に就職できたとしても、さまざまな支援サービスを受けられなければ、仕事を続けることが困難な場合もあります。また、退役軍人や難民、障がいのある人も同様の壁に直面しています。
Cascade Engineering、Daproim Africa、Greyston Bakery、

【12】ストックオプションなどで自社株が報酬として支払われる場合が想定されている。株価は会社の業績によって変動する可能性が高く、労働者にとっては報酬減のリスクにもなりうるため、賃金の公平性を検討する際には考慮しないことが一般的である。

【13】給与に関するルールを変更した場合、そのルールが適用された新入社員と既存のルールが適用されたままの既存社員の間で給与差が発生しうる。それぞれの勤務状況に応じて、適切なルール運用が求められる。

【14】原文は「at-risk youth」。貧困、家庭内不和などの要因により、非行、高校中退、10代の妊娠などの危機的状況にある、成人までの道のりがうまく歩めない可能性が高い若者のこと。アメリカではYMCAなどの団体がマイノリティの若者に向けてプログラムを提供することが一般的になっている。

【15】日本では、法務省と厚生労働省が犯罪・非行などの前歴によって定職に就くことが難しい人々と、その事情を理解した上で雇用し改善更生に協力する民間の事業主とを結ぶ「協力雇用主」という制度を実施している。これは登録した事業者と就職を希望する前歴がある人をマッチングし、再犯を防止するために保護観察所のバックアップのもと就労を支援する仕組み。有職者の再犯率は無職者のそれと比べて4倍以下だとする統計もあるなど、社会構造から生まれざるをえない犯罪に対して雇用が果たせる貢献は大きい。

Rivanna Natural Designs、Rubicon Bakeryといった革新的な認証B Corpは、長期的に雇用から疎外されてきた人たちに雇用機会、スキル、リソースを提供することで、貧困からの脱却を支援しています。

どう実践する？

革新的な雇用プログラムの構築には時間がかかりますが、外部組織との連携を検討するために、あなたやあなたのチームが実践できる基本的なステップがいくつかあります。

多くの地域には、障がいのある人やホームレス状態にある人たち、前歴がある人たちなどを支援する組織があります。こうした組織に連絡を取り、それらの組織が地元企業と協働して雇用機会の創出のための取り組みを行なっているか尋ねてみましょう。互いに協力し合えるところが見つかるようであれば、短期の共同プロジェクトや、あなたの会社の社員がその組織でボランティア活動をするような取り組みを企画してみましょう。こうしたトライアルを通して、あなたの会社がその組織の取り組みに対してどの程度の情熱をもっているのか、公式にパートナーシップを組むのにふさわしいのかといったことを知ることができます。

また、失業者の社会復帰を支援する多くの組織では、要望に合わせてトレーニングプログラムの設計、変更、実施を支援しています。たとえば、カリフォルニア州のヨセミテ国立公園にある認証B CorpのEvergreen Lodge[16] は、Juma Ventures[17] という非営利団体の協力を得て、リスクを抱えた若者のために夏季トレーニングプログラムを設計・実施しています。同社のプログラムは、キャリア志向のトレーニングや職業体験のほか、手厚いソーシャルサービスも提供しており、参加者はアウトドアやレクリエーションなど豊富な社会活動に触れることができるようになっています。

事例 Greyston Bakery

Ben & Jerry'sのチョコレートファッジ・ブラウニーアイスクリームのブラウニーを提供していることで知られる、認証B CorpのGreyston Bakeryは、ニューヨーク州ヨンカーズ南西部の貧困地域にある。同社は、学歴、職歴、前歴、ホームレス状態にあった過去、薬物使用歴などを問わない、オープンな採用方針をとっている。ベーカリーを訪ねてきた人には誰でも、何も問われることなく、働くチャンスがある。さらに、新しい職場での活躍の可能性を最大限に高めるために、学習ツールや専門訓練といったリソースがワーカーに提供されている。

事例 Daproim Africa

スキャンや文字起こし、ウェブデザイン、モバイルアプリ、検索エンジンの最適化、データマイニング、分析などのアウトソーシングサービス

【16】1921年に創業した、ヨセミテ国立公園に隣接する森の中にあるマウンテンリゾート。環境保護活動だけでなく、若者の雇用促進や教育プログラムの提供を行なうためのファンドも運営している。

【17】ホームレス状態にある若者のための職業体験を提供する非営利団体。雇用、教育、キャリア支援サービスに重点を置き、貧困の連鎖を断ち切ることを目指している。

を提供するソーシャル企業 Daproim Africa は、ケニア・ナイロビを本拠としている。アメリカ平和研究所（USIP）、ロックフェラー財団をはじめ、多くの公的、私的、および非営利のパートナーがクライアントとなっている。同社を同業他社と隔てているのは、地元の困難な状況にある若者を貧困の連鎖から解放することにコミットしている点だ。職業訓練、人間らしい仕事[18]、高賃金、コーチング、メンターシップなどを提供し、2020年までにアフリカの若者2万人の人生にポジティブなインパクトを与えることを目標に掲げている。

ジャナ博士のTips　長期間失業状態に置かれた人たちと協働することは、企業の構成員、クライアント、カスタマー、従業員、そしてコミュニティのなかで受け継がれてきた抑圧的な文化を弱体化させ、会社全体の社会資本を増大することに貢献します。

　白人至上主義、奴隷制度、大量投獄などの歴史は、いまなおアメリカに暮らす黒人、褐色人種の暮らしに大きな打撃を与えつづけています。アメリカ経済は、奴隷となったアフリカ人の上に築かれたものなのです。奴隷制度はアメリカで発明されたものではありませんが、アメリカはそこに、黒人がいまなおこれほどまでに不利な状況に置かれている原因となる法律を加えました。これによって、下層階級は永続的に固定化され[19]、その状態が国家のDNAにまで刻みこまれたのです。イギリスで何百年も採用されてきた父系主義というコモン・ローを母系主義に変えることで、奴隷になった人たちは自由を求めて訴えることができないようにさせられ、奴隷の女性から出生した子どもは、奴隷でありつづけることになったのです。この法律は、イギリス人であり雇い主でもあった父親をもつある黒人女性が自由を求めて訴訟を起こし、勝訴した直後に制定されたものです[20]。奴隷制が廃止されたあとも貧困は世代を超えて引き継がれ、ジム・クロウ法[21]をきっかけにしてシステミックな人種差別が定着し、レッドライニング[22]によって黒人や褐色人種が平等を獲得できないよう社会的なバイアスが制度化されていったのです。

　認証B Corpは、こうした歴史と積極的に向き合わなくてはなりません。弱い立場の人たちに機会をもたらすことは、地域社会に真の変化をもたらすまたとない手段なのです。

⑤研修でDEIを高める
クイックアセスメントの「従業員に対して、ダイバーシティ、エクイティ、インクルージョンに関する研修を実施している」という項目の背景を知り、それを実践する方法を学びましょう。

それはなぜ重要か
DEI研修の実施によって、お互いを理解し共有する文化が育まれます。

【18】原文は「decent work」。1999年、国際労働機関（ILO）のフアン・ソマビア元事務局長は同機関の目標として、この言葉を採用した。SDGsにも、「decent workの促進」が掲げられている。「働きがいのある人間らしい仕事」と訳されることが多いが、decentはもともと「社会的に許容された」「まともな」などの意味をもつ。

【19】原文では「permanent underclass」。直訳すると、「永続的な下層階級（アンダークラス）」となる。アンダークラスは「労働者階級の下に位置する人たち」を示し、一般的なマジョリティの労働市場外の存在を意味する。本文では、構造的に抜け出ることができない黒人奴隷を指す。

【20】1656年に当時イギリスの植民地だったバージニア州において、イギリス人を父親にもつ黒人のエリザベス・キーは、自身と幼い息子の自由を裁判で勝ち取った。その後、バージニア州議会は1662年にイギリスのコモン・ローとは異なる原則を取り入れた法律を可決した。生産力として奴隷を管理するために、奴隷の影響から逃れるというアメリカ側の意図があったとも考えられている。

【21】アメリカの南部で制定されていた黒人差別の法体系。広義には同国の黒人差別体制一般も指す。南北戦争前に法制化されたバスや劇場、レストランなどでの人種隔離に端を発し、南北統合によって奴隷が解放されたあとも、Black Codes（黒人条項）と呼ばれる法律群によって人種差別は残存した。

【22】原語では「red lining」。かつてアメリカでは、融資リスクが高いと考えた地域を金融機関が赤線で囲み融資の対象から外した。そのエリアは、職業や収入、人種、年齢などの複数の指標から算出されたが、多くは黒人居住区と重なっており、差別が続く原因となったとされる。

それによって従業員は、誰かを怒らせるのではないかという不安をもつことなく、思慮深さと敬意をもって仕事に取り組むことができるようになります。さらに、アンダーレプレゼンテッドだった人たちを採用し、長期的に働いてもらい、エンパワーすることは、インクルーシブな文化をより強化することにもつながります。

　またアメリカで起業家などにコーチングを提供する Vision Executive Coaching のゲリー・ヴァレンタインは、以下のようなコメントを寄せています。「法的リスクにばかりに目を向けた上層部のコミットメントを欠いたダイバーシティトレーニングは激しい批判にあうことが、近年の調査で明らかになっています。これを避ける最も効果的な方法は、上層部の積極的な関与を『見える化』することです。たとえば、CEOやそれに次ぐ役員がすべてのトレーニングに参加し積極的に関与することで、明確なメッセージが社全体に発せられることとなります。ダイバーシティトレーニングは上級役員が時間を割くほど重要ではないと不平をこぼす企業もありますが、そうした発言は逆に、その企業がダイバーシティに真剣に取り組むつもりがないことを明かしてしまうのです」

どう実践する？

無意識バイアスに関する研修を実施することからスタートするのがよいでしょう。チーム内で無意識的な偏見がどのように発動し、いかに職場の人間関係だけでなく事業そのものに悪い影響を与えるかを理解することから始めましょう。また、こうした研修は、それぞれのメンバーが自分のもっているバイアスに気づき、抑制することにもつながります。こうした研修のためには、思慮に富んだ経験豊富なファシリテーターだけでなく経営陣と管理職の参加、そして実現可能なゴール設定が不可欠です。プロのファシリテーターが必要であれば、リーダーシップと組織開発、DEI戦略の専門家であるジャナ博士と TMI Consulting のような外部組織にあたってみましょう。

　研修を実施したら、今後の研修をより効果的にするためにフィードバックを集め、さらに従業員が今後どのような研修を求めているかにも耳を傾けましょう。「人種的公正」「文化的コンピテンシー」「非暴力コミュニケーション」「エモーショナル・インテリジェンス」「異文化チームビルディング」などが次の研修テーマとして考えられるでしょう。

事例　Lunapads

カナダのバンクーバーに拠点をおく認証 B Corp、Lunapads [23] は、健康的で身体にポジティブで環境にも優しいパーソナルケア商品を製造している。Lunapads の共同創設者で CEO であるスザンヌ・シーメンスが、スタッフ向けに実施したトランスジェンダー・インクルージョン研修について語ってくれた。

【23】Lunapadsは、2020年に「Aisle」へと社名を変更している。P.118には、創業者のインタビューを掲載している。

「真のフェミニストビジネスを標榜しているからこそ、わたしたちにはトランスインクルーシブ研修が必要でした。わたしたちはみな、身体的な性と性自認が一致していること（シスノーマティビティ）を前提にした環境で生きています。そうしたなかで、わたしたちはチームとしてジェンダーの多様性を認識すること、そしてその多様性が弊社の文化やビジネスに与える影響を深く理解しなくてはならないと考えたのです。

研修は、自分たちの人生における体験を振り返りながら、自分たちがもっているバイアスを特定することから始まりました。次いで外に目を向け、トランスジェンダー・インクルージョンの意識をコミュニティ内で高めるために、自社の影響力やプラットフォームをいかに使うことができるのかを検討しました。これによって自分たちがこれまで使ってきた言葉やマーケティング活動が、意図せぬまま排他性をもっていたと気づかされ、コミュニケーションやブランディングをいますぐ改善するための方法を検討することにもなりました。

研修から得た、シンプルで効果的なアイデアのひとつは、電子メールの署名にそれぞれの代名詞を入れることでした[24]。これはわたしたちが『人びとの適切な代名詞を認めることの重要性を理解している』というステートメントになりますし、他者の代名詞を考慮することが重要であるという認識を広めることにも役立つのです」

ジャナ博士のTips 「一度でおしまい」の罠に注意してください。一度研修を行なったからといって、それで会社として十分役割を果たしたとは思わないでください。たった一度のレクチャーや講座で聞いた内容を、あなた自身いったいどれだけ覚えているでしょう。一度きりの座学講座で自分の行動が変わったことが、これまでいったい何度あったでしょう。

わたしの最初の著書『Overcoming Bias: Building Authentic Relationships Across Differences』（バイアスを乗り越える：違いを超えた真のリレーションをつくる）では、こうした現象を健康習慣に置き換えて説明しています。偏見や人種差別、性差別、または多様性の課題に対処することは、盲腸の手術のような一回きりのものではありません。むしろ、日々の健康習慣に近いのです。健康でありつづけたければ、習慣を続けなくてはなりません。DEIも同じです。ダイバーシティやインクルージョンに関する対話を継続していかなくてはなりません。と同時に、新たなデータが出てきた際には、それを見落とさないようにしなくてはなりません。

多様性について会社側と対話するための仕組を積極的につくらないと、思いもよらない事態が起きる可能性があります。わたしは最近、代名詞をshe/her/hersからthey/them/theirsに変更しましたが、これによってこれまで行なってきたダイバーシティに関する議論をさらに一歩進め、チームに行動の変容をもたらすことができました。そして、

【24】『日経新聞』の「heやsheだけじゃない、欧米で代名詞に配慮 日本でも」と題された記事（2021年1月13日）では、「彼」や「彼女」といった性の違いを表す代名詞を使用することは、英語などの他言語に比べ少ないとしながらも、ダイバーシティを反映した言葉づかいを取り入れる日本企業と大学の例が挙げられている。ブリヂストンでは社員向けに発行している「育児・介護ハンドブック」から「パパ」「ママ」の言葉を削除し、早稲田大学では教職員が学生を「さん」付けで呼ぶだけでなく、本人の希望する敬称を確認しているという。

インクルーシブな対話をするために必要な心理的安全がつくられました。自分の代名詞の変更をチームと共有することは最初は不安でしたが、チームメンバーは、ビジネス上のすべてのメールやプロフィールに代名詞を記載することを支持してくれました。またこの取り組みが、性別のわからない外国語の名前がもたらす代名詞の混乱を避ける上でシスジェンダーのスタッフに役立つことも学びました。ダイバーシティに関する話題が歓迎されていない職場では、こうした変化はきっとスムーズには進まなかったでしょう。

⑥ボランティアでコミュニティに貢献する

クイックアセスメントの「社会奉仕に関する方針を定め、従業員が奉仕活動やボランティア活動を行なうにあたってのインセンティブを提供し、そうした活動に参加する従業員の割合を目標値として設定している」という項目の背景を知り、それを実践する方法を学びましょう。

それはなぜ重要か

ボランティアは世界中の非営利組織に多大な支援を提供しています。たとえばアメリカにおいては、年間約6,100万人がボランティア活動に従事しており、その労働価値は1,620億ドルと見積もられています。

　従業員が地域コミュニティのボランティア活動に参加する割合を計測・比較しながら、その割合を増やしている会社では、ボランティアの参加を促すために、有給休暇やサービスデー、その他の優遇措置（優先駐車場など）を設けています。

　従業員に奉仕活動やボランティアの機会を生み出すことは、ビジネスにとってプラスになります。ボランティアプログラムを実施している企業は、採用における優位性や従業員のロイヤリティ、スキルが高まるだけでなく、地元でのイメージの向上にもつながるとBoston College Center for Corporate Citizenshipは報告しています。さらに、Good Companies, Better Employeesの研究によれば、ボランティアプログラムは、ポジティブな口コミを広げる効果があり、従業員の満足度向上や離職防止にも効果があるとされています。

どう実践する？

地域への奉仕活動を職場で増やしていくためには、さまざまな方法があります。最初のステップは、まず従業員とコミュニケーションをとることです。どのような領域に最も関心があり、どんなインセンティブが望ましいか、どうすればボランティアをすることが当たり前の職場になるか、といったことをみなさんに聞いてみてください。ディスカッションやブレインストーミング、プログラムの設計に最初から従業員と一緒にやることで、参加の意欲は高まります。さらに具体的なアイデアは以下となります。

☞ 掲示板やニュースレター、給与袋に封入するチラシ[25]、イントラネットなどを通じて従業員にボランティアのデータベースやボランティアフェアを紹介し、参加の機会がどこにあるかを共有する

☞ ボランティアをするための有給休暇を提供する

☞ ボランティア活動を把握し発展させるために、社内にボランティア・コーディネーターを置く

☞ 非営利機関からの支援要請に対して、マネジメントスキルや技術スキルがある従業員を個別にマッチングする

☞ コミュニティに貢献している従業員を表彰するなど、ボランティア活動を社内文化として根付かせる

☞ 従業員が地元の非営利組織の役員となることを支持し、応援する

従業員や会社の資産を地域のために提供することは、多くの価値を生み出します。ただし、本書の各所でお伝えしているように、こうした方針や活動は「ビジネスのためになる」という大きなコンテキストのなかで評価される必要があります。ワーカーやコミュニティ、エンバイロメントといったステークホルダーに対するポジティブなインパクトと、ビジネスの財務面でのサステナビリティとのバランスが取れていなくてはなりません。最初の一歩として役立つのは、年間の有給ボランティアは何時間が適切かを検討してみることです（年間8時間から検討してみましょう）。そして、数年ごとに有給ボランティアの時間を増やしていくにあたっての目標値を設定してみてください。これまでこうした取り組みを行なってきた少なからぬ認証B Corpは、年間24時間（もしくは3営業日）を有給ボランティアにあてています。

（ジャナ博士のTips）ボランティアの機会を提供することは、デモグラフィックな分断[26] を超えた人間関係を生み出し、社会的公正さを広めるためのよい方法です。あなたの会社が、多様で適格な人材を多く採用することに苦労しているのであれば、ボランティア活動はアンダーレプレゼンテッドなグループの人たちと直接的なつながりをもたらします。こうした関係性が、多様性のある採用だけでなく、地域とのより深い関係性の構築、ステークホルダープログラムなどを行なうためのチャンネルを開くこととなります。人がいる場所に顔を出してみることこそ、関係性と理解を築くための最良の方法であると同時に、社会と環境に貢献する新たな機会ともなります。また、社内ボランティアプログラムを実施する際には、従業員のアイデアを汲み取るようにしましょう。自分のアイデアや個人的な情熱が社内で共有されることで、自分が職場の一員であるという実感がより深まるのです。

⑦寄付を予算に組み込もう
クイックアセスメントの「収益の一定割合を慈善事業に寄付すること

【25】アメリカでは振込ではなく、小切手を手渡しすることで給与支払を行なう場合も多い。給料日が、2週間に1回設定されている場合が多いため、従業員との重要なコミュニケーションツールとして捉えられている場合もある。

【26】原文では「demographic divides」。demographicはもともと人口統計学を指し、性別、年齢、居住地域、所得、職業、学歴、家族構成などの属性を意味する場合もある。ここでは、それらの属性の間にある違いや分断のことを指す。

や従業員が寄付した金額と同額の寄付を行なうことを公式に表明し
ている。あるいは『1% for the Planet』といった慈善活動を認定す
る第三者的団体や取り組みに参加している」という項目の背景を知り、
それを実践する方法を学びましょう。

それはなぜ重要か

会社として慈善活動に参加することを望んでいるのであれば、まずは、
慈善団体と公式にパートナーシップを組むことを検討してみましょう。
たとえば、North Coast Brewing Company[27] は、自社の「North
Coast Steller IPA」が1箱売れるたびに海洋哺乳類の研究に寄付が
行く取り組みを行なっています。このように正式なパートナーシップを
結ぶことは、多くの非営利法人が慢性的な寄付不足に陥り、短期的
な資金調達に注力せざるを得ず、本来のミッションから遠ざかってし
まっている状況において、とても重要です。

　また、金銭的な寄付に興味がある企業には、1% for the Planet[28]
を強くおすすめします。参加企業は、事前承認された膨大な非営利環
境保護団体のリストのなかからひとつ、または複数の団体を選定し、年
間の売上の1%をそこに寄付することを誓約します。また、1% for
the Planetに参加し、B Labを寄付先として指定することで、B Corp
認証にかかる経費を控除することも可能です。

　もちろんチャリティパートナーシップは、金銭的な寄付とは限りませ
ん。従業員の時間や商品やサービスを無料で寄付したり、あなたの会
社の施設・設備を、慈善団体が行なう研修やイベントに提供すること
もできるはずです。

どう実践する？

金銭的な寄付に興味があるなら、まずチームで会議を開いて慈善寄付
に関するポリシーを策定し、寄付にあてる予算の細目を立てましょう。
もし本年度の予算化のプロセスが済んでいたとしても、次年度の予算
の確保のために、同様の会議を行なうことを推奨します。

　また、従業員やカスタマーに、これまでどんな団体に寄付を行なっ
てきたかを尋ねてみるのもよいでしょう。ステークホルダーが大切に思
っている対象を寄付先として選ぶことで、熱意はさらに増し、より多
くの人の参加を促すことにもつながります。

事例　North Coast Brewing Company

北カリフォルニアでクラフトビール製造を営む認証B Corp North
Coast Brewing Companyは、2016年から従業員が創造的な方法
で地域社会に関与することを促し、かつ、それらの活動を把握するため
の従業員ボランティアプログラムを実施してきた。同社は取り組みを始
めるにあたって、ボランティアプログラムがうまくいくためのポイントを

【27】1988年に北カリフォル
ニアで創業したクラフトビール
醸造所。同社にほど近い海岸
はコククジラの移動経路やオル
カの生息地にも近く、クジラ・
アクティビズム発祥の地として
も知られているため、海洋哺乳
類への支援を続けている。

【28】企業メンバーに年間売上
の1%の寄付と日々のアクショ
ンを通じて非営利環境団体を
支援するよう働きかけるネット
ワーク。Patagoniaの創業者イ
ヴォン・シュイナードが、Blue
Ribbon Fliesのオーナーである
クレイグ・マシューズとともに設
立し、2002年以来3億4,000
万ドル以上を寄付。B Labは
非営利パートナーであり、認証
B CorpがB Labに支払う年間
費用の1%を寄付額として計
上することが認められている。
Kleen Kanteen、Avocado
Mattressなど、認証B Corpの
メンバーも多い。

学ぶべく、地元の別の認証B CorpであるHarvest Marketと提携した。両社が協力して、お互いのボランティア活動を支援し合うことで、地域に2倍のインパクトを与えられると考えたのだ。

さらに、North Coastは、従業員が過去にどのようなボランティアに関わっていたか、どのような活動に興味をもっているかを調査し、それを受けボランティアの参加を促進し、その実態を把握するためのポリシーを策定した。その結果、プログラムの立ち上げから数カ月で従業員の17.5%がボランティアに使った時間を報告するようになった。従業員が関わったボランティア活動は、地元でのビーチ清掃、NGOの役員への就任、メンドシーノ郡全域におけるNGOの資金調達イベントの支援などだった。こうして現状把握をしたことで、地域にポジティブなインパクトをもたらすことを促進するために、従業員の20%の参加というゴールを設定することができた。

（ジャナ博士のTips）慈善寄付プログラムが排除を促進する道具にならないよう気をつけてください。組織のリーダーは、インセンティブをわかりやすくするためによかれと思って、寄付を競争化してしまうプログラムをつくり出してしまいます。これは、寄付をするだけの経済的なゆとりがない人たちに不要なストレスを与えます。アメリカの黒人やヒスパニック系の家庭では、貯蓄、遺産、信託、投資へのアクセスが絶たれており、白人と有色人種の間には巨大な貧富の格差があることを忘れてはいけません。「寄付競争」は、熟考を経た上で導入されない限り、社会的圧力を生むものとなります。また、あなたの寄付が、本当に地域の自立やコミュニティのオーナーシップに役立っているのかを問うことも重要です。寄付したお金を誰が受け取るのか。従業員は含まれているのか。さらに、寄付先の選定のプロセスが透明で客観的で公正なものであるかどうかも問うてみましょう。

⑧「誰」から調達するかを意識する
クイックアセスメントの「地元のサプライヤーや、女性、有色人種、その他アンダーレプレゼンテッドな人が経営するサプライヤーと取り引きしている」という項目の背景を知り、それを実践する方法を学びましょう。

それはなぜ重要か
女性や、有色人種、退役軍人、前歴のある人などによって経営されている会社や、低所得コミュニティにある企業[29]から調達することは、多種多様なステークホルダーにとって有益なことです。たとえば、自身がマイノリティである起業家からローカルの商品・サービスを購入すれば、コミュニティで雇用を生むことにつながり、税金が地域の公共事業[30]に投資され、長距離輸送による環境負荷も軽減し、社会システムが生んだバイアス・差別に晒されてきた人たちをサポートするこ

【29】人種問題などが顕在化しづらい日本では、地域ごとの格差も可視化されづらい傾向にあるが、東京と沖縄の平均所得は2倍近くの開きがあるなど地域の所得格差は存在している。東京都内でも足立区民と港区民では平均所得に3倍近い開きがあるともいわれる。

【30】原文では「community project」。地域の行政が推進する、インフラなどを整備する社会的な事業のことを指す。

とにもつながります。

どう実践する？
この分野でパフォーマンスを改善するためには、以下のようなステップ
が考えられます。

☞ 女性や、アンダーレプレゼンテッドな人たちが経営するサプライヤー
を優先するポリシーの策定を検討する。このポリシーは、あなたの
会社の社会・環境に対する価値観や優先順位に即したものでなく
てはならない
☞ 調査やインタビューを通じて、現在のサプライヤーの経営に関する
情報を集める（これはより広範なスクリーン調査によって実施することもでき
ます）。第三者認証機関[31] を通じて、女性やマイノリティが経営す
る企業を調べる
☞ 既存のサプライヤーに関するデータを分析し、あなたの会社の選定
基準を満たしている新しいサプライヤーを取引先に含める計画とタ
イムラインを策定する
☞ 経営者のダイバーシティに関する情報を含んだサプライヤーの内部
向けディレクトリを作成する。サプライヤーたちと関わるすべての部
署の従業員のために、サプライヤーチェックリストを作成し、チェッ
クリストの使用を義務化することを検討する

【31】女性が所有する企業を認証する機関としては「Women Owned」「WEConnect International」などが著名であり、日本でも取得している企業がある。アメリカではマイノリティによる経営を認定する企業「National Minority Supplier Development Council」、退役軍人による企業を認定する組織「National Veteran Business Development Council」などがある。

ジャナ博士のTips　経済的な支援は、周縁化されたコミュニティの機会、富、アクセス、ウェルビーイングを向上させるための重要な手段です。多様なサプライヤーから調達することは、アンダーレプレゼンテッドな人びとを社会の周縁に追いやりつづける歴史的な過ちを正す強力なステップともなります。経済的なエンパワーメントは、自由をもたらすことと同義です。小規模で、アンダーレプレゼンテッドな企業と購買契約を結ぶことで、子どもたちの大学教育へのアクセス、生涯にわたる学生ローンの負債からの解放、賃貸住まいから持ち家へ、その日暮らしから経済的な安定へ、といった変化を生むことができるのです。

⑨取引先とともにビジネスを変える
クイックアセスメントの「社会的・環境的パフォーマンスについて、サプライヤーの責任を明記した公式な行動規範がある」という項目の背景を知り、それを実践する方法を学びましょう。

それはなぜ重要か
サプライヤーの行動規範を策定することによって、自社のビジネスに携わる企業が、パフォーマンス、安全性、および透明性のガイドラインを遵守しているかどうかを確かめることができるようになります。これ

は、環境、労働、人権に関する法律が不公正であったり強制力をもっていない国から製品の資源や部品を調達したりしている企業にとっては、とりわけ重要です。

どう実践する？
まずはじめに自社のサプライチェーンにおけるリスクを測定しましょう。具体的には、以下のような質問に答えてみてください。

☞製造されたプロダクトを、どこから調達しているのか？
☞それが製造された国では、環境や人権に関する法律がきちんと運用されているか [32] ？
☞有害化学物質を使用しなければならないプロダクトを製造していないか？
☞プロダクトを製造する方法が、自社が表明している社会的・環境的なゴールと矛盾していないか？

サプライヤーの行動規範をモニタリングするには、いくつかの方法があります。サプライヤーによる自己監査、社内チームによる現地訪問、あるいは第三者による現地訪問が選択肢としてありえますが、どのようなアプローチをとるかは、予算の規模やサプライヤーが非倫理的な行為に及んでいる可能性の高さ、またはサプライヤーの透明性に対する意識の高さによって異なります。

また、サプライヤー行動規範には、規範に対する違反行為が発覚した際の対応が記されている必要があります。検討すべき事項は以下の通りです。

☞該当サプライヤーと取引を中止するのは、どのような場合か
☞発覚した問題を該当サプライヤーが改善するために、どの程度の時間的猶予を設けるか
☞違反を犯したサプライヤーが自ら問題解決することを、自社や監査法人が積極的に支援したいと考えているかどうか
☞違反が繰り返された際にどうするか
☞違反行為の発覚を対外的に公表するか

PatagoniaやMaCher [33] などの認証B Corpのサプライヤー行動規範の具体例が、LIFT Economyのウェブサイトに掲載されていますので、ぜひ参照してみてください。

事例 Change Catalyst
インクルーシブでサステナブルなイノベーションを推進する認証B Corp Change Catalystは、取り引きするサプライヤーのすべてを、ローカル

【32】2021年に明らかになった新疆ウイグル自治区での強制労働問題では、日本でも12社が対応を迫られた。大企業だけでなく、新疆綿を利用していた今治タオルが炎上するなどグローバルで発生した問題がビジネスに大きな影響を与える事態は増えつづけており、今後もサプライヤーの人権に関する調査の重要性は増すだろう。

【33】クライアントに対して、サステナブルなバッグやパッケージをカスタムし、デザイン・製造する企業。データと研究に基づき、消費者のロイヤリティを高めることを目指している。

で、サステナブルで、アンダーレプレゼンテッドなグループ（女性、少数民族、障がいのある人、退役軍人、LGBTQIAを含む）が過半数を占める事業者にすることを目標に掲げている。また、社会性とサステナビリティに基づいてサプライヤーを選定する企業との取引を優先している。ローカルに活動し、アンダーレプレゼンテッドなグループの人たちが過半数の所有権をもった企業がChange Catalystの全サプライヤーにおいて占める割合は、2015年には68%だったが、2016年には88%に達している。

ジャナ博士のTips　ポジティブな変化を生み出す方法はたくさんあります。企業の規模にかかわらず、サプライチェーンにおけるインクルージョンを推進するために、自社の購買力を有用化することができます。言うまでもなく、大企業はサプライヤーを改善させるだけの規模と影響力をもっていますが、大企業であれスモールビジネスであれ（B Corpのようなコレクティブの一員であれば、なおさら）、自社と同等の行動基準をサプライヤーに課すことで、社会と環境により大きなポジティブな変化をもたらすことができるのです。

⑩お金の預け先を考える
クイックアセスメントの「認証B Corp、信用組合、地域開発金融機関[34]、およびGlobal Alliance for Banking on Values[35]のメンバーと取り引きしている」という項目の背景を知り、それを実践する方法を学びましょう。

それはなぜ重要か
「支払いによる投票」[36]は、責任ある購買行動だけにとどまるものではありません。自分のお金がどこに保管され、それがどこに投資されているかを考慮することも重要です。
　コミュニティに根ざした銀行や信用組合[37]の多くは、オンラインでの請求書払いやデビットカード、クレジットカードなど、大手銀行と同等のサービスを低コストで提供しています。また、融資の承認やその他の決定は、その地域に暮らし、カスタマーと日々対面でやりとりし、地域のニーズをよく理解している人たちによって行なわれます。こうしたパーソナルな知見があればこそ、ローカルな金融機関は、大手銀行であれば即座に拒否されるようなローンを承認することができるのです[38]。

どう実践する？
銀行の変更を検討する際に、候補となる金融機関に以下の質問を投げかけてみましょう。

☞社会や環境に配慮した銀行業務を行なっているか？

【34】中小企業向け融資の一定以上を低所得地域に振り向けることなどをミッションとし、アメリカ財務省の認定を受けた金融機関で、公的資金を受ける資格がある。アメリカでは低所得者居住地域の公的な財政支援策が各種存在するが、その代表的なもののひとつ。

【35】2009年に設立された独立系の銀行と銀行協同組合のネットワーク。世界の67の機関が参加し、金融を利用して経済・社会・環境の持続可能な発展を実現するというミッションのもと活動を続けている。

【36】原文は「voting with your dollars」。商品の購入を通じて、消費者の声を生産者に届けるという考え方。政治的消費主義（political consumerism）ともいわれ、アメリカでの歴史は、植民地時代に宗主国に抗議すべくイギリス製の商品をボイコットした独立戦争にまで遡る。

【37】日本でも全国信用金庫協会は『「地域密着型金融」の推進』を掲げ、創業・新規事業支援、ビジネスマッチング、海外展開支援、事業再生支援など、顧客に密着した金融支援を続けている。

【38】日本でもローカルな金融機関と事業者、行政がコラボレーションすることによって新しい経済の循環を生むための取り組みが生まれている。金融をテーマとして2021年3月24日に開催した「B Corpハンドブック翻訳 ゼミ・アネックス Vol.3」に登壇した山口省蔵は、『実践から学ぶ地方創生と地域金融』〈学芸出版社〉のなかでさまざまなプロジェクトを紹介している。

☞ 専門としている業界はあるか？

☞ 避けている業界はあるか？

☞ どのような規模の企業に融資し、サービスを提供することが多いか？

☞ 中小企業管理局の融資プログラムに参加しているか？

☞ Global Alliance for Banking on Values のメンバーか？

ジャナ博士のTips 地元の独立系銀行や信用組合は、スモールビジネスや、女性やマイノリティが経営する企業にとって、持続性のある有利な選択肢を提供している場合が少なからずあります。であればこそ、こうした銀行は地域社会に不可欠な資産となるので、それを支援することは、よそではビジネスを成長させることができない人に経済的公平性とインクルージョンをもたらすことにもなるのです。また、地域に根ざした融資を行なう銀行は、融資の条件や担保についても、より柔軟です。大手銀行はローンを販売するために、規模が小さく不利な条件の顧客層に対して、より厳しい条件を課しています。

⑪つながりを透明にする

クイックアセスメントの「サプライヤーの名称とその社会的・環境的パフォーマンスをウェブサイトで公開している」という項目の背景を知り、それを実践する方法を学びましょう。

それはなぜ重要か

この項目では、労働における安全性を高め、ワーカーたちに敬意と尊厳をもって接し、環境に配慮した製造プロセスを導入している企業が、高い評価を得ることができます。また、環境法や労働法の施行状況が大きく異なる開発途上国から製品の多くを調達している企業にとって、サプライチェーンの透明性が、ここではとりわけ重視されます。

　加えて、消費者は、その製品が、どこでどのようにつくられているかにますます関心を寄せるようになっています。Cohn & Wolfe のレポートは、「透明性は過去1年間でより重要になっており、いまでは消費者の意思決定プロセスにおいて品質や価格と同等の重みを占めている」と報告しています。また、サプライチェーンの透明性は、ソーシャルメディアを通じてどんな情報でも即座に入手できてしまうなか、その重要性がますます増しています。同レポートは「消費者の半数は、自分の価値観にそぐわない企業の製品やサービスの購入を止め、そのうち30％は友人や家族にも止めるよう進言し、25％はその企業へのボイコットを支持する」と報告しています。

どう実践する？

サプライチェーンの透明性を高めるためにとるべき最初のステップは、自社のサプライチェーンの現時点での社会的・環境的パフォーマンス

を知ることです。パフォーマンスをベンチマークする上で最も適している
とわたしたちが考える（無料の）やり方は、サプライヤーにBインパク
トアセスメントを受けてもらうことです。

　サプライチェーンの透明性を徐々に高めていくための目標を設定し
ましょう。透明性を高めることで、消費者の信頼を獲得し、ブランド
価値を高め、業界のリーダーと目されるようになります。そして、サプ
ライヤー企業に対しても、第三者認証を取得することを奨励し、支援
しましょう。サプライチェーンの自立性と説明責任が高まることで、あ
なたの会社だけでなく、サプライヤー企業も、ミッションに適った消費
者を引きつけることができるようになるのです。

事例 Fairphone

オランダの携帯電話メーカー Fairphone は、資源の採掘から製品の
設計、製造、プロダクトのライフサイクルにいたるまで、より公平なサ
プライチェーンの構築に取り組んでいる。同社は、原材料の産地を把握
するために、サプライヤーを可視化したインタラクティブなマップ[39]を
作成し、サプライチェーンの各段階における社会的・環境的条件の改
善に努めている。

ジャナ博士のTips 時間をかけて多様なサプライヤーと対話を重ねてき
た企業は、それらのサプライヤーをリスト化し社会的・環境的パフォー
マンスをウェブサイトに掲載するだけで、ブランド価値と社会資本を高
めることができます。あなたの会社が透明性を高めることは、他の企業
の追随を促し、社会問題に対するあなたの会社のコミットメントが本
気であることをステークホルダーに示すことにもつながります。

　多くの企業は、自社のよい行ないをことさら自慢したがりますが、
本当に必要なのは、自分たちの姿を包み隠さず明かすことなのです。
同時に、それは説明責任を果たす絶好のチャンスともなります。あな
たの会社の取引相手が評判の悪い、インクルーシブとはいえない企業
であった場合、その情報を公開することは、問題を社内の上層部に知
らしめることにも役立ちます。これは、MeTooムーブメントのなかで
実際にたびたび目にしたことでもあります。B Corpのブランドが、非
倫理的な企業によって汚されることは望ましいことではありません。
ベンダーのリストといった情報が誰の目にも触れられるようになって
いれば、自社では気づかずにいた問題をお互いに指摘し合うこともで
きるのです。

⑫業界で変革の旗手となる

クイックアセスメントの「業界内における社会的・環境的基準の策定
に取り組んでいる」という項目の背景を知り、それを実践する方法を
学びましょう。

【39】同社は、自社で製造する
スマートフォンの部品が鉱山や
工場からカスタマーの手元に
届くまでの道のりを視覚的に
表したマップを、Sourcemap
が提供するサプライチェーン・
マッピングプログラムを使って
作成。サプライチェーン情報が
集約されたプラットフォーム
「Open Sourcemap」で公開
している。地図には、これまで
に判明しているすべてのサプラ
イヤーに加え、特定の調達プ
ログラムを通じて密接に協力
している鉱山や製錬所も含ま
れている。

それはなぜ重要か

Bインパクトアセスメントでは、企業内における改善だけでなく、業界全体の改革を推進している企業を高く評価しています。ある企業が業界全体に働きかけることで、業界全体により強いコミットメントとより大きな変化がもたらされます。

　業界全体の社会的・環境的パフォーマンスを改善する方法はたくさんあります。たとえば、ワーキンググループに参加して同業他社の教育に貢献したり、自主的な環境報告基準の採用を訴えたり、企業パフォーマンスの向上のインセンティブとなるような法律の制定を支援することなどです。

どう実践する？

あなたの会社が所属する業界の業界団体[40]を調べてみてください。そこですでに社会的・環境的な取り組みが実施されているかもしれません。あるいは、他の企業に連絡を取ってつながりをつくりましょう。既存のサステナビリティに関する取り組みがなければ、新しく立ち上げましょう。

　また、社会的・環境的責任を推進する既存の組織に参加するという手もあります。アメリカであれば、American Sustainable Business Council、Business Alliance for Local Living Economies、Fair Labor Association、Fairtrade International、Green America、Green Chamber of Commerce、Social Venture Networkなどが、そうした組織の例として挙げられます。

ジャナ博士のTips　業界のトップ企業がDEIに関する基準やベンチマークをもっていなければ、あなたの会社が先陣を切りましょう。B Corpは、ビジネスの力で社会を良くするべく、新しい基準をつくり出していく旗手でなくてはなりません。認証B Corpは、強い意志と協調をもって、世界をよりよい方向へと変えていかなくてはなりません。あなたの業界に多様性や公正性が欠けているのであれば、いの一番にその改善に挑むのは、あなたの会社であるはずです。

【40】原文では「trade associations」。tradeは「同業者」を意味する。日本においても、同業の企業がつくる組合として事業協同組合、同業組合、業界団体などさまざまな形態がある。たとえば全日本印刷工業組合連合会は、中小印刷業が取り組むCSR取り組み項目チェックリストを作成し、達成度に応じて「全印工連CSR認定」を提供している。

証言 | B Corpがコミュニティにもたらすもの

1. B Corpを秘密にしない
ディアナ・マリー・リー
Sweet Livity | アメリカ

――B Corpになろうと思った理由は？
わたしのメンターのひとり、エイジャックス・グリーンから、2015年にB Corp
のことを教えてもらいました。当時わたしは、ノースカロライナとサンフランシ
スコベイエリアの社会正義を実現するための非営利団体のリーダーたちが、起
業家精神をもってコミュニティ活動や資金集めを行なえるようサポートしてい
ました。この経験から、ソーシャル・アントレプレナーシップやソーシャル企業
についてもっと学びたいと思うようになったのです。

　B Corpムーブメントや、利益だけでなく人と地球に対する貢献をもって企業
を評価するトリプルボトムラインという考え方にも、強く刺激を受けました。数
年後、わたしは非営利セクターの仕事に燃え尽き、幻滅とともに職を離れ、回復
の旅に出ました。アメリカに帰国し、健康と喜びと目的意識が戻ってくると、コ
ミュニティの仕事を再びするならB Corpとしてやりたいと心が決まっていました。

――B Corpになって一番の驚きは？
有色人種の人たちによって経営されているB Corpが、それほど多くなかったこ
とです。B Corpムーブメントは、ビジネスコミュニティの一部だけで共有され
る秘密のように、隠されたサイロのなかで展開されているように見えます。わた
しはそれを変えたいのです。特に、自分や家族を犠牲にすることなく、コミュニ
ティをサポートする手立てを求めているビジョンをもった事業家たちのために、
B Corpを隠された秘密のままにしておきたくないのです。

Sweet Livity | 社会的弱者にサービスを提供する個人・組織に対してセルフケアなどのウェルネ
ス支援を行なう企業。

2. 言行一致の証明書
リン・ジョンソン
Spotlight:Girls | アメリカ

――B Corpになろうと思った理由は？
考えるまでもありませんでした。わたしは、芸術教育や青少年育成のための非
営利団体からキャリアをスタートした起業家です。当初から、自分の仕事を通
じて子どもたちや家族にポジティブな影響を与えたいと考えていました。営利
目的のビジネスを始めたのは、ひとりの有色人種女性として、自分のために資

産を築く必要があったからです。ですから、ビジネスを社会のために役立てる B Corp の活動を知って、すぐさま「同志を見つけた」と思いました。

——どんなメリットがありましたか？
B Corp であることは、組織として発言と行動が一致していることを、より大きなコミュニティに向けて証明してくれます。「わたしたちは B Corp です」と言えば、みなが顔を輝かせ、心からの賛同や好奇心を寄せてくれます。さらに、他の起業家とつながるための近道にもなります。「わたしたちも B Corp なんです！」と語る人に実際に会ってみれば、その意味がよくわかると思います。

——インクルーシブエコノミーのために何をしていますか？
女性、特に若い女性のリーダーシップの支援が、わたしたちのビジネスの核です。わたしたちは、若い女性リーダーこそ全世界が待ちわびているものなのだと信じています。有色人種、LGBT の女性が経営する企業として、これまで社会的に周縁化されてきた人たちを中心に据えることの重要性を訴えていきたいですね。

Spotlight:Girls｜オークランドを拠点として女性に対する教育を提供する企業。2020年にクローズし、リンは Hella Social Impact を創業。

---

3. つながりが助けてくれる
スザンヌ・シーメンス
Lunapads｜カナダ

——B Corp になろうと思った理由は？
わたしたちは、社会正義と環境保護に対する長年のポリシーとコミットメントを公式なものとするために、カナダで最初の B Corp になりました。よりよいビジネスのやり方の手本を示すべく、このムーブメントに参加しました。

——どんなメリットがありましたか？
ネットワーキングや仲間からのサポートは、自分の仕事をレベルアップする上で非常に価値のあるものでした。また、B Corp の理念が事業として具現化しているという理由で、好意的な PR を得たり、賞をもらったりすることもありました。

——B Corp 認証のために克服した最大の課題は？
わたしたちは、社会と環境において高いスタンダードを自分たちに課しています。認証を受けるためには、自分たちの活動や影響を正確に測定するために、厳しい基準を維持する必要があります。これを達成するためには、コミットメント、細部へのこだわり、そして献身的な専任スタッフが不可欠でした。

——B Corp になって一番の驚きは？

すでに実施していることを改善するためのツールや、十分でない領域を特定するためのツールがたくさんあることに驚きました。もし、あなたがB Corp認証取得を検討しているのであれば、気後れは禁物です。小さな一歩を着実に歩めばいいのです。やる価値はありますよ！

Lunapads｜バンクーバーを拠点に女性向けの生理用品を製造する企業。2020年にリブランディングし、Aisleと社名を変更した。

---

4. 味方と共闘できる
キャット・テイラー
Beneficial State Bank｜アメリカ

——B Corpになろうと思った理由は？
わたしたちは、プレシディオ大学院の学生チームの協力を得て、最初にBインパクトアセスメントを受けました。このアセスメントは、自分たちがうまくやっていることや、もっとうまくできることについて大きな示唆を与えてくれました。また、このプロセスは、もともと自分たちがもっていた、信用組合用語でいうところの「共闘」の意識を大いに刺激してくれました。B Corpになってからは、コミュニティがわたしたちの最も強力な味方であることに気づきました。社会を良くするためのものへとビジネスを変えるには、つながりがもたらす数の力が必要なのです。

——どんなメリットがありましたか？
B Corpの認証とコミュニティは、多くの実利的なメリットをもたらしてくれます。認証はサプライチェーンや調達を統制するために役立ちますし、コミュニティの仲間はアドバイス、いたわり、祝福を与えてくれます。加えて、割引やパートナーシップといった収益に直結する実利もあります。

——インクルーシブエコノミーのために何をしていますか？
わたしたちは、銀行業務はクラウドファンディングの原型であり、その最も強力な形態であると考えています。もし銀行が本当にみんなのためのもので、みんなが暮らす世界を支えているのであれば、自分のお金を誰に預けるか（選択）と、眠っている間に自分のお金がどう使われているのか（責任）を再考するだけで、よりよい世界を実現するためのクラウドファンディングに参加することができるようになるのです。このアイデアは、それ自体がインクルーシブなものだと思いますが、多くの人が銀行から疎外されてきた歴史的な差別や経済的現実に抗うためにも、わたしたちはダイバーシティとインクルージョンを自社の文化において強く明確に価値付けています。

Beneficial State Bank｜オークランドを拠点とするコミュニティバンク。中小企業、非営利団体、低所得者向け住宅開発業者などに銀行サービスを提供する。

5. マーケットというつながりの基盤
エロイザ・シルバ
Mercado Birus｜チリ

——B Corpになろうと思った理由は？
わたしたちは最初からB Corpなんです。認証B Corpにビジネスチャンスを生み出すためにB Corpとして創業した企業ですから。わたしたちがつくったマーケットプレイスが、B Corp企業にさらなる成功をもたらせば、人と地球はもっと違ったものになるだろうと信じています。

——どんなメリットがありましたか？
わたしたちはさまざまなB Corpのためにプロダクトを販売しています。既存のプラットフォームで商品を販売しているB Corpは、販売チャネルが多岐にわたるため自分たちが生み出しているインパクトを伝えることが難しいと言います。Mercado Birusでは、商品を販売しているすべてのB Corpが、自社に関する情報、他社の商品との違いを伝えることができるようにしています。

——B Corp認証取得を検討している企業にアドバイスはありますか？
「これまでと違う方法でビジネスがしたい」と自分が宣言することと、その主張を第三者が認証することには大きな違いがあります。B Corp認証は「何をムーブメントから得られるか」という観点だけから考えてはいけないものだと思っています。わたしたちは、社会を変える力としてビジネスを本気で活用しているという事実を、自社のパートナーやステークホルダーに示していかなくてはなりません。

——インクルーシブエコノミーのために何をしていますか？
弊社のウェブサイトを通じてプロダクトを販売している企業の半数以上が、女性が設立した企業、もしくは女性が率いている企業であることをとても誇りに思っています。

Mercado Birus｜B Corpの商品を販売するオンラインマーケットを提供していた企業。2021年現在はBirusと名前を変えコンサルティングを提供している。

6. 感情と情熱を共有できる
メレ・アネ・ハヴェア
Small Giants｜オーストラリア

——B Corpになろうと思った理由は？
Small Giantsはオーストラリアで最初のB Corpでした。認証を取得したのは2012年です。ビジネスを通じて世界を変えたいという、同じ志をもつ人たちの

グローバルなコミュニティに参加できることにとても興奮しました。また、B Corpの価値観を共有できる、地元の素晴らしい企業への呼びかけとして、この地にBマークの旗を立てるというアイデアにも活力を得ました。みんなに参加してもらってオーストラリアとニュージーランドでB Corpムーブメントをつくっていきたいと思ったんです。

――B Corpになって一番の驚きは？

個人的には、友情と愛です。アメリカで初めてB Corpのコミュニティの人びとに会ってオーストラリアに戻ってきたときには、「みんなすごいハグするの！」と言ったりしていました。もちろんそれだけでも素晴らしいのですが、そのとき気づいていなかったのは、そのハグから生涯にわたる友情とつながりが生まれていたことでした。コミュニティはそうしたつながりで成り立っていて、その結束はとても強いのです。

　わたしが「愛」と言ったのは、Sistema B（ラテンアメリカのB Corpコミュニティ）の兄弟姉妹を通じて、ビジネスの文脈で「愛」という言葉が使われるのを初めて聞いたからです。そこには、仕事への愛を語り、恥ずかしがることなく自分の感情を共有する大人たちがいました。それはわたしに、愛に基づいてこの仕事を行ない、自分の感情と情熱を共有してもいいのだと教えてくれたのです。

Small Giants｜公正で持続可能な社会への移行を目的としたメディア・教育活動を行なう企業。本社をオーストラリアの先住民族クリン人が継承してきた土地に構える。

---

7. 孤立から解放してくれる
アントン・エスピラ
ECO2LIBRIUM｜ケニア

――B Corp認証取得による直接的なビジネス上のメリットは何でしょうか？

目に見えるメリットは、世界と比べても高いスコアを獲得したB Corpとして、またB Lab East Africaムーブメントの創設メンバーとして、認知され注目されるようになったことです。無料でかなりの宣伝ができただけでなく、パートナーや投資家、監査機関にアプローチする上でも役立ちました。ただ、それよりも、自社の活動がこれまでのコミュニティのなかだけでなく、さらに大きな舞台でも通用することがわかってチームの士気が一気に高まったことが一番の収穫かもしれません。ケニアの田舎町で活動をしていると、孤立しているように感じることがあります。B Corp認証取得によって得られた世界からの認知は、外の世界から認められたことを意味します。

――インクルーシブエコノミーのために何をしていますか？

アフリカの農村で仕事をするためには、業務プロセスを社会的なニーズにフィットさせなくてはなりません。原則として、わたしたちは、行政サービスが十分に受けられない人たちを雇用し、チームメンバーを現地で組織するようにしていま

す（ケニア以外の地域でも、周りの貧しい状態にあるコミュニティからメンバーを募ります）。また、ビジネスによる直接の受益者（パートナー、従業員、取引先）の70%以上は女性です。外交ではなく貿易や商取引によって世界がつながるようになって久しいいま、ビジネスが社会のために力を発揮する好機が到来しているとわたしたちは信じています。

ECO₂LIBRIUM｜ケニアの農村で木材の使用を削減する省エネ調理ストーブや太陽光発電パネルなどのエネルギー事業、森林再生事業を展開する。アメリカにもオフィスを構える。

---

8. 経済的な自立を取り戻す

ドーン・シャーマン

Native American Natural Foods｜アメリカ

──B Corpになろうと思った理由は？

Native American Natural Foods（NANF）の使命は、バッファローをネイティブアメリカンの土地、生活、経済のなかに取り戻すことです。NANFは、オグララ・ラコタ族の故郷であるサウスダコタ州のパインリッジ居留地にあります。ここはアメリカで最も貧しい土地で、失業率は65〜85%、平均寿命はハイチを除けば、西半球で最も低いのです。

　NANFの主力商品は「タンカ・バー」です。乾燥させたバッファローの肉とフルーツを使ったラコタ族の伝統的なレシピに着想を得て生まれました。100万頭のバッファローを故郷に戻すことで、パインリッジに暮らす4万人以上のネイティブアメリカンの健康と繁栄の経済的基盤を再興しようとしています。NANFは、経済的主権を人びとに取り戻すための社会的企業として設立されました。B Corp認証の話を聞いたとき、それが自分たちのビジョンと一致しており、会社に大きなメリットをもたらしてくれるだろうと、すぐさま理解しました。

──B Corpになって一番の驚きは？

Bインパクトアセスメントでの最初に出たスコアが高かったことです。ワーカーオーナーシップモデル、社会的責任に基づいたプロダクト、従業員に提供してきたプライベートと職業上の能力開発の機会の提供といった多くの理由から、数年にわたってBest for the Worldの称号を得ることができました。また、他の認証B Corpとのコラボレーションや、B Corpコミュニティの一員であることで得られる注目もうれしい驚きでした。

Native American Natural Foods｜バッファローの肉を使ったネイティブアメリカンのレシピをベースにした健康食品を提供する企業。かつて営まれていた動物と人間が共生する世界の実現を目指す。

3-3

エンバイロメント

会社がどんなに大きくなったとしても
新しい経済を創造し、社会を変えるためにビジネスを用いるという
ゴールに向かいつづけるためにも、B Corp は必要なのです

スナクシ・クルス｜Sistema Biobolsa｜メキシコ

クイックアセスメント

以下の 12 の項目に従ってクイックアセスメントを実施してみましょう。達成している項目数を数えることで、エンバイロメントのセクションにおける B インパクトアセスメントの概算スコアを把握することができます。（各項目の詳細は、リストのあとに説明があります）

☐ 温室効果ガスの排出量を監視、記録、削減している

☐ エネルギー効率に配慮した照明、オフィス設備、冷暖房を利用している
（例　照明：LED、電光型蛍光灯、人感センサー、調光機能、タスクライト
　　　設備：国際エネルギースタープログラム適合、オートスリープモード、タイマー
　　　冷暖房：スマート・サーモスタット、タイマー、人感センサー、二重のガラス窓）

☐ 水を効率的に使っている（例 節水型トイレ、蛇口、シャワーヘッド）。
　　または雨水を利用している

☐ 環境負荷が少ない再生可能エネルギーを使用している

☐ 再生可能エネルギーのクレジットを購入することで、
　　使用した非再生可能エネルギーを相殺している

☐ 自家用車ではない交通手段を利用するインセンティブを提供している

☐ 出張を減らすためにオンラインミーティングを活用するよう奨励している

□自社製品のライフサイクルアセスメントを実施している

□製品をリサイクルまたは再利用するためのプロジェクトを計画・実践している

□事務用品、食品、電子機器、清掃用品、製品の原材料などについて、環境に配慮した購買方針を定めている

□有害廃棄物（例 電池、塗料、電子機器など）を、責任をもって処理している

□環境影響の少ない輸送・配送に関する方針を文書化している（例 航空便での配送を避ける、など）

チェックをつけた項目ごとに1ポイントを加算してください。

☞得点が0から3の場合：B Corp認証を得るためには、まだまだやることがありそうです。ただ、他のセクションで高いスコアを取得していれば、挽回できる可能性もあります

☞得点が4から6の場合：他のセクションでも同様のスコアであるなら、B Corp認証の取得はもうすぐそこです

☞得点が7から12の場合：素晴らしいです！ すでにB Corp認証に必要なスコアを満たしています

アセスメントの実践に向けて

環境[1] によいことは会社のファイナンスにもよいことです。Ben & Jerry's、Method、Patagonia ほか多くの企業は、環境的パフォーマンスの改善が、優秀な人材を引きつけ、サプライヤーとの関係性を強め、消費者からの信頼も高め、その結果、利益の増大につながることを認識しています。

　環境面での取り組みは、歴史的に周縁化されてきたコミュニティに直接的な影響を及ぼします。気候変動がもたらす健康、住居、家計、安全に対する影響は、先住民コミュニティ、女性、高齢者、障がいがある人、前歴のある人、貧しい人たちにしわ寄せがいきます。化石燃料に依存した経済は、探査から採掘、生産、精製、流通、消費、そして廃棄物処理にいたるプロセス全体において、低所得者や有色人種に偏ったかたちで経済・環境・健康にネガティブな影響を与えます。

　「環境正義」[2] をめぐる運動はこうした不公平な状況に対処するために何年も前に始まったものです。環境正義とは、環境法を守りながら、人種、肌の色、出身国、収入に関係なく、すべての人びとに対して公正な扱いと有意義な関与を実現するものと定義されています。公正な扱いとは、特定の施策や決定が環境にもたらす悪影響が、特定の人びととだけに偏っておよぶことがない、ということを意味します。簡単にいえば、環境正義とは、すべての人（賛成や反対を自分自身で意思表示ができ、自ら安全な場所に逃れることができる人や、自分の代わりに戦ってくれる弁護士や専門家、ロビイストを雇用できる人でなくとも）が、環境、健康、住宅、土地利用、輸送、エネルギーおよび公民権に関する法と規制が平等に適用され、平等に保護を受ける権利があることを意味しています。

①地球の危機は、公正な世界をつくるチャンス

クイックアセスメントの「温室効果ガスの排出量を監視、記録、削減している」の項目の背景を知り、それを実践する方法を学びましょう。

それはなぜ重要か

温室効果ガスは大気中に熱を閉じ込めます。その排出量を会社で計測、記録し、削減することは、コスト削減、省エネ化、地球上の生物の負担軽減につながります。また温室効果ガスの排出量はエネルギーの使用量と密接に関連しているため、まずはそれを計測することで、排出量とコストの削減がいかに可能かを特定することが可能になります。

　温室効果ガス削減の方法を特定するにあたり、最も包括的で対象が広い専門的な研究を提供しているのが「Project Drawdown」[3] です。このプロジェクトの目標は、気候変動対策に関する有益な情報を可能な限り集めることによって、気候変動対策が今後30年間にもたらしうる経済、社会、環境におけるメリットを明らかにすることにあります。プロジェクトチームは、世界中のさまざまな分野におけるハイ

【1】原文では「environment」。B インパクトアセスメントのセクション名は、アセスメントの項目名をそのままカタカナで「エンバイロメント」と記載し、その他の箇所では原則として「環境」と訳した。ゼミでは「風土」という訳語をあててはという意見も出た。風土は B Corp 相互依存宣言内で「place」の訳語として用いた。

【2】原文では「environmental justice」。環境において公正さを求めること。環境汚染や環境破壊による被害が、人種などの差別の結果として不公正にもたらされている現状を告発し、それを克服しようとする運動のことを「環境正義運動」と呼ぶ。2021年に当選したアメリカのバイデン大統領は環境正義を公約に掲げ、クリーンエネルギーなど環境に対する投資によって生まれた利益の40%を経済的に恵まれない地域に配分する「Justice40」と呼ばれる取り組みを推進している。

【3】プロジェクトの詳細が掲載された『ドローダウン：地球温暖化を逆転させる100の方法』〈山と溪谷社〉の著者、ポール・ホーケンについては、P.193の註を参照。

レベルで多様な研究者たちを集め、現在実現可能な100の解決策を特定、調査、モデル化しています。ここには、温室効果ガス排出の少ないクリーンエネルギーの利用から、低所得国における女子教育、空気中の炭素を除去する土地利用法まで、幅広い施策が含まれています。

これらの解決策は経済的にも実行可能なもので、すでに世界中のコミュニティで実践されてもいます。今後30年の間に、これらが世界中で展開されたなら、地球温暖化の速度を遅らせるだけでなく、温室効果ガスの増加を阻止して減少に転じさせる「ドローダウン」(Drawdown)を実現するための確かな道筋を描けるようになります。さらにこれらの施策によって、人類の健康、安全、繁栄、幸福に対してよい影響をもたらすことができるのであれば、気候変動という地球規模の危機を、公正で暮らしやすい世界をつくり出す好機と捉えることもできるようになります。

100の施策を取りまとめたリストは、インクルーシブであること、つまり、すでに存在している実効性のあるソリューションを幅広く提供することにあります。リストに含まれたソリューションは、「後悔のない」(no regrets) [4] ものであるかどうかに基づいて選ばれています。これは、気候変動対策にプラスの効果があるかどうかにかかわらず、経済やコミュニティに本質的な利益をもたらすものは実行する意味があるとする考え方です。生活を改善し、雇用を創出し、健全な地球環境を取り戻し、暮らしの安全性を高め、災害危機からの復興を早め、人類の健康の増進に寄与する施策なのです。

気候変動をめぐる取り組みにおける上位10個の施策は、大気中のCO₂削減効果が高い順から以下のように並んでいます。

☞冷媒の管理（エアコンなどの機器からの冷却剤漏出防止）
☞陸上風力発電
☞食料廃棄の削減
☞植物由来の食生活の推進
☞森の再生と熱帯雨林の保護
☞女子教育（女性の教育水準が向上すると1人あたりの出産人数が抑制され、育児に余裕が生まれ、子どもの健康につながる）
☞避妊による家族計画（家族計画を通して女性の権利を守ることで、健康、生活水準、平均寿命によい影響が出る）
☞大規模な太陽光発電
☞シルボパスチャー（草原の牧草地に木を植えることで、生産性を高めるとともにカーボンを吸収する方法）
☞屋根置き型の太陽光発電

上記以外の90の施策のほか、技術面におけるレポートやファイナンスモデルの解説は、Project Drawdownのウェブサイトをご覧ください。

【4】直訳すると「後悔なし」だが、気候変動対策の文脈では「自然災害や気候変動（またはその他の災害）が起こっても起こらなくても、経済的、社会的、環境的な観点から正当化できる、家計、コミュニティ、地域・国・国際機関による施策(policy)、戦略(strategy)、行動(action)」を指す。因果関係が不確実で科学的根拠は薄くとも介入は可能と考える「予防原則」に対して、因果関係が不確実だとしても、追加費用が少なかったり、他の利点から実行を正当化しやすかったりする対策を優先実施するという考え方。

どう実践する？

温室効果ガス排出量の計測を実施するにあたっては、いくつかのプロセスがあります。「GHG プロトコル」[5] は政府や企業のリーダーが排出量を把握、定量化、管理する上で、最も広く国際的に使われているものです。このプロトコルが提供するフレームワークは、世界中のほぼすべての温室効果ガス関連プログラムや規格に加え、数百の企業が作成する温室効果ガスインベントリ[6] にも使われています。こうしたツールセットを使うことで、企業は包括的で信頼性のある温室効果ガスインベントリを作成できるようになります。

　小規模事業者向けには、認証 B Corp である Carbon Analytics [7] が、企業のカーボンフットプリントの計算を無料で支援しています。同じく認証 B Corp である TripZero [8] も、出張で生じるカーボンフットプリントをオフセットするための支援を無料で提供しています。

②どこで生まれたエネルギーか？

クイックアセスメントの「環境負荷が少ない再生可能エネルギーを使用している」「再生可能エネルギーのクレジットを購入することで、使用した非再生可能エネルギーを相殺している」の項目の背景を知り、それを実践する方法を学びましょう。

それはなぜ重要か

再生可能エネルギーであれば、環境負荷はどれも同じというわけではありません。水力発電は発電時に CO_2 を排出しませんが、大規模なダムが他の環境問題や社会問題を引き起こすこともあります。B インパクトアセスメントにおいて、太陽光、風力、海洋、低環境負荷の水力、バイオマス、地熱、水素からつくられた環境負荷の少ない再生可能エネルギーを利用する企業が高く評価されるのはこのためです。現在利用している電力会社からすでに再生可能エネルギーが供給されている可能性もあります。北カリフォルニアでは、地域の電力会社から供給される電力の約33％は再生可能エネルギーですので、これに該当するのであれば、B インパクトアセスメントで加点されることとなります。

どう実践する？

自社で再生可能エネルギーの発電システム（太陽光パネルや、風力、地熱による発電システム）をもたない場合、あるいは地域の電力会社がグリーンパワープログラムを展開していない場合は、CO_2 排出を相殺するために再生可能エネルギークレジットを購入することができます。再生可能エネルギー証書の購入を検討する際には、価格、再生可能エネルギーの割合、新設または増設された再生可能エネルギー供給源の割合、再生可能エネルギーの構成、そして第三者機関の認証や評価などさまざまな要素を考慮する必要があります。再生可能エネルギークレジット、

【5】「GHG プロトコルイニシアチブ」が策定した温室効果ガス（Greenhouse Gas=GHG）排出量の算定と報告の基準。「GHG プロトコルイニシアチブ」は、地球の環境と開発の問題に関する政策研究と技術的支援を行なう独立機関「世界資源研究所」（World Resources Institute = WRI）と、持続可能な開発を目指す企業約200社のCEO連合「持続可能な開発のための世界経済人会議」（World Business Council for Sustainable Development = WBCSD）が主導し政府機関、企業、NGOなども参加した国際組織。

【6】インベントリとは、一定期間内に特定の物質がどの排出源・吸収源からどの程度排出・吸収されたかを示す一覧表のことを指す。気候変動・地球温暖化の文脈では、国や組織が1年間に排出・吸収する温室効果ガスの量を取りまとめたデータのことを一般的に「温室効果ガスインベントリ（Greenhouse Gas Inventory）」と呼ぶ。

【7】SME向けカーボンアカウンティング・サービスを提供。会計ソフトと統合することのできる包括的なカーボンフットプリントデータを自動的に作成するソフトウェアなどを開発する。

【8】サステナビリティ、カーボンエミッション削減に特化した法人向け旅行代理店。環境に配慮した出張、会議、イベントなどのオーガナイズを行なう。

カーボンオフセットやその他の関連事項についての情報は、認証B Corp である 3Degrees[9]や Native Energy[10]が提供してくれています。

事例 BioCarbon Partners

森林伐採は、世界全体の CO_2 排出の15％に関わる世界的な問題[11]で、とくにザンビアでの森林伐採は、最も大規模なもののひとつだ。アフリカを拠点とする認証 B Corp である BioCarbon Partners は、かけがえのない森林を守るための取り組みを農村コミュニティと協力して進めている。BioCarbon Partners を通じて森林カーボンオフセットを購入することで、1トンの CO_2 が大気中に排出されなくなるだけでなく、野生動物を守り、ザンビアの貧困を減らすことができるようになる。

ジャナ博士のTips カーボンオフセットや再生可能エネルギーを購入するのであれば、低所得者コミュニティ、非白人など社会から取り残された人びとへの取り組みを行なっている組織の支援にもチャレンジしてみてください。事例として挙げられている BioCarbon Partners における取り組みが参考になるでしょう。DEIの促進と環境負荷の低減を同時に進めることは可能なのです。

③移動を改善する、減らす

クイックアセスメントの「自家用車ではない交通手段を利用するインセンティブを提供している」「出張を減らすためにオンラインミーティングを活用するよう奨励している」の項目の背景を知り、それを実践する方法を学びましょう。

それはなぜ重要か

相乗り、公共交通機関、自転車の利用促進やテレワークの推進から自家用車の利用を減らすことで、CO_2 排出量を抑えることができます。こうした施策を推進している企業では、ワーカーの幸福度やパフォーマンスが向上し、離職率も抑えることができるとの調査もあります。

Climate Disclosure Project[12] によると、4つの会議室にオンラインミーティングのシステムを導入することで削減できる CO_2 排出量は5年間で2,271トンだといいます。この削減量は、乗用車400台が1年間で排出する温室効果ガスの量に匹敵します。

どう実践する？

まずは、これまでとは異なる通勤手段について、従業員とともに議論していきましょう。鍵となるのは、新しいアイデアを試し、フィードバックをもらい、必要に応じて修正しつづけることです。以下の問いを対話のきっかけにするといいかもしれません。

【9】カーボンクレジットに関する多様なプロジェクトを主導・ファシリテートするほか、企業やコミュニティに対して環境面におけるコンサルテーション、プロジェクト開発などを行なう、環境総合コンサルティング企業。

【10】各企業のゴールに合わせた CO_2 削減事業・プロジェクトの開発支援を行なう。Ben & Jerry's といった企業から、自治体のカーボンオフセット事業などに参画する。

【11】翻訳ゼミには、林業に携わるメンバーも参加していたが、日本における森林伐採の問題はより複雑だという。戦後の復興期に国内の木材需要を賄う森林資源がなかったため、政府は拡大造林政策をとった。しかし、造林してから木材として利用できるまでに50年以上の年月を要するため、輸入自由化により外国産木材で需要を満たすようになった。結果、日本の林業・国産木材産業は衰退し、働き手も少なくなっている。さらに収穫期を迎えた今日でも日本の森林は放置され荒廃し、山のエコシステムが充分に機能していない。森林率が少ない発展途上国での過度の伐採が深刻な問題となっている一方で、森林が豊富な日本の森林が放置され荒廃している状況に対して、ビジネスは何ができるのだろうか。

【12】投資家、企業、都市、州、地域が環境への影響を管理するためのグローバルな情報開示システムを運営する非営利の慈善団体。ウェブサイトには日本語版も。

☞これまでとは異なる通勤手段を利用するための助成金やインセンティブがあるか？

☞金銭面以外のインセンティブ（社内表彰など）があるか？

☞自転車通勤者のためのシャワー室など、新たな設備は必要か？

☞ライドマッチング[13]やGuaranteed Ride Home[14]といった既存の地域交通サービスやプログラムは使えるか？ あるいは社内で同様のサービスをつくるべきか？

☞こうしたプログラムの運営にどれくらいの就労時間が必要か？

☞従業員数を今後増やしたり減らしたりする予定はあるか？ これを考慮しておくと、将来の働き方・雇用のトレンドに見合った取り組みを計画できるようになる

☞似たような通勤形態の従業員（居住地の方向が同じ、出勤／退勤時間が同じなど）はどれくらいいるか？ ライドシェアを検討する企業には必要な情報となる

☞一番利用したいと思える通勤手段はどれか？ 従業員に調査してみる

【13】通勤の際の最適な交通ルート・移動手段を探し出す機能、もしくはサービス。アメリカでは、Rideshare、Ride-Matchなどのサービスがある。

【14】通勤者を対象とした登録無料の払い戻しプログラム。登録された通勤者は、深夜残業や緊急事態などの事由によって、通常とは異なる代替の交通機関を利用しても払い戻しを受けることができる仕組み。

(ジャナ博士のTips) 歴史的に周縁化されてきた人たちが通勤において直面する現実を忘れないようにしましょう。副業先へ移動するために車が必要な場合もあるでしょう。オンラインミーティングをするためのPCやブロードバンド回線が家にない場合もあります。自転車通勤は健康や環境にとって間違いなくよいものですが、会社から遠い低所得者層の多い地域に住む人たちには現実的な選択肢にならないかもしれません。逆に、上記の要件のどれにも当てはまらないけれど、新しい通勤方法を積極的に支持してくれる人もいるでしょう。大切なのは、スタッフ全員にとって何が現実的であり、何がそうでないのかをよく理解することです。個々人の声に耳を傾け、丁寧に議論していきましょう。

④製品が与える影響を可視化する
クイックアセスメントの「自社製品のライフサイクルアセスメントを実施している」の項目の背景を知り、それを実践する方法を学びましょう。

それはなぜ重要か
ライフサイクルアセスメント（LCA）は、製品がもつ環境インパクトの全体像を企業が把握する上で役に立ちます。一般的な製品の場合、LCAは、原材料の確保、輸送、製造、包装、使用、製品と包装の使用後の廃棄までを考慮して算出されます。ジェットエンジンから紙おむつ、飲料カップ、コンピューターまで幅広いプロダクトに対して適用することが可能です。

　LCAを行なうべき理由はたくさんあります。環境フットプリントの低減、廃棄物の削減、コストの削減、苦情対応の低減、ブランドイメージの向上といったさまざまな目的から、LCAは利用されています。

さらにLCAを通じて、共通の評価指標を従業員、サプライヤー、パートナーと比較し、共有することができるようになります。カナダの食品メーカーで認証B CorpのPRANAのティファニー・ムリロは以下のように証言しています。

「LCAの実施を決めたのは、サステナビリティへの取り組みにおいて、何を優先し、どこに注力すべきかをもっとよく知りたかったからです。食品を販売する際に、わたしたちは柔軟性があって長持ちするプラスチックの袋を使用しています。食品の鮮度を長時間保つために選ばれたものですが、多くのお客様が、この包装の仕方こそが当社が取り組むべき課題のひとつだと考えています（実際はそうではないのですが）。今回のLCAによって、包装が占める環境インパクトは5％しかなく、むしろ、農家の生産方法が約80％を占めていることが明らかになりました。この調査によって、本当は何に注力すべきなのかをお客様にもっと知っていただく必要があること、そしてそれをわかっていただくためにも、優先的な課題をわたしたちがいかに解決しているかを伝えていく必要があることがわかりました。LCAのおかげで、優先事項を決定し、あらゆるステークホルダーの長期的成功につながる信頼性の高いアクションプランを策定することができました」

どう実践する？
LCAの実施は綿密なプロセスのもと行なわれるため、社内だけでは得ることの難しい専門知識や時間を要する場合があります。その場合、コンサルタントにLCA実施のサポートを依頼することを考慮する必要もあります。LCAを外部に委託する際のコストは、何を評価したいのか、評価に必要な既存データの有無、比較対照したい製品の数などによって異なってきます。

ジャナ博士のTips　製品がそのライフサイクルを通して与える影響は環境以外にも多くあります。生産、製造、廃棄のそれぞれの工程において、歴史的に周縁化されてきた人たちはいったいどのような影響を受けているでしょうか。残念ながら、LCAの大部分は（すべてではないにしても）、こうした点を考慮していません。製品のインパクトを検討するにあたって、誰がこうした項目を新たに追加するのでしょうか？ DEIを製品のライフサイクルにマッピングするにはどうしたらよいのでしょうか？ぜひ考えてみてください。

⑤ゴミの行き先に目を向ける
クイックアセスメントの「製品をリサイクルまたは再利用するためのプロジェクトを計画・実践している」の項目の背景を知り、それを実践する方法を学びましょう。

それはなぜ重要か

廃棄された製品を回収してリユースやリサイクルを行なう企業が、ここでは高く評価されます。多くの自治体は一般的な紙やガラス、プラスチック、そしてアルミニウム以外の分別回収に対応できない[15]ため、製品の廃棄には大きな課題が残されています。

多種多様な原料のリサイクルを可能にするという課題の解決に向けて、世界各国では、生産者責任を拡大していく試みが始まっており、たとえば、あるプロダクトが寿命を終え、すべての部品が原材料ごとに回収されるまでにかかるコストの生産者負担を義務化するなどの実験が行なわれています。生産者責任の適用範囲を広げようという動きは、製品の設計に最大の権限を有しているのは生産者であるという考えに基づくものですが、これは逆にいえば、生産者は使用済みのプロダクトに対しても優先的な権限と責任を有しているということでもあります[16]。

どう実践する?

プロダクトの回収や再利用のためのプログラムを社内に実装していくためのステップは、どのような事業を、どれくらいの規模で、どの地域で行なっているのかによって異なります。はじめの一歩を踏み出すにあたっては、まずあなたの会社が置かれている地域にどのような既存のサービスやプログラムがあるかを調べてみましょう。そして、製品の回収や再利用についてどんな可能性がありうるかスタッフと話し合い、幅広いステークホルダーからフィードバックをもらい、公式なプロジェクトとしていきなり始めるのではなく小さなパイロットプロジェクトから始めるのがいいでしょう。詳細なヒアリングが必要であれば、製品回収・再利用のプログラムをすでに実施している認証B Corpにアドバイスを仰ぐのが最もよいでしょう。自社の経験や次に踏み出すべき一歩について、ほとんどのB Corpが喜んで共有、助言をしてくれるはずです。ちなみに、この分野の先駆的な事例としては、Patagoniaの「Worn Wear」[17]や、Preserveの「Gimme 5」[18]などがあります。

ジャナ博士のTips 埋立地に向かうゴミを減らすことは喫緊の課題です。埋立地や危険なゴミ収集所の多くは有色人種が住む地域に置かれ、さまざまな健康被害や環境汚染が発生しています。これはまさに、あなたとあなたの企業が取り組むべき、環境正義をめぐる問題です。また、回収プログラムは、前科があったり、ホームレス状態にあって仕事を得にくかったりする人びとに就業機会をつくり出すチャンスともなります。回収の仕事は、複雑さを伴わず、道具を使わずにできるものも多く、少なからぬ人にとってスキルの習得が可能なものです。

⑥社内外の指針になる購買方針

クイックアセスメントの「事務用品、食品、電子機器、清掃用品、製品

[15] 日本では「廃棄物の処理及び清掃に関する法律」によって、一般的な事業系廃棄物は20に分類されている。ただし新しく生まれた廃棄物や、そこから発生する問題については改正が行なわれているが、法令の改正は後手に回ることが多く、排出者が自主的に果たすことが求められる。

[16] プロダクトに対する生産者の責任として、「修理する権利」にも注目が集まっている。スマートフォンやラップトップPC、家電などの多くの製品で組み立てが複雑化した結果、部品の交換や修理を消費者が自らの手で行なうことが難しくなっている。アメリカで2012年に自動車を修理するための情報をメーカーが公開する義務を定めた法律が立法されたことを皮切りに、21年に「修理する権利」を保障する法律の施行が米連邦取引委員会で可決されている。

[17] リサイクルは最後の手段であるという考えのもと、自社製品が使用できる期間を延ばすためにリペア・リユースすることを探求するプラットフォーム。これまでにリペアを行なった製品は415,174アイテムに上る（同社サイト、2021年11月14日時点）。

[18] 廃棄されたヨーグルトカップからつくった歯ブラシなどユニークな製品で知られるサステナビリティに特化した消費財メーカーのPreserveが提供してきたプログラム。消費者から寄せられたプラスチックゴミを製品へとリサイクルするプロジェクトだが、コロナ禍による物流の問題から2020年秋に一旦休止。2021年11月の段階で、まだ再開のめどは立っていない。

の原材料などについて、環境に配慮した購買方針を定めている」の項目の背景を知り、それを実践する方法を学びましょう。

それはなぜ重要か

環境に配慮した購買ポリシーがあることで、従業員に対して環境に責任をもった購買行動を促すことが可能になります。公式に施策化することで、製造、利用、廃棄における環境責任への意識を会社全体で高めることができます[19]。施策としては、以下のようなことが考えられます。

☞同じ価格帯のものであればリサイクル率の高いものを優先する
☞リユースやリサイクルできるアイテムを特定する
☞備品のエネルギー使用量と必要性を購入前に考慮する
☞環境保全にコミットしているサプライヤーを優先する
☞購入時に、各備品のライフサイクルにおいてかかるコストとインパクトを考慮する

どう実践する？

新しい施策を実施するにあたっては、まず、調達におけるゴールと目的を設定しましょう。以下のように宣言するイメージです。

「わたしたちは社会と環境にプラスの影響をもたらすサプライヤーとの関係構築に努めています。そのために、環境や社会、地域を考慮した原料や製品、そしてサービスの購入を促進すべく、そのためにこの方針と成果のゴールを設けました」。

　次いで、その施策が、第三者機関認証の価値に基づくものであることを、購買相手に対して説明する必要があります。たとえばこのような通達です。

「わたしたちは、健全かつ社会的にも環境的にも認められた第三者機関の審査基準を満たしている企業からの購買を優先します。例としては、B Corp認証、オーガニック認証、国際エネルギースタープログラム、フェアトレード、フードアライアンス、グリーンシール、ジャストビジネス、LEED、そして非遺伝子組み換えプロジェクトなどです。ただし、認証は上記に限定されるわけではありません。この他の厳格な独立第三者機関による認証についても考慮いたします」。

　ジャナ博士のTips　環境に優しい商品やサービスを購入するだけでなく、歴史的に周縁化されてきたコミュニティが運営するサプライヤーからの調達も検討してみましょう。地球に与える影響を減らしながら、DEI推進にも貢献することにもなるからです。

【19】調達したプロダクトやサービスによって、社外に対しても伝えたいメッセージが変質してしまうことがある。たとえば、サステナビリティをテーマに開催されたイベントでペットボトルのミネラルウォーターが配布されていたとしたら、参加者は主催者の環境に対する実践を疑問視するだろう。海外の環境をテーマにしたイベントなどでは、認証B Corpによるケータリングなどが提供されている事例も多い。

⑦有害廃棄物に注意する

クイックアセスメントの「有害廃棄物（例 電池、塗料、電子機器など）を、責任をもって処理している」の項目の背景を知り、それを実践する方法を学びましょう。

それはなぜ重要か

有害廃棄物は、健康や環境にとって危険なものです。有害な廃棄物は、重工業メーカーだけから出るわけではありません。一般のオフィスにおいても、清掃用品、建築資材、および電子機器の廃棄には十分な注意が必要です。不適切な有害廃棄物処理は、従業員や地域住民の健康を損なうだけでなく、環境にも悪影響をもたらし、地域の土壌や水質、大気を汚染することもあります。また、汚染によって不動産価値が低下したり、罰金や訴訟の対象となったりすることもありえます。

どう実践する？

有害廃棄物を適切に除去、削減、処分するためには、いくつかのステップを踏む必要があります。いきなり廃棄のことを考慮するのではなく、まず、生産工程において有害物質を使わなくても済むような可能性を検討してみましょう。次いで、廃棄物の排出量を削減した上でも、まだ出てしまう有害廃棄物がある場合は、市区町村が有害廃棄物の回収を行なっているかどうかを確認しましょう。自治体のサービスを利用することで廃棄物処理が容易になるだけでなく、公的な規制に基づいて事業が行なわれていることの保証にもなります。言うまでもなく、有害廃棄物の適切な処分方法は、廃棄物の種類によって異なります。地元の廃棄物管理局に問い合わせ、どのような種類の廃棄物が地元で受け入れられているかきちんと確認しましょう。

ジャナ博士のTips　有害廃棄物を適切に処分することは非常に重要ですが、処分したあと、その廃棄物はいったいどこへ行くのでしょうか[20]。すでにお伝えした通り、埋立地や有害廃棄物処理場などの施設は、有色人種のコミュニティ内に置かれることが多いのです。白人と比べて有色人種のほうが、工場地帯に隣接する「フェンスライン」[21]のなかで暮らす可能性が、2倍も高くなっています。こうした施設は、大気汚染、安全性、健康被害といった懸念をもたらします。最も有効な取り組みは、企業が生み出す有害廃棄物の総量を削減することです。次いで、その有害廃棄物がどこに向かっているのかを知ることです。貧困層や有色人種の人たちが暮らしている場所に新たな廃棄物処理場や産業施設を建設する計画があるのであれば、それに反対しましょう。声を上げ、あなたの特権をコミュニティのために行使してください。

【20】ゴミの行き先をめぐる日本の事件としては「東京ゴミ戦争」がある。1655年に現在の江東区にあった永代浦がゴミ捨て場として指定されてから戦後にいたるまで、江東区は最終処分場としての役割を担いつづけてきた。高度経済成長期に入り廃棄物が増加した結果、悪臭やハエの大量発生といった問題が発生。区民からの苦情を受け、1950年代から都は江東区以外に清掃工場を建設する計画を進めたが、事前協議がないとして杉並区の清掃工場建設予定地の近くに住む住民が反発、計画がストップする事態となっていた。1972年には業を煮やした江東区長が、杉並区からのゴミ搬入を道路で止めるという騒動も起き、「ゴミ戦争」の様相を呈した。都と杉並区の住民による和解の結果、1983年に杉並清掃工場は稼働をスタート。そこまでに30年近い年月が必要だったことになる。

【21】「フェンスラインコミュニティ」のこと。工場、プラントなどの施設に隣接し、その騒音、臭気、化学物質の排出、車の往来などの影響を直接受ける地域のことを指す。有害廃棄物を排出する工場に隣接するアメリカのフェンスライン・コミュニティには、有色人種や貧しい居住者が多く暮らしており、ルイジアナ州ノルコにあるShellの工場のフェンスラインに暮らすアフリカ系アメリカ人のダイヤモンドコミュニティなどが例として挙げられる。

⑧輸送における環境インパクトを減らす

クイックアセスメントの「環境影響の少ない輸送・配送に関する方針を文書化している（例 航空便での配送を避ける、など）」の項目の背景を知り、それを実践する方法を学びましょう。

それはなぜ重要か

Interface[22] の創業者・CEOであり、企業のサステナビリティ活動のリーダーであるレイ・アンダーソンはかつて「『燃やさない』よりもグリーンなガソリン、ディーゼル、灯油、石炭は存在しない」と述べました。「グリーン」という言葉を「安価」という言葉に置き換えても同じことがいえます。アメリカとイギリスの高速道路では、トラックの4分の1が空荷のまま走っており、こうした無駄をなくしデータ管理システムを活用した効率的な輸送を導入することで、輸送総量を減らすことができないか検討を始めています。同じ量をより少ない回数で輸送することができれば、燃料、車両のメンテナンス、ベンダーとの契約にかかる費用を削減することができます。

どう実践する？

環境インパクトの少ない輸送・配送ポリシーを策定することは、資源の効率化を促進する有効な方法です。最初にすべきは、ポリシーを策定する理由を明確にすることです。たとえば以下のように言語化してみましょう。「わたしたちは入荷・出荷両方の輸送におけるカーボン排出量を削減するために、この輸送・配送ポリシーを策定しました」。

次に、実際にポリシーをどう実施するのかを説明しましょう。以下のように文章化できるはずです。「わたしたちは、実行可能ななかで最も環境影響の少ない方法で（航空運輸は用いずに）入荷・出荷貨物を輸送する運輸・配送業者とともに事業を行なっていきます。選定先としては、トラックに代替燃料を利用している運送会社や、全量積載を実施している運送会社などを検討いたします」

【22】1973年に創業したオフィスカーペットメーカー。タイルカーペットで商業空間のデザインに大きな転換をもたらしただけでなく、環境に配慮したオフィス設備メーカーの先駆者としても知られる。

証言 | B Corp がエンバイロメントにもたらすもの

1. 成長のためのエネルギー

タリン・レーン

Hepburn Wind｜オーストラリア

——B Corp になろうと思った理由は？

B Corp のアイデアがわたしたちの価値観と一致しているだけでなく、わたした
ちが掲げてきた協同組合の原則よりも幅広い観点から、自分たちが大切にして
きた倫理を公的なものにすることができると思ったからです。

——どんなメリットがありましたか？

未来に対して責任をもつことができるようになりました。また、電力やカーボン
オフセット商品を他の認証 B Corp に販売するだけでなく、B Corp コミュニテ
ィが提供するサービスを利用することもできそうです。

——B Corp になって一番の驚きは？

自分たちのビジネスモデルがいかに有効で、それが時間とともによりよく進化し
てきたことに改めて驚かされました。B インパクトアセスメントで非常に高いス
コアを得たのは、風力発電所をつくりあげてくれた素晴らしいボランティアやス
タッフの尽力を褒めてもらえたということだと思っています。

——インクルーシブエコノミーのために何をしていますか？

コミュニティベースの協同組合として、わたしたちは、風力発電所がもたらすメ
リットを地域と分かち合いながら、コミュニティの炭素排出量ネットゼロへの移
行をリードしていかなくてはなりません。そのためにはコミュニティ全体に配慮し、
誰もが参加でき、利益を享受できるようにする必要があります。わたしたちが運
用する基金は、過去 6 年間で 50 を超える地域コミュニティに助成金を提供し
てきました。また、EV の充電ステーション、コミュニティ施設の自家用太陽光
発電システムの設置、太陽光発電による電気の一括購入、グリッド接続された
太陽光発電所などの設置・運営をサポートするエネルギー基金もあります。コ
ミュニティから生まれたエネルギーが、地域経済を成長させているのです。

Hepburn Wind｜メルボルンの北西に位置する風力発電所を建設・所有するコミュニティ協同
組合。オーストラリアで最初のコミュニティ所有の風力発電所として知られる。

2. ゴールを見失わないために

スナクシ・クルス

Sistema Biobolsa｜メキシコ

——B Corpになって、どんなメリットがありましたか？

ソーシャルビジネスとしてのわたしたちの使命は、公平で、共感できて、廃棄物のない持続可能な世界を実現することです。動物の排泄物を再生可能な資源（バイオガスと有機肥料）に変えて小規模農家に提供する処理設備の製造、販売、設置を行なっています。B Corp認証は、わたしたちが世界で最も重要なチェンジメーカーのコミュニティの一員であることを明らかにしてくれます。それが、インパクト投資や才能を誘引し、新たな事業機会をもたらしてくれています。いまでは、サステナブルな事業の国際的な事例のひとつと見なされるまでになっています。

——B Corpムーブメントについて、ひとつ変えられるとしたら？

メキシコのB Corpコミュニティのパイオニアであることに誇りをもっています。わたしたちが事業を行なっているラテンアメリカ、インド、アフリカでも、もっと多くの企業をB Corpムーブメントに招き入れたいと考えています。B Corpコミュニティは成長を続けていますが、B Corpが世界をより良くするためにできることは、まだまだたくさんあります。

——B Corp認証取得を検討している企業にアドバイスはありますか？

B Corp認証は、最高水準の品質、サービス、ポジティブなインパクトへのコミットメントの証です。たとえ会社がどんなに大きくなっても、新しい経済を創造し、良いことのためにビジネスを用いるというゴールを見失わないためにも、B Corpは必要なのです。

Sistema Biobolsa｜動物の排泄物をバイオガスと有機肥料に変える処理設備を製造、販売、設置している企業。メキシコ、インド、ケニア、コロンビアに支社がある。

---

3. ロールモデルになれた

ジョアン・パウロ・フェレイラ

Natura｜ブラジル

——B Corpになろうと思った理由は？

2013年の終わり頃、わたしたちは2020 〜 2050年のサステナビリティ・ビジョン策定のための調査を行なっており、サステナビリティをめぐる全社戦略の策定にも着手していました。この調査は、社会、環境、経済の領域におけるイノベーションの動向を調べるものでした。その過程で、ビジネスを成長させるひと

つの可能性としてB Corpムーブメントが浮上してきました。そのさなかに、B ムーブメントの側からNaturaに連絡があり、お互いの道が重なり合うことになりました。業績と社会・環境に対するインパクトを両立することで、ビジネスにおける成功を再定義するというムーブメントの目的に沿いながら、企業のDNAを改めて確認する機会を得たのです。

——どんなメリットがありましたか？
B Corp認証は、世界にとってより良い企業でありつづけるためには絶えず努力を重ねなくてはならない、ということを意識させてくれます。認証が3年ごとに見直されるため、常に戦略をアップデートしなくてはならないからです。工業部門における平均スコアは105点ですが、Naturaは2017年に120点を獲得しました。また、B Corpの活動に参加するとすぐに、Naturaは他の企業からベンチマークとして認識されるようになりました。ロールモデルとみなされるようになったのです。B Corp認証を取得するために、わたしたちが何をどう変えたのかをみんな知りたがっていました。

Natura｜1969年創業のブラジルのコスメティック・メーカー。Aēsop、THE BODY SHOP、Avonを傘下に収め、Aēsop、THE BODY SHOPはB Corp認証を取得している。

4. ビジネスでニーズを証明する
バス・ファン・アーベル
Fairphone｜オランダ

——B Corpになろうと思った理由は？
B Corpになることで、会社の価値を対外的に明らかにすることができますし、社会的なミッションを事業の中核に据えている、自分たちと似た考えをもつ会社とつながりをもてると考えたからです。

——B Corp認証取得にあたっての最大の難関は何でしたか？
Fairphoneは、意識向上のためのキャンペーンとして始まったものが会社になったという（おそらく結構ユニークな）出自をもっています。お金儲けを前提にしたビジネスとはまったく違うものだったので、認証を受けるのはそれほど難しくはありませんでした。B Corpになることが、最初から会社のDNAに組み込まれていたんです。

——B Corpになって一番の驚きは？
自社のミッションを人に説明するにあたって大きな効果を発揮することです。B Corpのような認証は、より大きな目的を理解してもらうのにうってつけなんです。これは、社会的ミッションをもって設立された会社にとってはとても重要なことです。

——インクルーシブエコノミーのために何をしていますか？

Fairphoneは、エレクトロニクス業界を内側から変えようとしています。消費者と携帯電話、そしてその背後にあるサプライチェーンを結びつけることで、プロダクトのつくられ方と消費のされ方を変えようとしています。エシカル消費を実現するために、消費者は自分が使っている製品についてもっとよく知る必要があります。わたしたちはサプライチェーンを少しずつ改善しながら、エシカルな製品にさらなる需要があることを証明しています。

Fairphone｜アムステルダムを拠点とするスマートフォンメーカー。環境への負荷が少ない設計・製造のプロダクトを開発することをミッションとしている。

3-4

ガバナンス

5年か10年後にいまを振り返ったときに
「B Corpは革命の始まりだった」と言いたいと思っています。
既存のパラダイムはもはや機能していません。これこそが未来なのです

イヴォン・シュイナード｜Patagonia｜アメリカ

クイックアセスメント

以下の11の項目に従ってクイックアセスメントを実施してみましょう。達成している項目数を数えることで、ガバナンスのセクションにおけるBインパクトアセスメントの概算スコアを把握することができます。（各項目の詳細は、リストのあとに説明があります）

☐ 社会的・環境的責任をミッションステートメントに盛り込んでいる

☐ 社会的・環境的ミッションの研修を従業員に対して行なっている

☐ 社会的・環境的パフォーマンスを考慮して、
　従業員と経営陣を評価している

☐ 社会的・環境的パフォーマンスを、賞与などに結びつけている

☐ 社外のステークホルダー（カスタマー、地域住民、取引先、非営利団体など）から
　社会的・環境的パフォーマンスに関してフィードバックを受けている

☐ 女性、有色人種、LGBTQIA（性的マイノリティ）、およびその他の
　アンダーレプレゼンテッドな人びとが参加する役員会、諮問委員会、
　またはその他の組織をもっている

☐ 役員会のメンバーに、役員以外の社員、地域住民、環境専門家を含んでいる

☐ 役員会が、社会的・環境的パフォーマンスを年1回レビューしている

☐財務に関する基礎的な情報を従業員と共有している

☐外部に向けたアニュアルレポートで、企業のミッションに関連した
　　パフォーマンスを詳しく開示している

☐ミッションを法的に制度化している
　　（例 ガバナンスに関するドキュメントへのステークホルダーに対する配慮の記載、
　　ベネフィット・コーポレーションとしての法人化、など）

チェックをつけた項目ごとに 1 ポイントを加算してください。

☞得点が 0 から 3 の場合：B Corp 認証を得るためには、まだまだやることがありそ
　うです。ただ、他のセクションで高いスコアを取得していれば、挽回できる可能性
　もあります
☞得点が 4 から 6 の場合：他のセクションでも同様のスコアであるなら、B Corp 認
　証の取得はもうすぐそこです
☞得点が 7 から 12 の場合：素晴らしいです！ すでに B Corp 認証に必要なスコア
　を満たしています

アセスメントの実践に向けて

Patagoniaのイヴォン・シュイナードは、100年続く会社をつくりた
いと語りました。200年の歴史をもつKing Arthur Flourは、会社
がさらに200年先まで繁栄できるようB Corp認証を取得しました。
よりよいビジネスを持続させるには、経営陣やオーナーの交代に影響
されないことが重要です。

　ここまで見てきた通り、ワーカー、コミュニティ、エンバイロメント、
いずれの観点から見てもよい事業を行なうことは決して簡単なことで
はありません。その困難は、よい事業を長期的に続けようと思えば、
さらに深まります。

　認証B Corpの多くは、自社の耐久性を高めるには、自社のミッシ
ョンを文化的・法的なDNAに組み込むことが重要な鍵だと考えてい
ます。そこには、長期的なミッションに対する説明責任を高めること
でミッションを現実化していくことも含まれます。これは具体的には、
あなたの会社が拠って立つ価値を、従業員のジョブディスクリプショ
ンや業績評価、さらにはコーポレートガバナンスに関する文書に組み
込むことを意味します。これはまた、高い透明性、オープンさ、正直さ
をもって、ミッションの達成度合いやよりよい将来に向けた取り組み
を明らかにすることでもあります。

　B Corp認証取得に向けた旅の手助けとして、ここでは、いくつか
のトピックに焦点を当て、それが重要である理由、Bインパクトアセス
メントの評価対象になっている理由を説明しながら、実践のためのヒ
ントを提供します。

①責任をミッションに組み込む

クイックアセスメントの「社会的・環境的責任をミッションステート
メントに盛り込んでいる」という項目の背景を知り、それを実践する
方法を学びましょう。

それはなぜ重要か

ビジョン、ミッション、バリューはビジネスの礎となるものです。社会
的・環境的責任へのコミットを明確化することは、従業員、オーナー、
および経営陣[1]が変化しつづけるなか、パーパス・ドリブンな事業を
継続する上で役立ちます。また、認証B Corpの多くは、この取り組
みが、組織内の連携を生み出す上で最も重要なものだと気づいたとい
います。

どう実践する？

自社のビジョン、ミッション、バリューに関するステートメントを作成
する際には、役員会、経営陣、および従業員を一堂に集め、以下のア
ウトラインに従って実施してみてください。できるだけ多くの人を巻

【1】原文は「employees,
ownership, and manage-
ment」。それぞれ被雇用者、
企業のオーナー、被雇用者を
管理するマネジメント層を指
す。具体的には日本の企業の
場合、社員、株主、社長などの
役職が想定される。

き込むことが重要です。

☞ ビジョン：「どうなりたいのか」を自問する

ビジョンステートメントでは、5年後のあなたの会社の姿を簡潔に描く。たとえば「社会起業家のコーチングと戦略におけるトップクラスのソートリーダー[2]として全国的に認められる」

☞ ミッション：「どんなビジネスに携わっているか？」を自問する

ミッションステートメントには、組織全体の目的を、明確かつ簡潔に記載する。それによって、多数の個人が共通の目的と同じ方向性をもって働くことができるようになる。また、優れたミッションステートメントは挑戦しがいがあると同時に達成可能なものでなくてはならない。たとえば、Patagoniaのミッションステートメント[3]は、「最高の製品をつくり、環境に与える不必要な悪影響を最小限に抑える。ビジネスを手段として環境危機に警鐘を鳴らし、解決に向けて実行する」。Methodのミッションステートメントは、「幸せで健康的な家庭革命を実現すること」。LIFT Economyのミッションステートメントは、「すべての生命の利益のために機能する、包括的で地域的に自立した経済を創造し、モデル化し、共有すること」

☞ バリュー：「何のために存在するのか？」を自問する

バリューステートメントは、ビジョンとミッションを結び付ける。企業がミッションとビジョンを実現するために、どのような活動を行なうべきかを意思決定する際にフィルターの役割を果たす

ジャナ博士のTips　ビジョンを作成する際に企業が忘れがちなのは、従業員の体験を定義することです。従業員はあなたの会社の最大の資産のひとつです。企業文化を定義せずに放っておいてはいけません。

TMI ConsultingがDEIに関する取り組みをお手伝いする際に、組織の文化を初めて定義する必要に迫られることがよくあります。文化的な価値は、勝手に生まれてくるものだと思ってはいけません。常に先回りをしながら、従業員にとっての職場体験がどのようなものなのかを、積極的に定義していきましょう。まず人びとがどう扱われるのが望ましいのかを考えましょう。そして、各従業員が自分の仕事や職場についてどう感じているのが望ましいかを考えてみましょう。顧客体験について議論することは大切なことですが、従業員体験について考えることを疎かにしないでください。定義し、成文化し、すべての新入社員に伝えましょう。そうすることで、何か問題が生じても、向上心をもって自らつくったビジョンに立ち戻ることができます。また、すべての従業員が、会社のビジョンを「自分のもの」としてオーナーシップを感じられるよう、社員と協働しながら作成することも検討してみてください。社内文化に関するビジョンは、社内に新たなプログラムや目的、コミットメントなどを導入する際にも有用な参照点となります。

【2】原文は「thought leader」。思想的リーダーとも訳される。その分野の未来を先取りしたテーマを提示し、人にさまざまな気づきや議論をもたらす存在であることが含意されている。EコマースにおけるAmazonのジェフ・ベゾスなど。

【3】同社のミッションステートメントは、2018年に「We're In Business To Save Our Home Planet」（わたしたちは、故郷である地球を救うためにビジネスを営む）というフレーズに変更されている。詳しくはP.057の註を参照のこと。

②ミッションへの意識を合わせる

クイックアセスメントの「社会的・環境的ミッションの研修を従業員に対して行なっている」という項目の背景を知り、それを実践する方法を学びましょう。

それはなぜ重要か

企業の社会的・環境的ミッションについて正式な研修を行なうことで、事業目的の背後にあるパーパスを従業員に対して明らかにし、パーパスの達成に向けたモチベーションとエンゲージメントを高めることができます。

どう実践する？

まず、新しく入社した社員全員に、あなたの会社の社会と環境をめぐるゴールを明らかにしましょう。そして、そのゴールを従業員ハンドブックに組み込みましょう。次に、社会的ミッションに関する、全従業員を対象とした研修を行ないましょう。その際には、勤続年数の長い従業員、役員もしくは投資家に、あなたの会社が、どのように社会と環境の課題解決を目指しているかを講義してもらうとよいでしょう。たとえば、King Arthur Flourは、ESOP101（Employee Stock Ownership Plan 101）を採択し、従業員持株制度がいかに経済的不平等の解決につながるか、なぜ従業員オーナーシップ制度を採用しているのか、さらに従業員持株オーナーシッププランへの参加資格を得る方法などを、従業員に説明しています。

あなたの会社の価値観を従業員に理解してもらうための最もよい方法は、直接体験してもらうことです。United By Blue[4]のミッションは、海のプラスチック汚染に対する問題意識を高めることです。中心的な事業は海洋プラスチックを再利用した衣料品の販売ですが、従業員にプラスチック廃棄物の問題を身近に感じてもらうべく、川やビーチの清掃活動を行なっています。同社はすべての従業員に対して、ミッションをより深く理解するための第一歩として、清掃活動に参加し主導することを推奨しています。

また、アメリカでマテ茶などを製造するGuayakí[5]のクリス・マンはこんなコメントを寄せてくれています。「従業員のエンゲージメントを高めるために、わたしたちが第一に行なっているのは、チームメイトとともに熱帯雨林に赴き、先住民族のコミュニティとともに収穫作業に参加することです。現在、社員の約半数は熱帯雨林を体験しており、アルゼンチンやパラグアイの熱帯雨林にフルタイムで駐在しているチームメイトもいます。こうした活動を通して全員がミッションとビジョンを共有することで、会社全体にポジティブな雰囲気が生まれつづけるのです」

【4】フィラデルフィアを拠点とするアパレルブランド。プロダクトが1つ売れたら1ポンドのゴミを回収することを目標とし、清掃活動を主催している。

【5】マテ茶を主力商品とするオーガニック飲料メーカー。Guayakíという社名は、マテ茶を飲んできたパラグアイの先住民族アチェ族に由来する。同社はアチェ族が住む熱帯雨林の保全とマテの収穫を行ない、社名の使用料を支払っている。

組織文化や社会的・環境的ビジョンに関するトレーニングを行なうことは、従業員に目標に対する責任感をもってもらう上で不可欠なものです。学ぶ機会も、理解する機会も、そしてそれについて安全な環境で話し合う機会も提供せぬまま、会社の価値観を遵守、尊重せよと求めるのは不当なことです。従業員がハンドブックやウェブサイトに記載されている内容以上のことを質問したり、詳しく調べたりすることができるようにしなくてはなりません。

③目標を内部化する

クイックアセスメントの「社会的・環境的パフォーマンスを考慮して、従業員と経営陣を評価している」「社会的・環境的パフォーマンスを、賞与などに結びつけている」という項目の背景を知り、それを実践する方法を学びましょう。

それはなぜ重要か

あなたの会社の従業員やマネージャーは、明文化された社会的・環境的ゴールに沿って評価されていますか？ もしそうでないのなら、年1回のレビューにそれを組み込むことを検討しましょう。社会的・環境的ゴールの達成に向けて、責任範囲を明確にし、インセンティブを設定することは、サステナビリティの取り組みに対するワーカーのモチベーションの向上にもつながります。

どう実践する？

評価制度について従業員と語り合ってみましょう。そして、なぜ社会的・環境的ゴールを設定しているのか、そして、それが自社の価値観にいかに沿っているのかを説明しましょう。評価方針の変更の背後にある目的を説明し、従業員が意見を述べられるようにすることで、強制的に遵守を求めるよりも効果的に新しい制度を導入することができるでしょう。

　また、従業員のうちにサステナビリティゴールを自発的に生み出すために最も効果的な方法のひとつは、Bインパクトアセスメントに取り組むことです。これを行なうことで、使われていない電気を消す、週に1回は自転車で出社する、相乗りのグループをつくる、可能であればリサイクルをしたり堆肥化したりする、といったさまざまなアイデアが従業員のなかから生まれてくるはずです。

測定可能なものは達成可能です。わかりやすい方法は、多様性のある公平な職場づくりを後押しするような、社会性のあるインクルーシブな行為を、従業員のパフォーマンス評価の対象とすることです。パフォーマンス評価に組み込まれていなければ、フェアでインクルーシブな行動は、ただの任意の行為となってしまいます。従業員

のなかでも特にマネージャーが、インクルーシブな振る舞いと異文化間コンピテンシー [6] に対して責任をもつことは、この職場が偏見、差別、ハラスメントを許容しない場所であることを明示することにもつながります。組織のリーダーは、人が何を信じるかを強制したり指示したりすることはできませんが、許容される行動とされない行動とを線引きすることはできます。自分の振る舞いが自分自身の給与査定に響くとわかれば、改善のインセンティブが与えられ、積極的に行動するようになります。社内で許容される行動を明確に定義し、必要な情報やトレーニングを提供することで、すべての社員が「自分たちがどうあるべきか」を正確に理解できるよう心がけてください。

④外部の意見を聞く
クイックアセスメントの「社外のステークホルダー（カスタマー、地域住民、取引先、非営利団体など）から社会的・環境的パフォーマンスに関してフィードバックを受けている」という項目の背景を知り、それを実践する方法を学びましょう。

それはなぜ重要か
ステークホルダーから社会的・環境的インパクトに関するフィードバックを得るための正式に制度化された仕組みがあることは、企業にとって極めて重要です。ステークホルダーは、あなたの会社の意思決定によって多大な影響を受けるにもかかわらず、意思決定のプロセスに参加することができません。一般的な顧客満足度調査や製品に関するフィードバックは、それ自体は重要ですが、「外部ステークホルダーのフィードバックを得る」ことのなかには含まれていません。

どう実践する？
パフォーマンス向上のための新しいアイデアを生み出す最良の方法のひとつは、会社と定期的に関わり合う人たちの意見を聞くことです。たとえば、ウェブサイトに社会と環境についてフィードバックを送ることができるコーナーを設けたり、オンライン調査を実施したり、コンテストを開催し賞を授与することなどが考えられます。まずは、上位5社のサプライヤーや優良顧客に耳を傾けることから始めましょう。そこで得られたフィードバックを活用し、自社の活動を精緻に改善していきましょう。

ジャナ博士のTips 誰がその部屋にいないのか、どのようなステークホルダーが見過ごされているか、いま一度見回して問い直してみましょう。特定の階層が意図的に排除されていませんか？ もっと多様なステークホルダーがいたほうがいいと感じませんか？ 多様なステークホルダーがいないのはなぜですか？ もしそこに幅広いステークホルダーが参

【6】原文は「cultural competency」。異文化の人たちとの効果的で適切なコミュニケーションをもたらす関わり方のこと。competencyとは、その人の優位性を生み出している行動特性・能力のこと。

加している場合は、企業の強みと改善すべき点について、必ずフィードバックを求めましょう。

⑤多様性を内部に組み込む

クイックアセスメントの「女性、有色人種、LGBTQIA（性的マイノリティ）[7]、およびその他のアンダーレプレゼンテッドな人びとが参加する役員会、諮問委員会、またはその他の組織をもっている」という項目の背景を知り、それを実践する方法を学びましょう。

それはなぜ重要か

この質問は、社会的・環境的パフォーマンスの監査を行なうガバナンス機構を、販売とオペレーション、財務、役員の監査とは別に備えている企業を評価します。加えて、役員会に、従業員（非執行役員）やコミュニティメンバー、環境の専門家などが参加している企業も評価されますが、これはこうしたメンバーがもたらすインサイトと専門知識によって、あらゆるステークホルダーの利益を考慮した意思決定が行なわれるようになるからです。

　アメリカで清掃業務を提供するFacilities Management Services[8]のジェニファー・クームスは、以下のようなコメントを寄せています。

　「弊社では役員会を以下のように構成することが定款で定められています。少なくとも1人の現場の従業員、1人の管理職の従業員を含むこと。役員会の50%は、企業の株主または従業員ではなく、コミュニティまたは環境に関する専門知識を有するメンバーで構成されていること。役員会の少なくとも50%が、有色人種、女性、LGBTQ、または行政サービスが行き届かないコミュニティのメンバーで構成されていること。少なくとも1人の役員が、法人顧客のメンバーであること。そして、少なくとも1人の役員の収入が低所得であること」。

　調査によれば、役員会で性別や人種の多様性が高い企業は、規模、業界、およびコーポレートガバナンスの体制にかかわらず、より優れた財務実績を上げています。Fortune 500を対象にした2009年の調査は、取締役会でジェンダー多様性が最も高い企業は、同業他社と比較して、売上高利益率が42%高く、株主資本利益率が53%高いことを明かしています。

どう実践する？

公式、非公式にかかわらず、社内のガバナンス機関は、適切なメンバーで構成されていることで、より効果的に動きます。メンバーは、新たな専門知識、視点、そして価値観を授け、これまでとは異なる視座を意思決定にもたらし、現在の役員や幹部、会社全体の強みを補強することが求められます。

【7】レズビアン、ゲイ、バイセクシャル、トランスジェンダー（LGBT）に加え、クエスチョニングまたはクィア、インターセックス、アセシャルを加えたセクシャルマイノリティの呼称。

【8】ケンタッキー州ルイビルなどに拠点をもつ清掃会社。従業員に高水準の職業訓練を行なうことで、離職率は業界平均の数分の一にとどまっているという。

今後、役員会メンバーを選ぶ際には、現在のリーダーたちの長所と短所、いまから未来に向けて組織が求めるニーズ、鍵となるステークホルダーを考慮し、さらに、将来の役員会メンバーが会社をリードする上で必要とするであろう経験則が織り込まれるようにしましょう。これらを実践するためのステップは以下となります。

☞ 役員会を多様にするための計画と目標を立てる。役員会に、女性やアンダーレプレゼンテッドなコミュニティの出身者に複数人入ってもらうことで、形骸化を防ぐ[9]
☞ 役員を採用する際のジョブディスクリプションでは、言葉遣いや文化がインクルーシブであるよう、また勤務時間、成長の機会、福利厚生などの面からも、多様な人びとにとって、その仕事が魅力的であるよう注意する。また、応募者を特定の社会階層出身者に意図せず限定してしまうことがないよう、学歴や人脈ではなく業務に求められるスキルに焦点が当たっていることを確認する
☞ 採用の際には、ネットワークを広げ、高いスキルを備えた多様な候補者と面談するようにする。少なくとも1人はアンダーレプレゼンテッドなコミュニティ出身者と面談する
☞ 新しいメンバーは、きちんとオリエンテーションとメンタリングを行なった上で役員会に任命し、メンバー間の知識格差がなくなるようにする

【9】ゼミのあるメンバーが役員を務める企業では、この1年以内に女性役員の割合が20％から30％となった。同じ女性でも家庭の状況や関心事がそれぞれ異なることから視点に多様性が増し、さまざまな事情を想像した意思決定がより可能になったという。他の女性社員の励みになっているという声を聞くこともあるとのことだ。

事例 RSF Social Finance
RSF Social Financeは、お金と人の関係に革命を起こすことを目指す金融サービス機関。2009年の創業から、RSFは、ソーシャル企業向けの融資プログラムにおける投資家と起業家の間の透明性とつながりを高めるため、定期的な会合を開いてきた。そこで常に話し合われてきたのは金利についてで、投資家がどれだけの利益を得ているか、借り手である起業家はいくら利息を支払っているのかを互いに明かしている。現在、この会合は四半期ごとに「RSFプライム」という変更可能な金利を決定するプロセスの一環として行なわれている。
　そこでは、投資家、起業家、RSFのスタッフという3つのステークホルダーが、それぞれの立場から意見を出し合い、全員のニーズに合った金利が設定される。この会合は、お互いのことを知り、ステークホルダー全員にとって望ましい金利のレートを議論し、引き上げや引き下げを提案する機会になっている。RSFは、この直接的で透明性が高くパーソナルなやり方が、同社のミッションに最も適っているとしている。

ジャナ博士のTips 黒人で、従来の観念に一致しないジェンダーをもち、パンセクシャル[10]であり、鬱や不安といった社会で軽視されがちな障

【10】異性、同性、どちらの性にも分類されない人も含め、性に隔たりなく他者を愛するセクシャリティ。異性と同性の両方を愛するバイセクシャリティと比較して、セクシャリティに依存せずに他人を捉えることに特徴がある。

がいに苦しんできた者として、非営利組織の理事会・役員会への参画を求められることがよくあります。マイノリティの友人や同僚たちからも、同じように参加を求められることがあると聞いています。理事会・役員会のメンバーを検討する際には、コミュニティでよく知られたマイノリティの人ではなく、その先を見ることをおすすめします[11]。注目を浴びている人たちは、すでに手一杯で、参加する機会を自発的に求めている人たちほど活動にコミットできないことが少なからずあります。まだ理事会の活動に関わっていない熱意と才能がある人を、該当するデモグラフィックから探してみてください。あなたの組織のミッションと関連がありさえすれば、裕福である必要はありません。金銭には換えがたい貴重な貢献をもたらす多様なメンバーが理事会に参画できるよう、ボードメンバーになるためには寄付が必要という規約を廃止したことで多様化がうまく進んだ事例もあります。

⑥説明責任のための機会をつくる

クイックアセスメントの「外部に向けたアニュアルレポートで、企業のミッションに関連したパフォーマンスを詳しく開示している」という項目の背景を知り、それを実践する方法を学びましょう。

それはなぜ重要か

ミッションに関連した自社のパフォーマンスを世間に公開することは、消費者コミュニティや地元コミュニティとの信頼構築に役立ちます。年次報告書に記載するなど、ミッション達成に向かって前に進んでいることを示す方法はたくさんあります。

　また、報告書をつくるプロセスは、それ自体が会社にとって有益なものです。報告書をつくったことが、いままで気づかなかった社会や環境面でのリスクや非効率な点や新たな機会の発見につながったという企業もあります。さらに、社内のコンセンサスを形成し、会社のパフォーマンスを継続的に把握すべく説明責任を制度化する上でも、このプロセスは大変有用です。

どう実践する？

ミッションに関する成果報告書を過去に作成したことがなければ、まずは以下の問いに答えてみてください。

☞会社のミッションに関する活動は明文化されているか？
☞会社が環境と社会に与えている、正と負の影響を特定できているか？
☞会社のミッションを定量的に表現できる目標と成果指標はあるか？
　（たとえば、オフセットしたカーボンの量など）
☞成果の計測にあたって一貫した指標を定め、過去の実績や他社の

【11】理事会や役員会に限らずカンファレンスやトークイベントでも同じことが言えるかもしれない。たとえばトークイベントで登壇者が必要なとき、登壇実績がある人に依頼が集中する場合がある。アサインする際に人ありきで考えるのではなく、必要な条件から検討し広く推薦を募ることで新たな人にチャンスが生まれ、コミュニティに多様性がもたらされる。

状況と比較できるようにしているか？
☞ 報告書にどの情報を載せるかを決定するために、さまざまなステー
　クホルダーにフィードバックを求めているか？
☞ 報告書は、第三者によって検証されているか？

ミッションに関する成果報告書作成に取り組むための、網羅的でわか
りやすい無料ツールとして、Bインパクトアセスメントを成果のベンチ
マークとして使ってみることをおすすめします。

事例 Tony's Chocolonely
オランダを拠点とするチョコレート製造会社 Tony's Chocolonely は、
自社の社会的・環境的インパクトを年次報告書で開示している[12]。
対面もしくはアンケートでステークホルダー調査を毎年行ない、どん
な領域に専念してほしいかを聞き、その答えは、経営層が事業の将来
にとって重要だと判断した領域と照らし合わせて検討されることとなる。
たとえば、2015年の報告書のための調査では、外部のステークホルダ
ーは自社内の労働力についてさほど関心がないことがわかった。その
一方で、プロダクトが環境や健康に与えるインパクトは、会社が存続
していく上で専心すべき課題であることが明らかになった。ステーク
ホルダーのフィードバックを受けて、報告書の内容も見直されること
となった。

【12】企業の報告書は多くの場合インターネット上に公開されているため、企業名と「Annual Report」「Impact Report」といったワードで検索することで閲覧が可能になる。

ジャナ博士のTips 報告書にDEIに関するゴールを盛り込むことを検討
してみてください。困難な分野であっても、わたしたちはB Corpとし
て高みを目指さなくてはなりません。現在ダイバーシティに関する数
字がいまひとつだとしても、いずれ改善に取り組まなくてはならない
のです。透明性が高いということは、あなたが何も隠し立てしていな
いということです。コミットメントを可視化することは、志を再認識さ
せてくれるだけでなく、あなたがDEIに本気で取り組んでいることを
人に伝えてもくれるのです。

⑦バリューをDNAに組み込む
クイックアセスメントの「ミッションを法的に制度化している（例 ガバ
ナンスに関するドキュメントへのステークホルダーに対する配慮の記載、ベネフ
ィット・コーポレーションとしての法人化、など）」という項目の背景を知り、
それを実践する方法を学びましょう。

なぜ大事なのか
あなたの会社が、ワーカーにとっても、コミュニティにとっても、環境
にとってもよい会社であるのなら、そのミッションが長期的に守られる
ことは、とても重要です。企業のミッションを保護するための最善の

方法のひとつは、企業の社会的・環境的コアバリューを、ビジネスの法的DNAであるコーポレートガバナンス文書に組み込むことです。企業としてのコアバリューを法的なものにすることで、経営者やオーナーが変わってもミッションを守り抜くことができます。これを実践することがBIAで評価されるのは、企業の意思決定においてステークホルダーの利益に配慮することが、現在の資本主義のあり方に変化をもたらすシンプルかつ根源的な方法だからです。こうした試みが、現実社会においてどのように展開されうるかについての興味深いケーススタディとしては、第2章のWhole Foods Marketの事例（P.060）を参照してみてください。

どう実践する？

ステークホルダーの利益をガバナンス文書において法制化するプロセスは、会社の所在地（会社が設立されている州や国）と、そこにおける法律によって異なります。設立地と事業所が異なっている場合があることも留意してください。たとえば、アメリカでは、多くの企業がデラウェア州で法人化されていますが、事業拠点は別の州にあることがよくあります[13]。

　法律顧問のサポートを得ながら、あなたの会社の法人形態に即して、現行法をよりよく理解していきましょう。法規制は地域によって異なるため、ミッションに沿ったガバナンスがすでに組み込まれている企業もあれば、ステークホルダーへの配慮を含むように自社のガバナンス文書の修正が必要な企業もあるでしょうし、また、法律が改正されるか、自社の法人形態を変えない限り、ミッションに沿ったガバナンスを実現する道筋がない企業もありえます。本書の付録（P.196）には、B Corpとベネフィット・コーポレーションの違いについての情報も掲載されていますので、ぜひ参照してみてください。

ジャナ博士のTips　コーポレートガバナンス文書に、DEIに関する意欲的なビジョンを盛り込むことを検討してみましょう。組織はしばしば、社外にばかり焦点を当てたミッションを策定しがちです。これをただすためには、自社の従業員に体験してもらいたいインクルージョンがいったいどのようなものかを明確に定義することが最善の方法です。組織文化が生まれ育つのを運任せにするのではなく、先回りして明確化していくことで、そのビジョンが将来の意思決定に役立つようにしてください。ダイバーシティに対するビジョンがガバナンス文書に記載されていれば、DEIが組織の優先事項であるかどうかについて、疑いを差し挟む余地がなくなります。これは、現在の従業員だけでなく将来の従業員にも大きな影響を与え、実証と測定が可能な行動が伴うことで、さらに強力なものとなるでしょう。

【13】デラウェア州での登記が多い理由のひとつとして、同州の会社法の特色が挙げられる。アメリカの会社法の中心地として名高く、最新の事例に基づき柔軟な経営が可能になる場合が多い。B Labによるロビイングの結果、2013年にベネフィット・コーポレーションも導入されている。

証言｜B Corpがガバナンスにもたらすもの

1. 業界における発言力を高める
ソフィ・トランチェル
Divine Chocolate｜イギリス

——B Corpになろうと思った理由は？

Divine Chocolateは、他社とは異なる方法でビジネスをすることに誇りをもち、事業活動において人間と地球に対する責任を果たすことを約束しています。B Corp認証は、わたしたちの事業活動を第三者が検証するものとして重要なだけでなく、フェアトレードとコーポラティブという価値へのコミットメントを表し、会社全体にそれが行き渡っていることを明らかにしてくれます。B Corp認証は、弊社の事業が消費者に安心してもらえるものであり、製品を通じて世界中の農家に利益をもたらすものであることを保証してくれるのです。

——どんなメリットがありましたか？

アメリカとイギリスのB Corpコミュニティと協働する機会を得られたことが、これまでのところ、最大のメリットといえます。B Corp認証によってブランドのリーチとエンゲージメントが拡張されたことで、同じ価値観を共有する組織とのパートナーシップが実現しました。また、アメリカでは、B Corp認証を取得したことで流通業者が支持してくれるようになり、新たな取引先を増やすことができました。

——インクルーシブエコノミーのために何をしていますか？

1998年の創業以来、わたしたちは、よりインクルーシブな経済を実現するために努力を重ねてきました。生産農家によって所有される唯一のフェアトレードチョコレート企業としてわたしたちは、生み出した利益を農家自身が受けられるようにすることと、生産農家の発言力がカカオ業界で高まることを使命としています。

Divine Chocolate｜1998年にイギリスで設立されたチョコレートメーカー。ガーナのカカオ生産者協同組合とイギリスの貿易企業が株式をもち合うかたちで創業した。

2. 新たな地平を切り開く
シェリル・ピント
Ben & Jerry's｜アメリカ

——B Corpになろうと思った理由は？

ビジネスを社会を良くするための力として使うことは、Ben & Jerry'sのDNA

の一部です。わたしたちはB Corpになる前から実質B Corpのようなものでした。というのも、3つのミッションを掲げ、親会社であるUnileverとの間に独立役員会（「ベネフィット役員会」といっていいでしょう）を置くという独自のガバナンス機構をもってきたからです。B Corpコミュニティに参加したことで、B Corpの認証を取得した初めての完全子会社として新たな地平を切り開くことができました。

──どんなメリットがありましたか？
わたしは現在、サプライチェーンを構成する企業とともに働いていますが、B Corpの認証を得たことで、独立した第三者として企業の価値観や社会的使命についてサプライヤーのみなさんと対話することができるようになりました。新規のサプライヤーには、たとえ認証を取得する予定がなくとも、Bインパクトアセスメントを実施するよう求めていますが、なかにはそこから認証取得にいたる企業もあります。そうやってB Corpコミュニティの拡大に貢献できることは、やりがいと活力を与えてくれます。

──B Corpムーブメントについて、ひとつ変えられるとしたら？
B Corpムーブメントに眠るアクティビズムのエネルギーを焦点をしぼって集約することで、コミュニティ全体が重要な問題に立ち向かうことができるのではないでしょうか。わたしたちの声は、インクルーシブで、はっきりとしていて、大きくなくてはなりません。

Ben & Jerry's｜アメリカのアイスクリームメーカー。2000年からUnileverの傘下に。クローン牛に対する反対デモなどのロビー活動でも知られる。

---

3. 会社を生き返らせる
エマニュエル・ファベール
Danone｜フランス

──B Corpになろうと思った理由は？
ますます複雑化する世界において、巨大ブランドや企業は、誰の利益のためにビジネスを行なっているのかという根源的な問いに直面しています。Danoneは、この問いに率直かつシンプルに取り組むことこそが、ブランドと企業が従業員、消費者、パートナー、小売業者、市民社会、そして政府との信頼関係を強化するための最良の方法であると信じるにいたりました。B Corpムーブメントに参加したのは、そのためです。この認証をグローバルに取得することは、持続可能なビジネスへの長年のコミットメントと、Danoneが目指してきた経済的成功と社会の進歩の両立を表明するものなのです。

──B Corpになって一番の驚きは？
グループにもたらされた活力ですね。現在グループ内には9つの認証B Corpが

ありますが、Danoneの全世界の売上の約30%は、この9つの会社によっても
たらされるまでになっています。わたしたちがこの旅を始めてからまだ3年に満
たないにもかかわらず、Danone North Americaは予定より2年も前倒しで
認証を取得しました。このことを特筆したいのは、これがB Corpに対するグロ
ーバル全社の熱意を反映しているからです。メキシコのある同僚はこんなことを
言っています。「B Corpは、わたしたちが個人として目指しているものに会社と
して近づくための方法なんだ」。グローバル企業としてのDanoneはまだB
Corpの認証を受けていませんが、大規模な多国籍企業としては初めての認証
を受けることを目指しています。B Corpになるべきか、なるべきでないかは、も
はや問いではないのです。

Danone｜ヨーグルトなどの食品を手がけるグローバル企業。2025年までに同社の子会社すべ
てがB Corp認証を取得することを目指している。ファベールは2021年にCEOを退任した。

3-5

カスタマー

わたしたちの声は、
インクルーシブで、はっきりとしていて、
大きくなくてはなりません

シェリル・ピント | Ben & Jerry's | アメリカ

クイックアセスメント

以下の12の項目に従ってクイックアセスメントを実施してみましょう。達成している項目数を数えることで、カスタマーのセクションにおけるBインパクトアセスメントの概算スコアを把握することができます。（各項目の詳細は、リストのあとに説明があります）

□商品またはサービスに、明文化された保証書および／または
　顧客保護ポリシーがついている

□製品またはサービスの品質に関して第三者による認証を受けている。
　ISO 9000などのプロセスに関する認証や、業界固有の品質認証も含む

□主要なサプライヤーが定期的に品質評価（QAR）や監査を受けていることを
　確認している

□品質管理のために、トラッキングの仕組を整備している

□商品のフィードバックや問い合わせ、クレームを伝えるための
　制度をカスタマーに周知している

□ネットプロモーター・スコアもしくはその他の方法で顧客満足度を
　計測している

□顧客満足度を一般にも公開している

□顧客満足のための具体的な目標を定めている

□カスタマーによるテストやフィードバックを商品やサービスのデザインに
　組み込むためのオフィシャルなプロセスがある

□商品やサービスが意図せずに生み出しうるネガティブな影響を
　計測・管理・低減している

□データのプライバシーに関するポリシーを公表している

□企業活動のなかで収集しているデータ、その保存期間や利用法、他の公的機関や
　民間団体に対する共有状況を、すべてのカスタマーに周知している

チェックをつけた項目ごとに1ポイントを加算してください。

☞得点が0から3の場合：B Corp認証を得るためには、まだまだやることがありそ
　うです。ただ、他のセクションで高いスコアを取得していれば、挽回できる可能性
　もあります
☞得点が4から6の場合：他のセクションでも同様のスコアであるなら、B Corp認
　証の取得はもうすぐそこです
☞得点が7から12の場合：素晴らしいです！ すでにB Corp認証に必要なスコア
　を満たしています

アセスメントの実践に向けて

カスタマー[1] は、比較的最近になってBインパクトアセスメントに追加された項目です。B Labがこのセクションを追加したのは、優れたカスタマーサービスやカスタマーとの長期的な関係の構築、高品質な製品やサービスを提供することは、企業戦略の中核をなしているだけでなく、企業の価値やポジティブなインパクトを生み出すものだからです。ここでは、いくつかのトピックを取り上げ、カスタマーの重要性、それが評価の対象となる理由を解説しながら、自社で実践するためのヒントを提供します。

①保証がもたらすメリット

クイックアセスメントにある、「商品またはサービスに、明文化された保証書および／または顧客保護ポリシーがついている」という項目の背景を知り、それを実践する方法を学びましょう。

それはなぜ重要か

製品やサービスを購入するカスタマーは、可能な限りベストな選択をしているという安心感をもちたいものです。自分のお金で購入した商品が長持ちするか、もし長持ちしない場合はサポートを受けられるかどうかを知りたがっています。保証が企業とカスタマーの双方にとって有益なのは、それが、商品やサービスに対する期待を明確にし、互いを守り、さらにカスタマーが再度同じ商品を購入することを後押ししてくれるからです。

どう実践する？

効果的な保証をつくるためのヒントやガイドラインは以下の通りです。

☞法制化されたルールや規則に従う
☞保証の対象を明らかにする
☞保証期間を明らかにする
☞保証期間を延長できるオプションを提供する
☞保証についてのクレームに対応する担当者や部署の設置を検討する

サービスを提供する会社も保証を提供することは可能です。たとえば、本書の著者であるライアン・ハニーマンが所属するLIFT Economyでは、カスタマーに対して「Value-based invoice」（価値に基づいた請求書）を発行しており、すべてのコンサルティング業務の提案書には、次のような文言が含まれています。

「LIFT Economyでは独自のやり方でクライアントへの請求を行なっています。わたしたちは仕事を終えても、その月の月末まで請求書を送ることはしません。また請求書を送るにあたっては、お客さまが

[1] 原則として、原文でcustomerと表現されている箇所についてはカスタマーという訳語を使い、clientが使用されている箇所にはクライアントの訳語をあてた。商品やサービスを商店や企業から購入する顧客をcustomer、弁護士やコンサルティングなどの専門家に依頼・相談する顧客をclientと使い分けることが多い。

得たと感じる価値に基づいて、請求額を調整（増額または減額）できる
ようにしています。つまり、わたしたちは月ごとに自分たちの価値を証
明しなければならず、その仕事に価値があったかなかったかを判断す
るのはお客さまなのです」

　別の言い方をするなら、前月に十分な価値を得られなかったと感じ
たクライアントは、支払額を減らすだけでなく、ゼロにすることさえ可
能なのです。こうした取り組みによって、LIFT Economyのワーカー
オーナー [2] は、仕事のフォーカスを常にカスタマーにおくことができる
ようになるだけでなく、サービスの販売サイクルを短期化し、将来
LIFT Economyと仕事をしたいと考えているクライアントが、最低で
も1カ月の契約を事前に結ばなくてはいけないというリスクをなくす
こともできます。

　ちなみに、ライアン・ハニーマンの仕事に対して請求額の調整を求
めたクライアントは、過去数年間でわずか3社のみで、いずれも支払
額の倍増を申し出たそうです。過去10年間で150社以上の社会的企
業と仕事をしてきたLIFT Economyの他のパートナーたちも、同様の
成果を挙げています。

【2】原文では「worker-own-
ers」。労働者協同組合（work-
er cooperative）における組
合員のこと。労働者協同組合
では、労働者同士が資金を持
ち寄るかたちで設立される法
人であるため、ワーカーはオー
ナーシップをもつことになる。

②サプライヤーの品質を管理する
クイックアセスメントにある、「主要なサプライヤーが定期的に品質評
価（QAR）や監査を受けていることを確認している」「品質管理のために、
トラッキングの仕組みを整備している」の項目の背景を知り、それを
実践する方法を学びましょう。

それはなぜ重要か
品質に関する事故の多くは、サプライヤー側の品質管理に起因してい
ます。サプライヤーの品質管理は、カスタマーに対して多大な影響を
与えるだけでなく収益にも大きな影響を及ぼします。結果として、少
なからぬ企業が、問題をよりよく理解しサプライヤーたちと課題を共
有しながら未然に事故を防ぐべく、サプライヤーとの協働による品質
管理に注力するようになってきています。

どう実践する？
品質をめぐる問題を引き起こしうる要因を特定するために、McK-
insey & Companyは8つの異なる産業セクターで最近起きた40以
上の品質事故を調査し、3つの根本原因を特定しました。「デザイン
段階におけるコラボレーションの欠如」「しっかりした品質管理システ
ムもしくは適切なKPIの欠如」「製造能力の欠如」の3つです。こうし
た問題は、調達・購買を行なう側が、サプライヤーの品質保証プロセ
スや製造能力をより包括的に把握していれば回避できたはずだと
McKinseyは論じています。

品質を担保するための最も手堅い方法は、第三者認証を受けたサプライヤーと組むことなのかもしれません。第三者認証とは、独立した機関が製造プロセスを評価し、最終製品の品質が一定基準を満たしていると認証したことを意味します。こうした評価は多くの場合、部門をまたいだ総合的な監査を含んでいます。

品質認証の業界基準として広く採用されているのは、ISO 9000 [3] です。ISO 9000 基準は、上級管理職が組織全体の改善に活用できる7つの品質管理原則に基づいています。7つの原則とは「カスタマー重視」(customer focus)、「リーダーシップ」(leadership)、「人々の積極的参加」(engagement of people)、「プロセスアプローチ」(process approach)、「改善」(improvement)、「客観的事実に基づく意思決定」(evidence-based decision making)、「リレーションシップ・マネジメント」(relationship management) です。ISO 9000 についてさらに知るには、International Organization for Standardization (国際標準化機構) のウェブサイトを参照ください。

③フィードバックから成長する

クイックアセスメントにある、「商品のフィードバックや問い合わせ、クレームを伝えるための制度をカスタマーに周知している」「ネットプロモーター・スコアもしくはその他の方法で顧客満足度を計測している」「顧客満足度を一般にも公開している」「顧客満足のための具体的な目標を定めている」の項目の背景を知り、それを実践する方法を学びましょう。

それはなぜ重要か

すべてのビジネスリーダーは、カスタマーが喜んでくれればくれるほど、ビジネスが成功することを知っています。とはいえ、実際どうすればカスタマーは喜ぶのでしょう。どうすればカスタマーがあなたのプロダクトの何を気に入っていて何を気に入っていないのかを知ることができるのでしょう。カスタマーからのフィードバックに耳を傾けることで、あなたの事業やプロダクトについて貴重なインサイトを得ることができます。そうすることで、カスタマーの好き嫌いを学べるだけでなく、カスタマーに自分が重要な存在として事業に参加している感覚をもたらし、製品やサービスの改善を継続的に支援してもらうことができるようになるのです。

どう実践する？

「カスタマーの声に耳を傾ける」という目的に向けて自社を改善する最も簡単な方法は、Yelp、Google、Facebookといったサービスを用いて自社のオンラインレビューページを作成することです。その際には、自社のウェブサイトにレビューページへのリンクを貼り、どこでレ

【3】国際標準化機構が定めたマネジメントに関する評価規格。もともと軍隊の調達基準として生まれた品質を管理・維持する仕組みを製造業に向けて適用したものであり、品質という概念を企業に普及させる嚆矢となった。

ビューできるかがすぐにわかるようにしましょう。

　さらにきめ細かく自社ブランドの強みを把握したいときには、Net Promoter Score（NPS）[4] を用いるのが一般的です。NPSは、あなたの会社のカスタマーの顧客満足度とロイヤリティを、たったひとつの質問で測定できるようデザインされています。「あなたが弊社を友人や同僚におすすめする可能性はどれくらいですか？」というのがその質問です。あなたの会社のカスタマーは、それに0から10の間のスコアで回答します（0が「まったくそう思わない」、10が「非常にそう思う」）。測定の結果、カスタマーは以下の3つに分類されます。

・0〜6：中傷者（detractors）。あなたの会社のプロダクト／サービスに満足しておらず、ネガティブな口コミでブランドイメージを毀損する可能性がある
・7〜8：受動者（passives）。プロダクト／サービスに満足はしているがあなたの会社には無関心で、競合他社になびく可能性がある
・9〜10：支援者（promoters）。ブランドへの忠誠心の高いカスタマーで、継続して購入してくれるだけでなく、他のカスタマーにもおすすめしてくれる

このNPSシステムが市民権を得ている理由は、それが単なる顧客満足度の測定にとどまらず、カスタマーがあなたの会社を宣伝してくれるかどうかを知ることができるからです。NPSには批判的な意見もありますが、多くの研究がNPSの測定とビジネスの成長には相関関係があることを明かしています。『Harvard Business Review』、Forrester、Satmetrixなどの研究は、NPSのスコアの向上が、収入の増加や顧客定着率の向上につながるとしています。また、NPSを利用することで同業他社と比較しながら自社の成果をベンチマークできるというメリットもあります。試してみたいという方は、カスタマーだけでなくクライアントに対しても利用できるNPSの調査テンプレートをSurveyMonkeyが無料で提供していますので、すぐにでもやってみましょう。

【ジャナ博士のTips】誰にでもレビューできるシステムを活用することで、カスタマーとより関係性を深め、価値あるフィードバックを提供するというインクルーシブな体験を生み出すことができるようになります。これは、自分たちの声に耳を傾けてもらえていないと日々感じている周縁化された人たちにとって重要なアクセスポイントになります。カスタマーは、製品やサービスの改善に協力できることや、何か問題が発生したときに対処してもらえることをうれしく感じるものです。そうしたことが、アイデンティティにかかわらずすべての人に「自分が大切にされている」という感覚を与えるのです。また、想定とは異なる斬新な自社製品の使

【4】大手コンサルティング企業Bain & Companyが開発した顧客ロイヤリティ調査の手法。顧客満足度調査が現在の満足度を評価するのに対して、NPSでは未来の行動が数値化されるため、今後の収益性が予測できるとされている。

い方などもけっして見逃してはなりません。カスタマーは、ときに企業が行なう製品開発に先んじて新しいマーケットを見いだすことがあるからです。ユーザーはあなたの成長の鍵なのです。

④顧客とともにビジネスをつくる
クイックアセスメントの「カスタマーによるテストやフィードバックを商品やサービスのデザインに組み込むためのオフィシャルなプロセスがある」という項目の背景を知り、それを実践する方法を学びましょう。

それはなぜ重要か
初期段階でのデザイン、テスト、ロールアウト、それぞれの段階で継続的にカスタマーの声を取り入れることで、よりニーズに合った製品やサービスを提供することができます。さらにその結果として、カスタマーを継続的につなぎ止め、ブランドに対するロイヤリティおよびエンゲージメントを高めることができるようになります。

どう実践する？
スタートアップの立ち上げであれ企業内の新規事業であれ、新しいプロジェクトの立ち上げは、これまでは一か八かの賭けのようなところがありました。従来は、まず計画を立て、それを主要なステークホルダーに提案したのちにチームを編成し、新製品やサービスを世に出し、顧客の開拓に乗り出すという手順でしたが、ここでの問題は、スタートアップ企業も、新プロダクトや新規サービスのほとんどは成功しないということでした。
　一方で「リーン」なスタートアップでは、綿密な計画よりも実験、直感よりも顧客フィードバック、何度も繰り返すデザインのプロセスが重視されます。このようなリーンスタートアップの方法論は、製品開発段階での無駄を省くことにより成功率を高めることを目指しています [5]。プロダクト開発時におけるカスタマーからのフィードバックは、リーンスタートアップのプロセスにおいて不可欠なものとなっており、そうすることで顧客が求めてもいない機能やサービスの開発に無駄な時間を費やしてしまうことを避けるのです。この手法についてさらに深く知りたければ、エリック・リースによる『The Lean Startup: How Today's Entrepreneurs Use Continuous Innovation to Create Radically Successful Businesses』（リーン・スタートアップ：ムダのない起業プロセスでイノベーションを生みだす〈日経BP〉）[6] が必読です。

ジャナ博士のTips　カスタマーフィードバックに重きを置く手法を実践することで、カスタマーは、あなたの会社の製品やサービスに対して発言権と役割を得ることになります。こうしたプロセスを導入するにあたっては、できるだけ多様な人たちの参加を促すことが、より多角的な視点

【5】起業家、投資家のピーター・ティールは、『ゼロ・トゥ・ワン：君はゼロから何を生み出せるか』〈NHK出版〉のなかで以下のように述べ、「リーン」なプロセスを採用するにあたって、ミッションが気づかないうちに変わってしまう状況に陥らないよう釘を刺している。「『リーンであること』は手段であって、目的じゃない。既存のものを少しずつ変えることで目の前のニーズには完璧に応えられても、それではグローバルな拡大はけっして実現できない」。フィードバックと設計を繰り返す「リーン」な手法を取るときにも、明文化されたミッションなどの行動原理はゴールを忘れないために価値を発揮する。

【6】リーンスタートアップのリーン（lean）は無駄がないを指す。事業のアイデアを練る「構築」、プロトタイプを提供してフィードバックを得る「計測」、フィードバックを分析して事業に反映する「学習」の3つのプロセスを短期間に繰り返すことで、起業の成功率を上げる手法とされている。

の獲得と新たな市場開拓にもつながることを常に念頭に置いておきましょう。

⑤ネガティブな影響を避ける
クイックアセスメントにある「商品やサービスが意図せずに生み出しうるネガティブな影響を計測・管理・低減している」の項目の背景を知り、それを実践する方法を学びましょう。

それはなぜ重要か
B インパクトアセスメント（BIA）は、製品やサービスを通じて社会や環境にポジティブな影響を与えている企業を評価するものです。しかしながら、ポジティブな影響をもたらそうと努力しているにもかかわらず、意図に反して関連するステークホルダーにマイナスの社会的・環境的な影響を与えてしまうような事業もあります。意図に反してもたらされたこうした結果は「副次的効果」(second-order effects) と呼ばれます。このような潜在的な負の影響をいかに防ぐかを考えることで、企業は、製品やサービスの副次的効果について、より包括的な視点をもつことを求められるようになります。

　たとえば、太陽光発電設備を設置する企業は、化石燃料に依存した経済をクリーンなエネルギーを用いた新しいモデルへとシフトさせることに一役買うことができるかもしれません。けれども、そのソーラーパネルを製造しているサプライヤーが、有害な化学物質を近隣の川に排出していたらどうでしょう。太陽光発電設備を設置する企業は、こうした副次的効果を考慮しながらサプライヤーと協力し環境への負荷を最小限に抑えてこそ、BIA で評価を得ることができます。あるいは別の例として、都市部の高密度化を推進することで住宅のスプロール化（都市の無秩序な拡大）を抑制し、その結果よりよい土地利用を促進し、気候変動による有害物質の排出削減に貢献しようとしている住宅建設業者を考えてみましょう。この戦略の悪影響を検討してみると、歴史的に周縁化されてきたコミュニティ、特に低所得者や有色人種の人びとが地価の高騰による急激なジェントリフィケーション[7] によって都市部から追い出されてしまう可能性が見えてきます。この住宅建設業者が BIA において高いスコアを得るには、こうした意図に反した副次的な悪影響を低減するために、開発の影響を受ける地域のコミュニティと協力することが求められます。

どう実践する？
製品やサービスがカスタマーに与えるインパクトのさまざまなレイヤーを考慮しましょう。特に、製品やサービスが、女性、有色人種、移民、元受刑者、低所得者、先住民、その他の歴史的に周縁化されてきたコミュニティに与えうる副次的効果について検討してください。意図に

【7】都市の再開発などによって、元々の住人が立ち退きを迫られる事態になることを指す。たとえばサンフランシスコでは、インターネットバブルにより多くの企業が集まりオフィス・住宅需要が増大した結果、黒人コミュニティは破壊され、地域特有の文化が失われることとなった。

反した悪影響を検討するにあたっては、以下の質問を自らに問うこと
が役に立つでしょう。

☞新製品や新サービスがもたらしうるネガティブな影響は何か？
☞その影響によって、さらにどのような悪影響がもたらされうるか？
☞そのリスクを最小限に抑えるにはどうしたらよいか？
☞歴史的に周縁化されてきたコミュニティが、製品やサービスからネ
　ガティブな影響を受けないためにすべきことは何か？
☞多様なコミュニティのステークホルダーからの意見やフィードバック、
　助言を取り入れるために、まず議論に参加してもらう必要があるの
　は誰か？

［ジャナ博士のTips］ あなたの製品やサービスがもたらしうるネガティブな
影響をけっして過小評価しないでください。わたしたちは、弱い立場に
置かれた人たちをさらに弱い立場に追い込むことなく世界を良くする
ことを目指さなくてはなりません。健康や安全を含めた権利を守る手段
をもたない人たちの声に耳を傾け、その人たちを守るためには、時間も
お金もかかるでしょう。けれどもビジネスで社会を良くするはずのわた
したちが、不幸に見舞われている人たちの声に耳を塞いでいるわけには
いきません。富と収入の格差を生み出し温存させつづけている非人道
的なシステムに与することで不正義を存続させるのであれば、わたした
ちは、自分自身、そして、このBエコノミーを、本当に誇りに思うことが
できるでしょうか。

⑥データを透明に管理する
クイックアセスメントにある「データのプライバシーに関するポリシー
を公表している」「企業活動のなかで収集しているデータ、その保存期
間や利用法、他の公的機関や民間団体に対する共有状況を、すべて
のカスタマーに周知している」の項目の背景を知り、それを実践する
方法を学びましょう。

それはなぜ重要か
顧客情報は、あなたのブランドのためにも、会社の損益のためにも、そ
して何よりもカスタマーのプライバシーのためにも保護されなくてはな
りません。IBMの試算によれば、個人情報のセキュリティ違反による
損害額は1件あたり400万ドルに上り、その額はわずか2〜3年の間
に30%近く増加しています。

どう実践する？
経営者のみなさんは、顧客のデータ保護における責任に関してよりよ
いスコアを得るために、以下の5つの問いを自らに投げかけてみてく

ださい。

☞保有している顧客の個人情報には、どのようなものがあるのか？
☞必要以上に個人情報を所有していないか？
☞センシティブなデータは適切に保護されているか？
☞不要となったデータは適切に廃棄されているか？
☞万一の場合に対応できるデータセキュリティプランを用意している
　か？

証言｜B Corp がカスタマーにもたらすもの

---

1. マインドセットを転換する
コーリー・リエン

DOMI Earth｜台湾

——B Corp になろうと思った理由は？

会社の設立当初から、DOMIの成功は、どれだけ社会にインパクトを与えられるかにかかっていると考えていました。お金が儲かり、安定したビジネスを築けたとしても、環境目標に向けて目に見える進歩がない限り、満足することはないだろうと感じていました。わたしたちは、温室効果ガスの削減、エネルギー消費の低減、そして気候変動に耐性のあるコミュニティづくりに取り組んできましたが、そのためにはさらに多くの人を巻き込んでいく必要がありました。B Corp ムーブメントはまさにこうしたコラボレーションを生み出すためにつくられたといっても過言ではありません。ですから、環境に対するミッションをコアにしたビジネスをつくりあげるにあたって B Corp 認証を得ることは、ごく自然な成り行きでした。

——B Corp になって一番驚いたことは？

間違いなくコミュニティですね。他の認証 B Corp の創業者やリーダーたちとは、取引の話よりも、インパクトの話ばかりしています。そこから信頼が生まれ、ビジネス上の関係性へと発展し、ときにそれは B Corp コミュニティの外の人たちへと広がっていきます。また、このコミュニティのおかげで、もっとやらなきゃと発奮し、どれだけインパクトを与えられるかを互いに競い合い、さらに他の「Bの共謀者」がサポートを求めてきたときには積極的に手を差し伸べるようになりました。B Corp とは、「どうやって相手より優位に立てるか」という考え方から「どのようにみんなのインパクトを組み合わせ増幅できるか」という考え方へマインドセットを転換することを意味しています。前者のマインドセットは早晩底をつきますが、後者にはまだ誰にも触れられていない莫大な価値が眠っていると信じています。

DOMI Earth｜クリーンエネルギーへの移行を促す活動を行なうソーシャル企業。実証済みの技術や行動の導入を促進する活動を続けている。

---

2. 歴史が受け入れられる
ジェフ・ワード

Animikii｜カナダ

——B Corp になろうと思った理由は？

わたしがB Corpになったのはある友人のすすめがきっかけでした。創業12年を迎えていたわが会社とB Corpが掲げる原則に重なり合うところがあると指摘してくれたのです。そこから、B Corpやソーシャルイノベーションの世界に足を踏み入れたのですが、わたしたちがやってきた先住民族による小さなテック企業が「ソーシャル企業」と呼ばれるものと似たやり方で運営されていることを知って驚きました。というのも、そんな言葉で自社を認識したことがなかったからです。

――B Corpになってどんなメリットがありましたか？
B Corp認証は、先住民の起業家によるビジネスがどんなふうに事業を行なっているかを、より広いビジネスコミュニティに対して説明するための言葉を与えてくれました。さらに、わたしたちの事業やストーリーをB Corpコミュニティにつなげてくれただけでなく、わたしたちは歓迎とともに受け入れてもらうことができました。

――B Corpムーブメントに関して、何かひとつ変えるとしたらどこですか？
わたしなら、事業を展開している地域で、その土地の先住民コミュニティへのインパクトを計測するための質問と実例をBインパクトアセスメントに加えると思います。

――B Corpになって一番の驚きは？
認証を受けるまでの作業量に驚きました。いま他社が掲げているB Corpロゴを見ると、認証を受けること、そしてそれを維持することに、どれだけの労力がかけられてきたかがわかります。それだけではありません。ビジネスを良いことのために活用する情熱をもった同志と出会えたこと、そこで多くを学べたこともうれしい驚きでした。

Animikii｜北米先住民族の血をひくジェフ・ワードによって2003年に創業されたデジタルエージェンシー。先住民族を支援する活動を行なっている。

第4章

The Quick Start Guide
クイックスタートガイド：
B Corp 認証取得のための 6 つのステップ

B インパクトアセスメントについて理解したあとは、実際に自分の
会社を認証 B Corp にするために頭と身体を動かしてみましょう。
B Corp というプロセスのスタート地点から、取得のその先までの
全体像を理解することで、会社を変えるイメージを膨らませ、実践
を始めましょう。

ガイドを進める前の「4カ条」

冷静さを保ちなさい、B Labの人びとと協力しなさい、
そしてうろたえたり、苛立ったりしないように。
B Corpは目的地で得られるご褒美ではなく、
旅の過程[1]のようなものです

ダニエル・アンドラーデ | BILD | ボリビア

クイックスタートガイドへ、ようこそ。このセクションでは、B Corp認証の取得を目指す企業や、取得予定はなくても自社の社会的・環境的パフォーマンスを測定・比較・改善したい企業に向けて、6ステップの段階的なロードマップをお教えします。

　もしB Corpが自分の企業に適しているかわからない場合は、ここに書かれていることを、ひとまずはできるだけ（もしくは、最低限できることだけでも）、思うままに試してみてください。このガイドは、みなさんのビジネスを改善する方法を考えたり、それを実行したりするためのいわば「非公式のガイド」です。認証の取得を目指す方は、この6つのステップのほかに、最低限の取得条件を満たすために必要な作業もあります。これらの追加作業については、各プロセスに「B Corp認証のみ」と付記されています。

　本書を通じてダイバーシティ、エクイティ、インクルージョン（DEI）についてのジャナ博士のアドバイスがいたるところに記載されているのと同じように、このセクションではライアン・ハニーマンから、Bインパクトアセスメントと B Corp認証のプロセスを素早く効果的にやり遂げるためのアドバイスを掲載しています。

　B Corp認証を取得しようとしているかどうかにかかわらず、会社の規模や複雑さによって、このセクションをどれだけ素早く進められるかが変わってきます。以下の項目を頭に入れておくことで、このプロセスを首尾よく終えることができるでしょう。

「完璧は善の敵である」[2] ということを理解する
B Corp認証で完璧を目指そうとすると、途中で行き詰まってしまい、最後までやり遂げることができなくなってしまいます。まずは適度なレベルを目指し、将来にかけてじっくりとスコアアップを重ねていきましょう。

プロジェクトのオーナーシップを、社内で明確にする
多くの人がプロジェクトに関わっていると、誰ひとりとしてそのプロジェクトを前に進める責任を負っていないといったことがしばしば起こります。誰がこのプロジェクトのオーナーで（この本を読んでいるあなたかもしれませんし、外部のコンサルタント、あるいは他の従業員かもしれません）、誰がプロジェクトを遂行するために必要な時間とエネルギーを費やすの

【1】B Corpが説明される際には旅の比喩が使われることが多い。認証取得が終着点ではないこと、アセスメントに従って会社の継続的な改善に本質があることを踏まえた表現だが、原文では「旅全体」を示す travelやtrip ではなく「journey」という単語が使われていることにも注意したい。journeyとは、もともと旅路の行程そのものを表す言葉であり、イギリスの詩人T・S・エリオットのものとされる以下のような引用にその本質が表れている。「旅とは、たどり着くことが目的ではない」(The journey not the arrival matters.)

【2】原文は「the perfect is the enemy of the good」。この表現は18世紀フランスの哲学者であるヴォルテールが、その著書『哲学辞典』のなかでイタリアのことわざから引用したことで知られる。

か^[3]を明確にしておくことが重要です。

財務数値やワーカー、サプライヤー、コミュニティ、エンバイロメントに関するデータにアクセスする
これらのデータに個人でアクセスできない場合は、データの責任者とやりとりをする必要があります。（例 エネルギー使用量を知るためには施設管理者、従業員に関するデータを知るためには人事担当責任者）

B Corp 認証を取得するにあたって、積極的に B Corp コミュニティに参加し、価値を提供する
B Corp 認証を得るやいなや、すぐに自社の製品やサービスを他の B Corp へと売り込もうとする企業が、過去数年にいくつかありました。これはいいやり方ではありません。B Corp コミュニティは、新たに認証されたすべての B Corp を歓迎しますが、相互的な尊重と助け合いにもとづいた長期的な関係を築きたいと願っています。自分本位な気持ちは捨てて、コミュニティに貢献することを心がけましょう。結果として返ってくる価値の大きさに驚くことになるはずです。

Step1 ｜ 現在地を知る

アセスメントは
自分たちがうまくやっていることや
もっとうまくできることについて
大きな示唆を与えてくれました
キャット・テイラー｜ Beneficial State Bank ｜アメリカ

目的 BIA を用いて、まずは会社の社会的・環境的パフォーマンスにおける現在地^[4]を把握してもらい、他のメンバーに参加してもらう前にプロジェクトの方向性を定めましょう

成果 あなたの会社の「B インパクトレポート」のドラフト

「B インパクトアセスメント」のアカウントをつくる
まず、bimpactassessment.net にアクセスして、無料アカウントを作成します。登録に際して、会社の規模や事業内容、所在地などを記入する必要がありますが、これはあなたの事業に最適化されたレポートをつくるためのものです。たとえば「従業員6人のマーケティング会社」と「6,000人の従業員を抱える家具メーカー」では、アセスメントで答える質問内容が異なります。

【3】ゼミに参加したメンバーのひとりは、自社でBIAを進める際、データ収集、質問に対する回答の検討、アセスメントの入力作業に異なる担当者を割り振り申請まで進めたという。データ収集と回答の検討を同じ担当者が行なうと、データ収集が滞ることがある。またB Corpの概要が伝わりさえしていれば、分担を決めて作業を進めるなかで、各担当者が理解を深めることができたとも言う。最初から全ての担当者にB Corpの全体像を理解してもらう必要は必ずしもないのだ。

【4】原文は「baseline」。建てものなどを建設するときに最初の測量のために引かれる基準線が本来の意味。医療などの現場では、時間の経過のなかで比較して変化を見るために使われる最初の測定値を示すこともある。B Corp認証取得において、クイック・インパクトアセスメントは改善の旅におけるスタート地点としての意味をもつことになる。

クイック・インパクトアセスメントを始めてみる

最初に取り組むのは「クイック・インパクトアセスメント」[5] です。ク
イック・インパクトアセスメントは、事業が社会と環境に与えるインパ
クトのスナップショットを見せてくれる簡略版のアセスメントです。
ここで目指すのは、あなたの会社の得意分野や改善点などをざっくり
と把握することです。これは非常に有益な第一歩となります。もし数
値化されたスコア（200点満点）が必要でしたら、次のステップに進ん
でください。

スコアをBインパクトアセスメントに変換する

クイック・インパクトアセスメントのすべての質問に答えたら、それを
フルバージョンのアセスメントへと移し替えることができます。その際
に、クイック・インパクトアセスメントで答えた内容は、そのまま引き
継がれます。フルバージョンのアセスメントに取り組む際には、各質問
に1〜2分以上の時間をかけず、わからないところはおおまかに答え
るよう心がけましょう。ここでの目的は、あくまでもあなたの事業のお
おまかなベースラインを知ることにあります。

初回アセスメントのスコアを確認する

フルバージョンのアセスメントをひと通り終えたら、あなたの会社の社
会的・環境的パフォーマンスのおおまかな全体像を教えてくれるBイ
ンパクトレポートを受け取ることができます。また、このレポートには、
アセスメントをすでに完了した50,000以上の企業と自社とを比較す
ることのできるベンチマークも含まれています。

☞スコアが20〜40点の場合
スコアが低かったとしても、けっして落胆しないでください。スタート
地点がここでも、集中して改善を続けることで80点以上のスコアを
取得し、最終的にB Corp認証を取得した会社もあります

☞スコアが40〜60点の場合
平均的なスコアです。これは、あなたの会社がB Corp認証の取得を
目指す上で強固な基盤をもっていることを意味します。これを受けて、
今後どの領域（ガバナンス、ワーカー、コミュニティ、エンバイロメント〈環境〉、
カスタマー）を重点的に改善していくかを同僚と議論するのは楽しい作
業となるはずです

☞スコアが60から80だった場合
ナイスワークです！ これだけの点を取得できているということは、あ
なたの会社がすでに社会と環境に対して責任ある行動を取っているこ
とを意味しています。ここから目指すべきは、あなたのチームや会社全

【5】2022年4月現在、クイッ
ク・インパクトアセスメントの役
割は、質問の実例を紹介する
「Sample Questions」が担っ
ている。Bインパクトアセスメ
ントでは、その他にもボタン名
など細かい仕様の変更がある
ため、実際に利用してみること
をおすすめする。本書の翻訳
ゼミが発展したコミュニティ
「School of B Corp」には、日
本でB Corp認証取得プロセ
スを進める企業や認証B Corp
の担当者が集い、具体的なツー
ルなどについても情報共有が
行なわれている。詳細は、
schoolofbcorp.jpにて。

体が改善したい最も重要な領域を特定し、そこでのパフォーマンスを
向上させるために、仲間をどんどん巻き込んでいくことです

☞スコアが80以上の場合
おめでとうございます！B Corp認証取得に必要なスコアは、80点です。
もしご興味があれば、これまで社内で取り組んできた成果を対外的な
認知へと変えるためにも、アセスメントをB Labに提出し、B Corp認
証の申請手続きに進むことを強くおすすめします

スコアにかかわらず、B Corpが改善のための旅であることを忘れない
あなたや他の社員は、自分たちの会社のどこに誇りをもっていますか？
あるいは、もっとこうしたいと思っているのはどんなところですか？
Step 2に進む前に、この質問の答えを具体的に考えてみてください。

ライアンのTips　質問の答えに迷ったら、そこに印をつけて、後から見
直すようにしましょう。アセスメントをひと通り終えるまでは、データ
を探索したり、メールや電話で他人に相談したりする必要はありません。
アセスメントを終えたら、「revisit report」（再検討）のボタンを押して、
当て推量で答えた箇所や、答えがわからなかった箇所を、再度確認す
ることができます。最初のアセスメントで得たレポートは、会計士、人
事担当者、施設管理者などに問い合わせる上でのひな型となる情報を
授けてくれます。こうすることで、プロセスに関わるメンバーの時間と
エネルギーをより効果的に使うことができるのです。

Step2｜仲間をつくる

B Corp認証は、
価値観が企業全体に浸透していることを
示すものでもあります
　　　　　　ソフィ・トランシェル｜Divine Chocolate｜イギリス

目的　社会を良くするため力としてビジネスを利用することに興味の
　　　ありそうな同僚を見つけましょう。この過程でさまざまな人を
　　　巻き込むことで、「revisit report」（再検討）の印をつけた質問
　　　への答えを知る人を見つけることもできるかもしれません

成果　Bインパクトレポートのより正確な情報なアップデートを手伝っ
　　　てくれる非公式のワーキンググループ[6]

ステークホルダーを巻き込む
社内のステークホルダーとの会議を設定しましょう。プロジェクトの賛

【6】原文は「working group」。特定のゴールに到達するために結成されたチームのことを指す。到達のために、所属などを超えて最適な人材を集めることが重要となる。同様の表現として軍隊で任務のために結成される「タスクフォース」という言葉が使われることもある。実際に2020年にB Corp認証を取得したダノンジャパンでは「B Corpタスクフォース」と呼ばれる異なる部門の代表者からなるチームが重要な役割を果たしたという。

同者を増やし、勢いをつけるためにまずすべきは、社内のキーパーソンとの打ち合わせの素早い実施です。このミーティングの招待者には、たとえばCEO、CFO、COO、サステナビリティ担当ディレクター、マーケティングディレクター、人事や施設管理の担当マネージャーが含まれるとよいでしょう。あなたの会社が製造業か卸売業に携わっているのであれば、プロダクトデザイン、部品調達部門、サプライチェーン部門のキーパーソンにも参加を求めたいところです。仲間が素早く動けるように、意思決定できる決裁者に同席してもらう必要もあります。こうすることで、プロジェクトに弾みがつき、推進力が生まれます。またミーティングを行なう際には、勤続年数 [7]、年齢、性別、能力、先任権 [8] などの面から、多角的な視点が含まれるよう気を配りましょう。多様な視点があることで、よりインクルーシブな解決策が導き出されることになるからです。

目的とベネフィットを説明する

あなたが何をしようとしているのか、何をもって成功とするのか、そして、このプロジェクトが会社にどんな利益をもたらすのかを説明しましょう。たとえば、「会社のビジネスを、社会を良くするために使うチャンスです。このビジョンに向かって進むためには、あなたの助けが必要なのです」と言ってみるといいかもしれません。プレゼンテーションの内容は、出席者に合わせて調整するのがいいでしょう。下記の例にあるように、経営陣には、それぞれの目的、成功の指標やベネフィットがあり、それによってどの提案が魅力的に映るかが異なってくるからです。以下は、そのサンプルです。

☞ CEO は、多様な才能をもった多様な人たちを引きつけ、雇用したいと考えている
☞ CFO は、投資家を引きつけたがっているか、無駄な出費を抑えたいと考えている
☞ 人事部は、従業員のやる気を引き出し、社員をもっと業務にエンゲージさせたいと考えている
☞ マーケティング部門は、メディア露出を稼ぎ、全国的な広告キャンペーンを行なったり、信頼性の高い第三者機関の認証によるメリットを享受したりしたいと考えている
☞ 営業部門は、消費者からの信頼を高め、ミッションが合致した他の企業とのパートナーシップを構築したいと考えている
☞ 業務管理者は、業務の効率を上げコストを削減したいと考えている
☞ サステナビリティ・マネージャーは、そのパフォーマンスを評価し、ベストプラクティスを共有し、さらに、それに見合った評価を得たいと考えている
☞ 役員の全員が、パフォーマンスの高い仲間とつながりたいと考えて

【7】原文は「tenure」。もともと立場や権利、財産を保持していることを指す言葉だが、採用・人事などの文脈では在職期間のことを指す。たとえば、「average tenure」は、ある会社における勤続年数の平均を指す。

【8】原文は「seniority」。アメリカでは、レイオフなどの際に勤続年数が長い労働者の権利が優先される場合が多く、この雇用慣習が先任権と呼ばれている。年齢を考慮する日本の年功序列とは異なり、勤続年数のみが検討要素となる。

いる

評価プロセスと結果を共有する

あなたがすでにベースラインを把握し、暫定的なスコアも測定し終えており、B Corp取得に向けた旅がすでに始まっていることを、会社に説明しましょう。そして、Bインパクトレポートで学んだこと、過去のベストプラクティス、自分の会社と関連するケーススタディなどについて共有しましょう。また、これが会社にとって、どんなチャンスとなりうるのかについても議論しましょう。個人それぞれが最も大切にしていることは何なのか。チームにとって最も大切なことは何か。自社の最大の強みと弱みは何なのか。じっくり話し合いましょう。

核となるプロジェクトチームをつくる

会合には社内のさまざまなステークホルダーが参加しますが、詳細な調査を行ない、改善のための計画を立て、それを実行するためのプロジェクトチームの中核となるメンバーが誰なのかを、そこで見極めることも重要です。その際には、ダイバーシティとインクルージョンを念頭に置き、さまざまなバックグラウンドや肩書きをもつ人がいるように考慮しましょう。プロジェクトチームにマネジメント層が含まれていてもいなくても、どちらでも構いません。アイデアを実行するにあたっては、現場のマネージャー、アソシエイト[9]、インターン、そしてもちろん役員は、心強い存在となります。その際にも、ダイバーシティとインクルージョンを常に心がけてください。

　チームができたら、そのチームの見えない力関係に目を向けてください。他の人よりも多く話しているのは誰か。BIAのどの分野に比重を置くかの決定権をもっているのは誰か。もし、ダイバーシティのセクションでスコアが低かったら、あなたのチームはそれを問題視するでしょうか。人間関係においては、どんな状況であれ「正しい」答えがあるわけではありません。ただ、こうやって自問することで、アンダーレプレゼンテッドなグループの声を包摂し、チーム内の力関係を調整することができるようになるはずです。

次のステップを明確に設定する

プロジェクトの中核になるメンバーたちとミーティングを行ないましょう。この会議の目的は、データ収集と実行計画を前に進めることです。

B Corpの法的枠組みについて議論を始める（B Corp認証のみ）

なぜ会社のミッションを長期的に維持していくことが重要なのか、主要な取締役のメンバーや顧問弁護士、投資家と議論しましょう。検討しうる法的手段についての情報やリソースは、benefitcorp.netで得ることが可能です。

【9】原文は「associate」。もともとは仲間や同僚といった意味をもつが、アシスタントとマネージャーの中間で用いられることの多い役職名としても使われる。たとえば、弁護士の業界では事務所を共同で運営するパートナーと、それをサポートする（パートナーから雇用されている）アソシエイトという区分が存在している。

ライアンのTips プロジェクトチームをつくる際には、勤続年数よりも情熱を重視しましょう。やる気のないCFOよりも、やる気いっぱいの若手のほうが、よほど役立つチームメイトになります。シニアレベルの賛同は必要ですが、すべてのシニアエグゼクティブがプロジェクトの実行に協力する必要はありません。また、プロジェクトチームは、多様でインクルーシブなものとなるよう心がけましょう。女性、有色人種やアンダーレプレゼンテッドな人たちをグループに含め、それぞれの声が確実に届くよう注意しましょう。

Step3 | 計画を立てる

ビジネスにおける成功を再定義するという
ムーブメントの目的に沿いながら、
企業のDNAを改めて確認する機会を得られました
　　　　　　　　ジョアン・パウロ・フェレイラ | Natura | ブラジル

目的 コアプロジェクトチームを結成したら、チームと協力してBインパクトスコアの目標点数を設定し、短期、中期、および長期のゴールをもったアクションプランを作成しましょう。たとえば、53点からスタートした場合、このクイックスタートガイドの全プロセスを完了するまでに、そこに10点上積みできるような改善策が実行可能かどうか検証してみましょう

成果 アセスメントの各質問項目に対する担当者の割り当て、それぞれにアクションプランと目標とするスコア、それを完了するためのおおまかな締め切りの設定

改善するためのツールを使用する
BIAを行なった際に受け取った改善レポートを、チームに共有します。このレポートには、アセスメントを進めるなかであなたが「改善できる」と印をつけた項目と、B Labによって提案された改善点が記されています。

優先順位を付ける
スコアを改善するための方法はさまざまです。まずは、あまり手間をかけずに実行ができそうな項目から手をつけましょう。たとえば、従業員がボランティアに参加している時間の総量を把握することは、法人形態をベネフィット・コーポレーションに変えるよりもずっと簡単です。より多くの時間、労力、議論、承認を必要とする項目には、後で取り組むようにしましょう。

責任をゆだねる

たとえば、あなたの組織の人事担当責任者がジョブシェアリング制度導入プロジェクトを主導してくれたり、COO（最高執行責任者）がサプライヤーの環境への対応に関するデータを集めてくれたり、といったように責任を分担することもできます。

B Corp コンサルタントの採用を検討する

BIAのスコア向上を支援するB Corpコンサルタントのコミュニティが大きくなっています。本書の著者であるライアン・ハニーマンやB Labに、コンサルタントを推薦してもらうことも可能です。

ライアンのTips 質問項目のそれぞれに何点割り当てられているかに、よく注意を払ってください。質問項目のスコアの重み付けと、回答にかかる時間とのバランスを見極めましょう。回答に時間も労力もかかる質問があった場合、そこで獲得できるスコアが、労力に見合ったものであるかどうか確認しましょう。見合わない場合は、「未調査／不明」（Not Tracked/Unknown）をクリックして次に進んでください。そうすることで、アセスメントのスコアは上がらないかもしれませんが、勢いを削がれずに済みます。すべてを完璧に答えよう、すべてのデータを精査しよう、すべてを改善しようと、後ろを振り返ってばかりいることには何の価値もありません。

Step4｜実践してみる

認証を取るためには、時間と労力とリソースが必要ですが、世界に対して会社が与えるインパクトを深く理解できるどうすべきかの道しるべがもらえる機会として捉えれば、それは信じられないほど有益なものです

アイリーン・フィッシャー｜Eileen Fisher｜アメリカ

目的 アクションプランに掲げた課題に取り組み、それをクリアしていきましょう

成果 BIAスコアの向上

データを集めて調査する

アクションプランによっても異なりますが、ここから、BIAの質問項目への回答をアップデートするために必要な、財務、ワーカー、サプライヤー、コミュニティ、エンバイロメント、カスタマーに関するデータを具体的に特定していく作業が始まります。必要であれば、データを管理している担当責任者にコンタクトしていきましょう。

方針と手続きを策定する

BIAでポイントを得るために最もよい方法のひとつは、方針や手続き
を文書化することです。たとえば、環境に配慮した購買方針、地域に
根ざした調達方針、地域貢献の方針、就業規則、内部通報規定、倫理
規定、サプライヤー行動規範、あるいは会社のミッションに関わる活
動実績を記した外部向け年次報告書を作成することで、点数を得る
ことができるのです。

ライアンのTips　B Corp認証取得を目指しているのであれば、「審査の
際に、自分の答えが嘘ではないと証明できる文書があるだろうか？」
と自問してみるといいでしょう。ほとんどの場合、審査の過程で点数
を得るためには、非公式な活動実績だけでなく、それを行なった物理
的な証明が必要となります。

Step5 | 検証して調整する

認証を受けるためには、
自分たちの活動や影響を正確に測定するために
厳しい基準を維持する必要があります

スザンヌ・シーメンス | Lunapads | カナダ

目的　アクションプランに取り組むにあたっては、改善された箇所を
　　　常に記録し、そのデータをBIAに入力していきましょう。これ
　　　によってスコアが更新されていきます

成果　再計算され、より精度の上がったBIAの点数

より大きな課題に取り組めそうですか？

ここまで実行してきたことによって、当初の結果よりも点数が上がっ
ているかもしれません。だとすれば、ここはStep2で会議に出席して
もらった社内の主要ステークホルダーと再び顔を合わせる絶好のタイ
ミングです。これまでの進捗を共有し、残された課題（場合によっては、
より大きな課題）について話し合いましょう。もしまだであれば、ここで、
会社としてB Corp認証取得に興味があるかどうかも話し合ってみま
しょう。

アセスメントを提出する（B Corp認証のみ）

次の段階に進む準備はできていますか？　現時点でBIAのスコアが、
80点以上になっていますか？　もしそうであれば、アセスメントを提出
し、認証の申請を行ないましょう。

アセスメント・レビューを設定する（B Corp認証のみ）

BIAを提出すると、申請を受け付けたB Labのスタッフから、審査面談の日程調整のために連絡があります。電話による審査面談の前に、「はい」と答えた質問から6〜10個の項目が無作為に選ばれ、その裏付けとなる書類をアップロードするよう求められます[10]。たとえば「環境に配慮した購買方針がある」と答えた場合、B Labのスタッフから、レビューのためにその方針が書かれたドキュメントをBIAにアップロードするように求められる、といった具合です。アップロードの手順は、審査面談前に送られてきます。

審査面談を完了する（B Corp認証のみ）

面談のなかで、B Labのスタッフが、質問に対するあなたの回答を逐一評価します。それを行なうのは、あなたに質問の意図を正確に理解してもらい、これからの実践のために必要なことも理解してもらうためです。ほとんどの企業の場合、B Labスタッフによる質問を受けて、回答内容を修正する必要に迫られます。この電話面談を受けるのは、社内の誰でも（役員でもアソシエイトでもインターンでも）構いません。

点数は80点以上のままでしたか？（B Corp認証のみ）

電話での面談が終わったあとも、点数は80点以上のままでしょうか？もしそうであれば、アセスメントのなかから、配点の高い質問が3〜6個選ばれ、それが実際に実践されていることをさらに詳しく証明するドキュメントをアップロードすることが求められます。

　審査の結果、点数が80点を下回ってしまったら、BIAの改善レポートに戻り、スコアを上げられそうな項目を特定しましょう。審査を行なったB Labの担当者から、簡単に点数が加算できるところを教えてもらうことも可能です。あるいは、Step3にあるように、認証の取得に向けたB Corpコンサルタントへの依頼も検討してみてください。

公開する（B Corp認証のみ）

アセスメントの審査担当者から最終承認を得ると、B Labのスタッフから、電子版のB Corp規約とB Corp相互依存宣言が送られ、署名を求められます。さらにB Corp認証費用に関する連絡が届いたら認証プロセスは完了です。認証にかかる費用はbcorporation.netから確認することができます。

ライアンのTips プロジェクトのスタッフには、アセスメントに回答するにあたって「なぜ、いかに、それに回答したか」をメモしておくよう伝えておきましょう。B Corpになることを決意し、審査のなかで証拠の提示を求められたときに、このメモが役に立つのです。

【10】提出する資料の言語については、日本語の書類を提出し、審査面談の際に口頭で英語にて説明をしたという事例もある。ただし、提出する資料の言語については明確に言及されていないため、最新の情報をチェックする必要がある。

Step6 ｜ 取得完了とそれから

ビジネスを良いことのために活用する
情熱をもった同志と出会えたこと、
そこで多くを学べたことも、うれしい驚きでした
ジェフ・ワード ｜ Animikii ｜ カナダ

目的 ここにいたるまでに、会社の社会的・環境的パフォーマンスは
大きく向上していることでしょう。もし B Corp認証の要件を
満たしていたら、ビジネスにおける最も刺激的でダイナミックな
ムーブメントの一員になったことを祝いましょう

成果 この旅を歩んできたチームを称賛し、祝福しましょう

成果を公表する
この機会を利用して、プロジェクトの成功を広く知らしめましょう。
たとえば、会社のニュースレターに、プロジェクトの歩み、成果、今後
の計画について記事を書いてみましょう。あるいは、スタッフとともに
ランチ勉強会を主催し、進捗を共有し、他の社員の参加を促すのも手
です。ウェブサイトやニュースレター、ソーシャルメディアで成果を公
表し、外部のステークホルダーを巻き込むこともできるでしょう。

より強固な基盤をつくる
アメリカの多くの州や、イタリア、コロンビアを含むいくつかの国に存
在している認証B Corpのコミュニティは、「ベネフィット・コーポレ
ーション」と呼ばれる新しい法人形態を支持し、それを実現するため
の法成立にも貢献しました。ベネフィット・コーポレーションでは、起
業家たちが意思決定を行なう際に、株主、ワーカー、サプライヤー、コ
ミュニティ、カスタマー、エンバイロメントに同等に配慮する自由が与
えられます。
　これによって、経営体制や投資家、オーナーが変わっても、社会や
環境に対するミッションをもちつづけることができるのです。認証B
Corpとベネフィット・コーポレーションの違いに関する詳細は、付録
の（P.196）に掲載しています。また有限責任会社（LLC）、有限責任事
業組合（LLP）[11]、低収益有限責任会社（L3C）[11]、個人事業主などその他
の法人形態を取っている会社でも、法的要件を満たすために定款を変
更すれば、法人形態はそのままに認証B Corpになることができます。
あなたの会社の個別の事情に沿ったより詳しい情報は、bcorpora-
tion.netにてご確認ください。

【11】LLPとは、有限責任事業組合（Limited Liability Partnership）の略。イギリスで始まりアメリカでも取り入れられたのちに、日本でも2005年に導入された。合同会社に近く、出資比率と関係なく内部自治を行なうことができるが、法人格はもたない。L3Cは低収益有限責任会社（Low-Profit Limited Liability Company）。

継続的に改善できるようにする

B Corp 認証の取得は、人生における多くのことと同様に、その場し
のぎの解決策ではなく、継続的な改善のプロセスです。あなたのプロ
ジェクトチームは、改善点を特定するために定期的な会議を継続でき
ますか？ 回答をスキップした質問項目のなかで、会社のインパクトを
増大するために、3 年後の再認証までに改善を目指すべきものはどれ
ですか？ あなたが取り組みたいと思っているさらに大きなゴールは何
ですか？ 社会的・環境的ゴールの達成に向けて、どのような取り組み
を継続していくのかを明らかにしましょう。理想的なアウトカムを達
成するための、パフォーマンス目標やインセンティブを設定しましょう。

B Hive をチェックする（B Corp 認証取得の場合のみ）

B Corp 認証取得後の次のステップとして、B Hive を訪問することを
おすすめします。B Hive は認証 B Corp 同士がつながり、リソースに
アクセスし、協業し、知識を共有し、お互いに優待を提供するコミュ
ニティです。認証 B Corp の従業員は誰でも B Hive に登録しプラット
フォームを探索することができます。B Hive へのアクセス方法の詳細は、
bcorporation.net を参照ください。

ライアンのTips B Corp 認証の価値を、最大限に活用するにはどうし
たらいい？ こんな質問に、わたしはよくこう答えています。「B Corp
ムーブメントが何をしてくれるかではなく、B Corp ムーブメントに何
ができるかを問いなさい」[12]。自らの余剰をみんなに分け与えるよう
なマインドセットでコミュニティに参加することを強くおすすめします。
年 1 回の B Corp チャンピオンズ・リトリートや、B Corp リーダーシ
ップ開発会議、B ローカルグループ、ダイバーシティ、エクイティ、イ
ンクルージョンに関するエクスチェンジグループ（Peer Exchange）に、
ぜひ参加してみてください。そして、コミュニティを知ってください。
わたしの経験では、積極的に B Corp のコミュニティに価値を提供す
ると、いずれそれが何倍もの価値になって返ってきます。B Lab や他
の B Corp が、あなたの会社を称賛し、さまざまな企業を紹介し、新
しいビジネスチャンスをもたらしてくれることを期待してただ漫然と
座っていると、そこに待っているのは失望だけになってしまいます。

【12】原文では「Ask not what
the B Corp movement can
do for you, but what you
can do for the B Corp
movement.」。1961 年にジョ
ン・F・ケネディが大統領に就
任した際の演説における有名
な一節、「国家が何ができるか
を問わずに、国家のために何
ができるのかを問うてほしい」
(Ask not what your coun-
try can do for you–ask
what you can do for your
country.) のオマージュと考
えられる。同演説でケネディは
圧政や貧困、疾病、そして戦争
といった、人類共通の敵に対す
る団結を呼びかけた。

おわりに

Conclusion
インクルーシブな世界にいたるために

B Corp ムーブメントは、2030 年にいかなる社会をつくるのでしょう。そして、そこにいたるまでの道のりには、どのようなハードルがあるのでしょう。あなたが B Corp への一歩を踏み出すにあたって、ぜひ頭に入れておいてほしいことをお伝えします。

B Corp ムーブメントにとっての成功とは

B Corp ムーブメントは短期間のうちに世界が直面する社会的・環境的チャレンジに取り組む、イノベイティブで熱意に満ちた先進的なビジネスリーダーたちを結びつけ、グローバルなコミュニティをつくりあげてきました。B Corp コミュニティが急速に成長していること、複数の国で党派を超えた支持のもと新たな法整備が進んだこと、また、B インパクトアセスメントを用いて自社のインパクトを測定・管理する企業が増えていることなどから、ビジネスの力を活用して社会に体系的な変化をもたらすという考え方が広く受け入れられていることがわかります。

たしかに目覚ましい進展はありました。けれども、B Corp ムーブメントにおける成功とは、いったい何を指しているのでしょう。認証 B Corp 企業の数が劇的に増えた[1]からといって、それを成功と呼べるのでしょうか。認証 B Corp やベネフィット・コーポレーションが数十万社になったとしても、それは世界中の企業のほんの一握りでしかありません。

より価値ある成功は、B インパクトアセスメントのような信頼できるベンチマークツールを使用して、重要なこと（財務的なパフォーマンスに加えて、社会的・環境的パフォーマンス）を測定する企業の数が劇的に増えることによって示されます。企業がすべてのステークホルダーに及ぼす影響を測定し、同業者と比較して「世界で一番」になることではなく、「世界にとって一番」になることを目指して競い合うようになれば、わたしたちはより公平な未来に向けて前進しているといえます。

本書の第2版を作成するにあたり、わたしたちは世界の B Corp コミュニティに、ある質問を投げかけてみました。みなさんにこう想像してもらったのです。仮に2030年に B Corp が、その目標を達成していたとします。そのときから振り返ってみて「いったい何が変わったのか」「どんな目標が達成されたのか」「その成功をどうやって他人に証明するのか」、つまりは「2030年における B Corp ムーブメントの成功はどのようなかたちをとっているのか」と訊いてみたのです。以下は、みなさんの答えのほんの一部です。

「B Corp は、ジェンダーの不平等や差別を遠い過去にしました。今日では、アンダーレプレゼンテッドな人たちも含めた多様な人びとに、より多くの機会がもたらされています。そこでは『あらゆる人に影響を与えてこそ成功と呼べる』という信念が当たり前のものとなっています」
フェデリカ・マリア・マウロ（Nativa｜イタリア）

「B Corp コミュニティの人口分布（人種、性別、収入など）は、B Corp が存在する多種多様な地域の人口分布を反映するようになっています。

[1] 2022年4月現在、B Labによれば世界の B Corp は4,800社を超えている。2016年に1,000社弱とされていたことを考えると、爆発的な伸びといっても過言ではない。またムーブメントは国境を越え、カナダ、オーストラリアでは200社以上、イギリス、ブラジル、チリといった国では100社以上の B Corp が認証されているという。

とりわけ、B Corpのリーダーやオーナーに占める女性や有色人種の比率は、その地域における彼女ら・彼らの人口比率に即したものとなっています」ジェイ・コーエン・ギルバート（B Lab｜アメリカ）

「傷ついた生態系が再生しています。二酸化炭素排出量を減らしつづけたことで、気候変動の負の影響を反転させる軌道に乗っています」アリチャ・ウォイェヴニク（Vitarock｜カナダ）

「『通常のビジネス』の最低ラインが大幅に引き上げられ、Bインパクトアセスメントで80点以上を取る企業が当たり前になっています」キャロライン・デュエル（All Good｜アメリカ）

「B Corpのロゴは、大半の消費者に認知され、企業のオーナーや経営者がこぞって取得を望んでいます」アドリアンヌ・チャンドラ・ハフ（Bodhi Surf+Yoga｜コスタリカ）

「外部性のコストが商品価格に含まれています。消費者は、トリプルボトムラインで価格が算出されていない商品はいっさい買おうとしません」ガボール・レヴァイ（Civil Support Public Benefit Limited｜ハンガリー）

「世界中のすべての高校や大学の授業の標準カリキュラムに、B Corpが組み込まれています」アン・フーゲンブーム（KSV｜アメリカ）

「企業が上場するためには、自社のインパクトを測定しなくてはなりません」メルセデス・ヴィオラ（4D Content English｜ウルグアイ）

「わたしたちは謙虚でいつづけなくてはなりません。2030年に『これで仕事は完了した』と思うのであれば、きっと何か大事なことが見落とされています。2030年にわたしたちが言えるのは、せいぜい『ずいぶん遠くまで来たけれど、まだまだ先は長い』ではないでしょうか」ステイシー・メッツガー（PV Squared Solar｜アメリカ）

まとめるならこうです。成功と呼ぶためには、まず、B Corpのオーナーのデモグラフィックが、わたしたちが暮らす世界の人口分布を反映したものとなっていなくてはなりません。また、ステークホルダーの利益を設立文書[2]に盛り込んだ企業の割合が増えなくてはなりません。サプライチェーンの社会的・環境的パフォーマンスを測定し、サプライヤーたちがパフォーマンスを向上できるよう支援し、インパクトデータが調達の決定において役立っていなくてはなりません。さらに、社会のなかで最も周縁化されてきた人びとの経済的な機会が増えなければ、成功とは呼べません。また、重要なことを測定する企業にビジネスス

【2】原文は「foundational documents」。会社の設立時に作成される、日本における定款に類する書類のことを指す。B Corp認証を取得するためには、コーポレートガバナンスに関する文書にB Corpへのコミットメントを明文化する必要がある。

クールを卒業した人の数が増えることも、成功のひとつのかたちです。

　認証 B Corp の数がどうあれ、こうした企業が増えることは、株主だけでなく、ワーカー、コミュニティ、カスタマー、エンバイロメントに対して価値が創出されていることを意味し、それこそが、現在、そして未来の起業家が求めていることなのです。

DEI をめぐる課題

B Corp はこれまで多くの成果を上げてきましたが、わたしたちがコミュニティとして掲げた目標を達成するには、まだまだ長い道のりがあります。よりインクルーシブな経済を実現するために、B Corp はどんな道を選べばいいのでしょう。何を変える必要があるのでしょう。どうすればわたしたち自身がさらに向上できるのでしょう。この数年、多くの B Corp のリーダーたちと対話を重ね、「DEI」をコミュニティ全体でいかに向上させていくのかについて、さまざまな提案に耳を傾けてきました。

B Corp とアクティビズム

B Corp コミュニティは、「We stand for something, not against anything」（何かに反対するのではなく、信じることのために立つ）[3] を指針のひとつとしてきました。この指針は、B Corp コミュニティのなかで大いに役立ってきました。ソリューションを起点としたこのアプローチによって、B Corp コミュニティは、「ビジネスを使って社会を良くする」を最大化することに、ぶれずに集中することができました。

　けれども世界は、10年以上前に B Corp が設立されたときから大きく変わっています。いまこそ、B Corp コミュニティも、アクティビズムに参加するときなのかもしれません。アクティビズムといえば、Ben & Jerry's が「Black Lives Matter」との連帯を表明し[4]、Seventh Generation が有害物質削減に取り組み[5]、Patagonia が保護区域の廃止をめぐってアメリカ政府を提訴したこと[6] などが、すぐに思い浮かぶかもしれません。あるいは、B Corp コミュニティのなかには、国連や気候変動に関する会議など、世界の主要なリーダーが集まる会合への参加を求める人もいます。もちろん、このアプローチは戦略的でなければならず、B Corp コミュニティ内で多くの議論と慎重な検討を経て、自分たちが何と戦うべきなのかが考慮されなくてはなりませんが、わたしたちは、ソリューションに焦点を当てることと不正と戦うこととが共存しうる適切なバランスがあると信じています。

白人至上主義を解除する

本書の冒頭で述べたように、持続的な繁栄をあらゆる人と共有することに貢献するにあたって、白人至上主義と植民地主義のレガシーが、個人、組織、B Corp ムーブメント、そして社会全体にどのように現れ

【3】2015年10月15日、B Lab は「わたしたちは不確実性を喜んで受け入れる。わたしたちは自分を厳しく問う。時間を賢く使う」とツイートしている。

【4】Ben & Jerry's は、BLM 以前から白人至上主義の解体に向けて、具体的な取り組みを進めてきた。2020年6月23日の『The Drum』のインタビューに対して、グローバル・ヘッド オブ・アクティビズムのクリストファー・ミラーは以下のように答えている。「広告代理店と一緒にしている仕事ではありません。これは、マーケティング活動ではありませんから」。

【5】Seventh Generation は、有害物質規制法（The Toxic Substances Control Act）が1976年以降改正されておらず意味をもたない法になっているとして、2014年に「Toxin Freedom Fighters」と題したキャンペーンを展開。ワシントン D.C. におもむき、パートナー企業と議会に働きかけを行なった。

【6】Patagonia は、2017年にアメリカ・ユタ州の2カ所の国定記念物指定保護地域を大幅縮小する決定を下した当時のトランプ大統領を非難。「The President Stole Your Land」（大統領があなたの土地を盗んだ）というメッセージを掲げ、連邦法廷でホワイトハウスに対して訴訟を起こした。

ているかをより深く理解することは欠かせません。白人至上主義を、その名をもって批判し解除するプロセスを深く検討するのは本書の役割ではありませんが、このテーマに関して有用な書籍として、ロビン・ディアンジェロの『White Fragility』（ホワイト・フラジリティ　私たちはなぜレイシズムに向き合えないのか？〈明石書店〉）[7]、エドガー・ヴィラヌエヴァの『Decolonizing Wealth』（富を非植民地化する）、デビー・アーヴィングの『Waking Up White』（白人を目覚めさせる）を紹介させていただきます。白人の読者のなかには、自分はもう「わかっている」から必要ないと思っている人もいるかもしれません。ロビン・ディアンジェロ[8] は、『White Fragility』のなかでそうした考えをこう鋭く批判しています。

白人の進歩主義者こそが、日々、有色人種に最も大きなダメージを与えています。わたしがここで言う白人進歩主義者とは、自分は人種差別主義者ではない、人種差別的傾向が少ない、もしくは、自分は「クアイヤ（ゴスペル聖歌隊）」の一員であるとか、すでに「わかっている」と考えている白人たちのことです。白人の進歩主義者は、有色人種にとって最も困難な存在です。なぜなら、わたしたちは何かを「わかった」としても、自分が「わかっている」ことを他人に知らしめることにばかり労力を割いてしまうからです。そのせいで、自分を高め、教育し、人とつながり、差別に抗う活動を継続していくといった、今後自分たちが生きていく上で必要なことをやれなくなってしまっています。実際のところ白人の進歩主義者は、人種差別を支持し、それに加担しているのです。にもかかわらず、あまりに受け身で、そうではないと確信しすぎているために、いったいどうやって自分が人種差別に加担しているのか、説明されても理解することが不可能になってしまっているのです。〈訳：日本語版編集部〉

コミュニティとしての力

わたしたちは日々、それぞれが個人として情熱をもっていることに取り組んでいますが、もしターゲットを絞って目標に向かって協力し合うことができたら、いったい何が達成できるでしょう。認証 B Corp の Sweet Livity の創業者デイアナ・マリー・リーは、このように述べています。「世界中の B Corp が一定期間、同じ課題にエネルギーを集中することができたなら、わたしたちがただすことを誓った格差、不公平、不正義に大きな変化がもたらされることでしょう。たとえば、すべての B Corp が、1 年間、ホームレス状態をめぐる問題の解決に注力したとしたらどうでしょう。きっと、コミュニティとしての力が遺憾なく発揮されるはずです」

[7] 同書は『New York Times』のベストセラーリストに 155 週連続で掲載されたほか、11 の言語に翻訳されている。ジョージ・フロイドの死に対する抗議活動が行なわれていた 2020 年 6 月には、同ベストセラーリストで 1 位になった。

[8] ディアンジェロは同書で、アメリカでは有色人種と白人は生まれたときから扱われ方が異なるので、原理的にすべての白人はレイシストであるという前提のもと論を展開している。白人であるディアンジェロ本人からもレイシズムがなくなることはないし、レイシズムについての学びには終わりがないとも述べている。

グローバルでインクルーシブな対話

周縁化されている人びとは世界中にいます。海外ではDEIはいったいどのように語られているのでしょうか。グローバルコミュニティは、意思決定プロセスから除外されている人びとのために場所をつくっているでしょうか。B Corpコミュニティのリーダーたちは、よりインクルーシブな法制度や政策、コミュニケーションの実践について、異なる地域のB Corpから、もっと互いに学ぶべきだと考えています。

他のコミュニティグループとのコラボレーション

多くのコミュニティやグループが、黒人と褐色の人たちの連帯を生み出す素晴らしい活動を行なっています。けれども、これらの活動は、必ずしもビジネスの文脈で行なわれているわけではありません。わたしたちは、宗教者 [9]、アクティビストやその他のコミュニティグループとB Corpが協働できる可能性を模索しています。

【9】原文では「faith」。信仰や宗教を指す。キリスト教、仏教、イスラム教などの、地域に根ざした宗教組織やそれを中心としたコミュニティとの協働が想定されている。

コミュニティの構成とパワーダイナミクス

B Corpコミュニティは、自分たちの活動が多様性に富んでいることを常に求めています。とりわけ人種や民族の多様性は、多くのB Corpにとって最優先事項となっています。また、コミュニティにおけるジェンダー比率は改善されていますが、これは主にシスジェンダーの女性と男性に限られています。ジェンダー・ノンコンフォーミングな人びとやLGBTQIA、有色人種、移民、異なる能力をもつ人びと [10] や低所得者の経験や物語に注目が集まっていますので、将来的には、それがB Corpコミュニティに反映されることを期待しています。また、そうすることで、わたしたちのムーブメントも、より多様なコミュニティに理解してもらうことができるようになります。多様な人びとを包摂するにあたっては、コミュニティのなかにおける力関係を、よく観察することが必要です。誰がリーダーなのか。誰が意思決定をしているのか。誰の意見がより尊重されているのか。B Corpコミュニティは、すでにこうした方向に向かって進んでいます。さらに推し進めていきましょう。

【10】原文では「people with different abilities」。「障がいがある人」のことを示す。英語では、challenged、handicappedといった言葉で障がいがあることが婉曲的に表現されてきたが、より婉曲的な表現としてdifferently abledなどの言葉が使われることもある。

B Labの旅

他の人が何を実現しようとしているかを知ることは、この旅を続けていく上での助けとなります。そこで得られた洞察は、あなたのこれまでの考えを揺さぶり、新しいアイデアを生み出し、さらに前進しようという気持ちを奮い立たせてくれるはずです。B Labの共同設立者のひとりであるジェイ・コーエン・ギルバートは、ジャナ博士の共著書『Erasing Institutional Bias』（構造的バイアスを消し去る）に寄せた序文を、ここに引用することを許してくれました。この文章のなかで、コーエン・ギルバートは、B Lab内におけるDEIの取り組みをめぐる思索の旅を、赤裸々にさらけ出しています。

その言葉は腹に食らったパンチのように効いたが、本当はそれに驚いていてはいけなかったのだ。「B Labの有色人種スタッフのうち、自分の能力をフルに発揮できていると感じているのは、白人の同僚の96％に対して、わずか57％ですよ」

公平性を重んじる者として、この10年間、より公平な社会とよりインクルーシブな経済の実現に向けて、多大な時間と資源を費やし、仕事も市民生活もそれに捧げてきたつもりだった。であればこそ、このスタッフ調査の結果には打ちのめされた。が、本当は驚いていてはいけなかったのだ。

およそ65名いるB Labのスタッフのうち、白人は68％だ。アメリカ全土の白人の比率よりも高い。国勢調査局の2016年の調査では、アメリカの非ヒスパニック系白人の割合は61％だ。驚いたのはそのことにではない。むしろ、自社の文化と風土が、98％を超えるほどまでに「白い」ことを調査結果が明かしていたことだ。もっといえばこの会社の文化は、白人の中・上流階級のものだったということだ。気づかされたのは、職場におけるスタッフの経験にマイナスの影響を与えているにもかかわらず、それに気づきさえもしないことがあるということだ。

たとえば、会社のメインオフィスがあるのは、フィラデルフィア郊外の主に白人の富裕層が暮らす地域だが、それが一部のメンバーにとっては居心地の悪さをもたらしている。あるいは、経済的・階級的格差が人種問題と複雑に絡まり合うことで起きる問題もある。クレジットカードをもっていることを前提とした経費精算のやり方が、クレジットカードをもっていたとしても月々の支払いのあとに会社から経費が支払われても困る場合があるという事実を考慮していなかったりする（これが一部の人にとって大きな問題になることを、白人よりも有色人種の人のほうがクレジットカードの利用条件が悪いという調査結果が示唆している）。チーム内のコミュニケーションの促進とコミュニティとしての結束を高めるためにプライベートを共有し合う、週に一度のスタッフミーティングで披露される素敵な旅行写真や美しい結婚式の写真に、「そりゃよかったな」と鼻白む者もいる[11]。給湯室やSlack、GoToMeetingで交わされる何気ない会話に、個々のメンバーの人生体験、興味関心やSNSフィードが反映され、チームの大部分が特権的な白人であれば、ある人にとってオフィス空間は自分が「異質」であることをただ思い知らされるだけのものとなり、本来の自分をもち込むことができなくなる。

ある有色人種のスタッフは、丸腰の黒人男性が警察に射殺された事件が起きた翌日に、静まり返ったオフィスに1日いることがどれほど辛かったかを語っていた。プライベートなネットワークでの銃撃事件への反応と職場のネットワークにおけるそれは、あまりに対照的で居心地が悪かったという。

こうした問題に加えて、B Labの管理職には有色人種がほとんどお

【11】日本でもFacebook、InstagramなどのSNSにおける「リア充」投稿が、マウンティングとして問題化することがある。特にリモートワークなどの普及により、生活と仕事の境目が薄れた結果、その問題は深刻化しているともいえる。何気ない言動が、自らの無意識にもっている特権性を行使してしまう結果にならないように注意したい。

らず、キャリア形成のロールモデルがないために孤立感が助長されている。B Lab で働く有色人種の人たちのうち、自分もこうなりたいと思えるロールモデルがいると答えたのが、白人の79％に対してわずか29％だったと聞いても、本当は驚くべきことではない。職場での人間関係が「よい、または素晴らしい」（「悪い、またはひどい」との比較において）と感じているのが白人の92％に対して、有色人種のスタッフに50％しかいなかったのもむべなるかなだ。

職場にはさまざまなバイアスが交錯する。職業、階級、性別、人種に、採用・昇進をめぐる偏見や特定の顧客に対する偏見などが絡まり合って、それは立ち現れる。B Lab という組織の、そして自分自身の無意識のバイアスが最も顕在化したのは、採用と昇進においてだった。

　許容度の低さや偏見が、同質性の高いホモジニアスな組織に居座りつづけるのであれば、インクルーシブな文化を築き組織的な偏見をなくすために必要なステップは、異質性の高いヘテロジニアスな文化をつくることだ。あらゆるレベルでチームを多様化し、より異質な経験や視点が日々のやりとりのなかで立ち現れるようにすることで、新たな文化が生まれ、課題解決にも深みが増し、よりよい組織が生まれる契機となる。

　しかしながら、多様でインクルーシブな職場をつくることは、言うほどたやすくはない。なぜなら人は誰しも自分に似た者のネットワークのなかにいるからだ。Public Religion Research Institute の調査によれば、白人の75％は、有色人種の人や家庭と親密な関係をもっていないという。つまるところ、人種的に多様なチームや文化を構築するには、まずは自分自身が、居心地のよい場所と習慣から抜け出す必要があるということだ。

B Lab 内の最も大きな困難の原因は、「意図」ではなかった。原因は、コミットメントにあった。B Lab のチームが絶えずハードに働いているのは、営利、非営利を問わずどの組織とも変わらない。1日、1週間、1カ月の間にやるべきことの量は、常に能力の限界を超えている。パートナーがよく言うように、わたしたちはいつも過剰な機会とリソース不足に苛まれている。こうした環境において欠員が出た場合、誰しもが決まった反応をする。すなわち、有能で話のわかる誰かをいますぐに入社させることだ。早ければ早いほどいい。

　その結果、戦略性のある採用よりも、迅速な採用が優先される。わたしたちの場合、フルタイムのポジションを、探すのが簡単で仕事ができて「文化的にもフィット」していることが少なからずあるインターンで補うことを頻繁にしてきた。インターンであれば明日からでも出社できる。ある時点で、B Lab の全スタッフの約3分の1は、かつてのインターンだった。

どの組織でもそうだが、インターンは、学校の後輩やご近所さんや同僚の子女、地元の優秀な学生といったように個人的なネットワークから採用される。つまり、白人が多く住む裕福な郊外に主要拠点を置く、3人の白人が設立したB Labのような組織の場合、自分たちとそっくりのインターンしか来ないということだ[12]。加えて、よかれと思って行なわれてきた社内昇進が、意図せぬまま同質性の高い管理職と文化を温存し、管理職となったかつてのインターンは、自分がかつていた社会的なネットワークから自分のようなインターンを採用しつづけることになる。

こうした制度的な偏見を生み出し存続させているのが自分自身ではないかと省みたとき、戦略よりもスピードを優先させる文化をつくり維持した結果、インクルーシブで多様性のあるチームづくりを自ら困難にしていたことに気づくこととなった。自分が仕事が速く長時間労働も厭わないことから、他人に対してもそうであることを求め、思いついたことを何でも実行しようとすることで、安全に試すことができたはずのアイデアを危険を伴う取り組みへと変えてしまい、ただでさえ無理をしているチームにいっそうの負荷をかけてしまう。そこに強制力をもつ立場と自制心の欠如が加わることで、次の波に備えて手っ取り早く手近な救命道具に手を伸ばすように、賢明とはいえない拙速な採用へと駆り立てられてしまう。

インクルーシブで多様性のある最高の組織を築くというチーム全体の共通目標を達成するためにまず変えなくてはならないのは、これだ。これまでのように個人的な、もしくは仕事上の付き合いの外に出て誰かを採用するには、ふさわしい相手を特定し、合意できる地点を見いだし、信頼を築くための継続的な努力が求められる。時間がかかったとしても、それが可能となる空間をつくり出すためには、まず自分の行動を変える必要がある。

リーダーと呼ばれるにふさわしい、インクルーシブで多様性のあるB Corpコミュニティをつくる上でも、同じような力学が働く。3人の白人男性が共同設立したビジネスリーダーのコミュニティの周りには、白人男性が集まってしまう。ビジネスリーダーの多くが白人男性である状況を社会がつくり出しているなか、異質性のあるコミュニティをつくるには、よほど明確な意図とコミットメント、時間と資金がない限り、現状あるもの、つまりは白人男性中心のコミュニティになってしまう。

そうした新しいコミュニティの実現を阻んでいる要因は他にもある。コミュニティを多様化したい意図があったとしても、社会的に周縁化させられている弱者に関する知識はもとより、それらのコミュニティを支える専門家たちのネットワークとのつながりが決定的に不足している場合がある。加えて、有色人種のコミュニティに自分たちの活動がどう受け入れられ、彼らの個人的またはビジネス上の目的にどのよう

【12】日本のスタートアップにおいても、同様の傾向が見られる。特に起業家が雇用を行なう場合に、大学などのネットワークを使うことによって、無意識に学歴でフィルタリングされてしまうことが少なくない。組織の同質性はインクルーシブを阻害することを意識しておきたい。

に合致するかがわからないことに腰が引け、怖がってしまうことから、新たなコミュニティと関係を深めることに躊躇してしまうこともある。

　冒頭のスタッフ調査の一件で明らかなように、わたしたちは多様性の価値を語りながらも、インクルージョンの重要性に気づくのに時間がかかりすぎている。B Labの「Equity, Diversity, and Inclusion Committee」の思慮深い判断と働きかけによって、よりインクルーシブなイベントの設計や、マーケティングやコミュニケーションにおける、よりインクルーシブな言葉遣いやイメージの制作に時間とリソースが割かれるようになったのは、ごく最近のことだ。女性や有色人種の起業家には異なるニーズや優先事項があるかもしれないという前提に立って、自分たちが提供するサービスやプロダクトが彼女ら／彼らの価値観を下支えするものかどうか、B Corpコミュニティが時間と労力と資力を投入するにふさわしいものであるかどうかを検討することも、ようやく始まったばかりにすぎない。

　一例を挙げるなら、女性や有色人種の人が率いる企業は、資本調達がより困難で、特権、権力、資源にアクセスするための社会的ネットワークもより限定されている。さらに社会的な偏見が機会を制限し、有力なビジネスネットワークや投資家ネットワークの番人たちに「いい子ちゃんのおままごと」と低く見られてしまう。これは誇張でも何でもなく、女性や有色人種の人が率いる事業にはつきものだが、白人、とりわけ白人男性が率いるビジネスは直面することのない現実だ。この現実を踏まえ、それに即したかたちで自社サービスを見直すことにいま取りかかりはじめているところだ。

B LabとB Corpコミュニティが模範となるべく取り組んできた数々の努力は、ときに間違いを犯し、進みも遅いが、幾多の困難の経験はリアルなものだ。誰しもが暗黙のバイアスをもっている。それはどのコミュニティも、どの組織も同じだ。B Corpコミュニティはビジネスコミュニティの反映であり、ビジネスコミュニティは社会の反映だ。何百年にもわたる不公平が、従業員をもつアメリカの全企業のうち有色人種が経営する企業はわずか3%、女性が経営する企業はわずか4%という社会を生み出した。全企業で見ると、有色人種が経営する企業は29%、女性が経営する企業は37%となっており、有色人種や女性の経営者の90%が、従業員をもたない「ソロプレナー」である【13】。一方、B Corpにおいては、従業員を抱えるアメリカ企業の有色人種の経営者は6%、女性経営者は23%だ。

　グラスの半分が満たされていると見るなら、有色人種や女性が率いる従業員のいる企業について、B Corpコミュニティは、アメリカのビジネスコミュニティの平均と比べて、有色人種では2倍、女性では約6倍の多様性を実現している。逆にグラスの半分はまだ空だと見るなら、6%と23%という数字は受け入れがたいほど低く、より多様なリーダ

【13】日本では、2020年時点で、社長の女性比率は8%と、10%を下回っている状況だという。女性の起業家支援を行なう横田響子が『東洋経済』で2021年に答えたインタビューによると、個人事業主を含めた数は上昇傾向にあり、男性の事業主と比べて、主婦の起業や企業からの独立など、多様なバックグラウンドの人びとがいることが指摘されている。

ーのコミュニティが生まれることでもたらされるはずの価値を、コミュ
ニティと社会から奪っている。

　ジャナ博士から学んだ最も強力な教えは、自分が経験した困難を自
分のものにし、それに名前を与えることがもたらす力と、意図を行動
に移し、行動を結果につなげることの大切さだ。問題に耳を傾けもせず、
構造的バイアスは「わたしたち」ではなく「他人」の問題だとする誤っ
た認識をもつことで、組織や社会が潜在力を最大限に発揮することを
妨げている白人主導のビジネスやビジネスコミュニティにおいて、この
ことはとりわけ重要だ。ジャナ博士はこう言う。「何の疑問ももたず、
自分の影響力を行使せぬままシステムのなかで安住している限り、み
んなが問題の一部なのです」

　歴史のこの瞬間において、周縁化され弱い立場に置かれつづけたコ
ミュニティ、あるいは歴史的に顧みられてこなかったコミュニティに向
けた理不尽な不公平に目をつぶりつづけることは、もはや許されてい
ない[14]。わたしたちは、個人として、組織として連帯しながら、意図
をもった協調的なムーブメントの一員として、バイアスの上に築かれ
たシステムを解除し、みんなの益となる、パーパスドリブンでインクル
ーシブな経済という、新しい当たり前をつくりあげていかなくてはな
らない。

そして次は、あなたの番

これからまだやらなければならないことの多さに圧倒され、落ち込み、
悲しくなったとしても無理はありません。この旅は、肉体的にも精神
的にもきついものなのです。イヴォン・シュイナードはかつてこう言い
ました。「吟味された人生を送るには、手間がかかる」。同意せざるを
得ません。

　ライアンやジャナ博士を筆頭にわたしたちが対話を重ねた多くの人
たちは、深いつながりや感謝の気持ち、そして刺激的で思いやりのあ
る人たちとともに旅をすることで、みなから得た力に慰めを得ている
といいます。わたしたちは、より多様で、より公平で、よりインクルー
シブな経済をつくるために日々努力を重ねていますが、B Corpコミュ
ニティに参加することで、ビジネスを社会を良くするために生かすリ
ーダーたちの世界的なムーブメントの一部になれていることが、毎日
職場へと向かう意欲を支えてくれています。

　さて、ここからはどうすれば？とお考えかもしれません。本書を読
み終えたいま、重要なことを計測し、よりインクルーシブなビジネスを
築くための、もしくは認証B Corpを目指すための最初の一歩は、ま
ずBインパクトアセスメントを試してみることです。まだ試していない
方は、やってみた上で、友人や家族、同僚にも、企業の社会的・環境
的パフォーマンスを測定することのできるこの無料ツールのことを教
えてあげてください。よりインクルーシブなビジネスを目指す方は、ジ

【14】2020年7月、B Labは「B
Lab Takes a Stand: A Com-
mitment to Justice and An-
ti-Racism, An Invitation for
Businesses to Take Action
With Us」と題した声明を発
表。人種差別的な制度、政策、
慣例、イデオロギーを解体する
ためのアクションへと持続的に
コミットしていく姿勢を改めて
示した。同声明ではB Labが
アンチレイシストを掲げる組織
になるための計画が記されてい
る。2022年4月現在、B Lab
のグローバルサイト内のページ
「Justice, Equity, Diversity &
Inclusion (JEDI)」には、DEI
に追加された「Justice」(正義)
の定義が掲載されているほか、
2021年時点での指針をまとめ
た「B Lab Global JEDI Base-
line Pillars of Focus」もダウ
ンロード可能。

ャナ博士とアシュリー・ディアス・メヒアス博士の共著『Erasing In-
stitutional Bias』（構造的バイアスを消し去る）をチェックしてみてくだ
さい。B Labがまとめた「インクルーシブエコノミー・ベストプラクティ
スガイド」もおすすめします。また、Bインパクトアセスメントのス
コア向上のためのインスピレーションやヒント、無料のテンプレートを
お求めの方には、LIFT Economyの月刊ニュースレターが役に立つは
ずです。

最後に、環境保護活動家にして起業家、そして『Drawdown: The
Most Comprehensive Plan Ever Proposal to Reverse Global
Warming』（ドローダウン：地球温暖化を逆転させる100の方法〈山と溪谷社〉）
の著者であるポール・ホーケン [15] による、わたしたちのお気に入りの
言葉をご紹介してお別れしたいと思います。彼の言葉は、わたしたち
が一丸となって達成しようとしているのが何であるかをよく表してい
ると思います。

「未来について悲観的か楽観的かと聞かれたときの答えは、いつもこう
です。地球上で起きていることを科学的に見て、悲観しないのであれば、
あなたはデータを理解していません。一方で、地球や他人の暮らしを
よくしようと尽力している人に会って、楽観的になれないのであれば、あ
なたには血が流れていません。わたしが世界中で目にするのは、絶望、
権力、そして数えきれぬほどの困難に立ち向かい、なんとか世界に気品
と正義と美しさを取り戻そうとする普通の人たちなのです」（ポール・ホー
ケン、「2009 Commencement address」、ポートランド大学、2009年5月3日）

本書が楽しく役立つものであることを願っています。もしそうであった
なら、ぜひ広めてください。また質問やご意見がありましたら、ライア
ンまたはジャナ博士に直接コンタクトしてみてください。

☞ ryan@lifteconomy.com
☞ tiffany@tmiconsultinginc.com

【15】アメリカの環境保護活動
家。『ネクスト・エコノミー：情
報経済の時代』、『ビジネスを
育てる』などの邦訳書でも知
られる。2021年に上梓された
『リジェネレーション：気候危
機を今の世代で終わらせる』
では、公平性や正義などのイ
ンクルージョンと環境問題への
対応を統合した変革へのアプ
ローチについても触れている。

付録
実践のためのドキュメント

B Corp認証を取得するためにアセスメントを進めたり、自分の会
社のガバナンス文書を変更したりするなかで、より詳しい実務上の
情報が必要になることも少なくありません。本付録では、法的な規
定の解説や英単語集など、B Corpというムーブメントのなかへと
一歩を踏み出すための資料をまとめました。

認証 B Corp とベネフィット・コーポレーション

B Corp の「B」は「Benefit」から取られていますが、認証 B Corp と
ベネフィット・コーポレーションは異なる概念です。混同しやすいふた
つの違いを、それらの背景から解説します。

認証 B Corp とベネフィットコーポレーションの違いは何ですか？
認証 B Corp とベネフィット・コーポレーションがよく混同されるのは
無理のないことです。多くのことが共通していますが、以下の表に示
されている通り、重要な違いも少なからずあります。

認証 B Corp とベネフィット・コーポレーションの比較

分類 / 要件	認証 B Corp	ベネフィット・コーポレーション
責任	役員はすべてのステークホルダーに対するインパクトを考慮しなければならない	認証 B Corp に同じ
透明性	企業は、すべてのインパクトを第三者認証に基づいて測定した公的な報告書を公開しなければならない [a]	認証 B Corp に同じ
パフォーマンス	B インパクトアセスメントで 80 点以上のスコアが必要となる。3 年に一度、更新された基準に基づいた再認証が必要となる	自己申告制がとられている
取得可能性	営利目的であれば、全世界のいかなる企業でも取得可能	ベネフィット・コーポレーションが法制化された特定の国（コロンビアとイタリア）、または特定のアメリカの州（35 の州およびワシントン D.C.、プエルトリコ）で取得が可能
コスト	売上規模に応じて、毎年 500 ドルから 50,000 ドルまでの B Corp 認証費用が必要 [b]	申請にかかる費用は国や地域によって異なる。詳しくは benefitcorp.net を参照
B Lab の役割	法人の認証と、ムーブメントを支える非営利活動の支援。B Corp 認証ロゴ、サービスのポートフォリオ、グローバルな実践コミュニティの提供	立法モデルを開発。現在は新たな国や地域でのベネフィット・コーポレーション立法への働きかけを行なっている。要求される透明性を満たすための無料レポーティングツールも提供する。企業を監督する役割は果たさない

a：現在デラウェア州では、公的な報告書の公開および第三者評価提供機関の利用は義務付けられていない。詳細は、bcorporation.net と benefitcorp.net に。b：2022 年 4 月現在は年間売上が 150,000 ドルより少ない場合は 1,000 ドルとなっている。

ベネフィット・コーポレーションの法的枠組みがつくられた理由は？
多くの起業家が資金調達をしたりビジネスを成長させたり売却したり
する際に、会社がもともともっていた社会的・環境的価値を低下させ
ざるを得なくなっています。そうした困難に立ち向かうための挑戦が、
B Corpムーブメントが生まれた理由のひとつでした。

B Labのリーダーシップと認証B Corpコミュニティの後押しによって、
ベネフィット・コーポレーションという新たな形態の企業をつくる法
律が、複数の国と、アメリカの過半数の州で制定されました。ベネ
フィット・コーポレーションという企業形態は、堅実な財務パフォーマン
スを維持しながら、ビジネスを用いて社会的・環境的課題を解決しよ
うとする起業家と投資家にとってベストな落とし所だったのです。ベ
ネフィット・コーポレーションは、資金調達や経営陣の交代を経たと
しても会社が当初のミッションを守ることができるように設計されて
おり、起業家や役員が、潜在的な会社の売却や流動性の選択肢をよ
り柔軟に評価できるようになっています。法的な要件は以下の通りです。

☞役員と幹部職が、意思決定において、株主だけでなくすべてのステー
　クホルダーの利益を考慮することを法的に保護する
☞株主がもつ追加の権利として、役員と幹部職に、株主だけでなくす
　べてのステークホルダーの利益を考慮する責任を負わせる
☞株主に対してのみ適用してきた権利を制限する

ベネフィット・コーポレーションの必要性と妥当性に関する議論や、
州ごとの申請方法など、詳細かつ実務的な情報が知りたい方はben-
efitcorp.netにアクセスしてください。また、フレデリック・アレキサ
ンダーによる『Benefit Corporation Law and Governance: Pur-
suing Profit with Purpose』（ベネフィット・コーポレーションの法とガバ
ナンス：パーパスを伴った利益を求めて）はベネフィット・コーポレーション
に関する参考書の決定版といえます。

認証B Corpはベネフィット・コーポレーションになる必要があります
か？
企業の法的な枠組みと、登記している地域によります。認証B Corp
はすべてのステークホルダーに対して、企業の意思決定がもたらすイン
パクトを考慮することを法的に求めており、それが認証を得る条件の
ひとつとなっています。ただし、法的要件を満たすために企業を必ず
しもベネフィット・コーポレーションにする必要があるわけではありま
せん。法的な要件は、有限責任会社（LLC）や有限責任事業組合（LLP）、
低利益有限責任会社（L3C）、協同組合、個人事業主といった形態でも
満たすことができるからです。たとえばライアンがかつて経営していた

Honeyman Sustainability Consulting は有限責任会社（LLC）でしたが、B Corp 認証を取得してからガバナンス文書を「ビジネスにおける意思決定においてすべてのステークホルダーのことを考慮しなければならない」と記した文言を含めるように修正しました。

もしあなたの会社が株式会社で、ベネフィット・コーポレーション法が制定されている国と地域（現在はアメリカの 35 の州とワシントン D.C.、プエルトリコ、イタリア、コロンビア）にある場合は、ベネフィット・コーポレーションとして再度法人化する必要があります。たとえば、Patagoniaはカリフォルニア州の法人ですが、カリフォルニア州はベネフィット・コーポレーション法が制定されている 35 州のうちのひとつです。同社は B Corp 認証を保持するためにカリフォルニア州のベネフィット・コーポレーションとして再度法人化する必要がありました。

ベネフィット・コーポレーション法が制定されていない地域で登記されている株式会社の場合、まだベネフィット・コーポレーションとして法人化することはできません。たとえば、Small Giants はオーストラリアの企業ですが、本書の執筆時点では同国にベネフィット・コーポレーションの枠組みはありません。認証 B Corp として法的な要件を満たすために、同社は B Lab とオーストラリアの法律上で可能な限りすべてのステークホルダーへのインパクトを考慮した経営を約束する合意書を B Lab と締結しました。この合意書では、ベネフィット・コーポレーション法がオーストラリアで制定されたとき、Small Giants が B Corp 認証を保持するためにはベネフィット・コーポレーションになる必要があることも規定されています。

いかなる状況においても、法人形態や会社の定款などの条項を変更するには時間がかかることを B Lab は理解していますので、B Corp 認証を取得したあとに法的な要件を達成するためには猶予期間が設けられています。猶予期間の長さは会社の構成や登記された地域によって違いがあります。詳しくは bcorporation.net をご覧ください。

ベネフィット・コーポレーションは、認証 B Corp にならなければならないのですか？
いいえ。ベネフィット・コーポレーションである会社は、認証 B Corp になる必要はありません。実際、世界には認証 B Corp の 3 倍以上に及ぶベネフィット・コーポレーションが存在しています。たとえばアメリカの人気ラジオ番組である『This American Life』（『Serial』と『S-Town』という素晴らしいポッドキャストがスピンオフしています）は同名の企業としても知られていますが、認証 B Corp ではなくベネフィット・コーポレーションです。一方で Patagonia や Kickstarter のようなベ

ネフィット・コーポレーションは、社会的・環境的パフォーマンスに関する第三者機関の証明をさらに得るために認証 B Corp になることを選びました。しかし、それはベネフィット・コーポレーションになるための要件ではありません。

ベネフィット・コーポレーションになることは、課税に関してどのような影響をもたらしますか？
アメリカにおいては、ベネフィット・コーポレーションになることによる課税への影響はありません。C コーポレーションまたは S コーポレーションのどちらとして課税されるか選ぶことができます。ベネフィット・コーポレーションであることによって、会社のパーパス、責任、透明性に関する要件が変わるだけで、他は変わりません。その他の国においてベネフィット・コーポレーション法がどう効力を発揮しているかは、benefitcorp. net で詳細をご覧ください。

Aveda のような企業は、ベネフィット・コーポレーションの法的枠組みがなくとも、社会的・環境的な責任を果たしているのではないでしょうか？
Aveda や Ben & Jerry's、Burt's Bees、Tom's of Maine のような企業は、ビジネスで利益を生みながら社会的ミッションをもつことが可能であると証明しました。ただし、2007 年の金融崩壊のような危機、リーダーの交代といった状況では、社会的・環境的価値は、企業の定款に埋め込まれていない限り、脇に置かれてしまいます。ベネフィット・コーポレーションの法的枠組みは、何が起きようとも社会的・環境的価値と利益を生むことが同じように重要であると、起業家、オーナー、投資家に保証してくれるのです。第 2 章で取り上げられている Whole Foods Market の事例 (P.060) を参照してみてください。

この点に関してあらゆる訴訟で判決を下す可能性をもつアメリカの最高裁もそれに同意していることは、重要かもしれません。デラウェア州の最高裁判所判事であるレオ・E・ストライン Jr. は 2015 年に、「The Dangers of Denial: The Need for a Clear-Eyed Understanding of the Power and Accountability Structure Established by the Delaware General Corporation Law」（否定の危険性：デラウェア州会社法による権力と責任構造を明晰に理解する必要性）と題された論文でこう書いています。

企業が社会的責任をもっと負ったほうがいいと考えている方々は、デラウェア州の会社法 (Delaware corporate law) の下では、法的裁量の範囲内であれば企業の役員は株主の利益をコーポレートガバナンスにおける唯一の目的とする義務はないと主張する傾向があります。（中略）

このように論じる人びとによれば、株主の利益は合法的に追求できる多くの目的のひとつでしかないことを企業の役員が認識しさえすれば、世界はもっとよい場所になるということのようです。このような楽観的な見解においては、従業員、カスタマー、環境、慈善活動、事業を行なっているコミュニティや社会、それらのいずれか、またはすべてが、株主の経済的な幸福（利益）と同等あるいはそれ以上に重要な目的であると役員が考えてよいことになります。

悪意なくこのように論じる人びとは、会社法の構造的特徴を無視していることになります。この考え方は、法人に関するデラウェア州の裁判例（コモン・ロー）と矛盾しているからです。（中略）

行動するときに適用されるルールや、実際に影響を受けている力関係を知らない人に、正しい行ないをするようにただ言い聞かせたとしても、社会の発展にはつながりません。むしろ、そうすることによって、株主の利益追求よりも、より困難な政策課題を避けるための口実を与えてしまいます。しかし、営利企業が社会に対する責任をもち、持続可能なかたちで長期的な富を生み出す手段であるのならば、必ずそれらの課題を避けずに立ち向かわなければなりません。（中略）

もし会社法において、他のステークホルダーがもっと保護されるべきだと信じるのであれば、拘束力のある、行使可能な権利を与える法令が採択されるべきです。ベネフィット・コーポレーションは、ささやかではありながらも、まさにそれを実現するための一歩となる実例です。

法的な要件を満たすことができずに、B Corp認証を失った企業はいるのでしょうか。
はい。Etsy、the Honest Company、Warby Parkerがそれに該当します。いずれの企業も5年以上にわたりB Corp認証を取得していましたが、認証を維持するために必要な法的な変更を期限までに行なわないという結論にいたりました（その理由を語るのは、本書の役割ではありません）。

認証を失うことは、B Corpコミュニティ、そしてもしかしたらそれらの企業の従業員にとっては悲しい出来事だったかもしれません。しかしながら、最終的にB Labは、これらの企業がB Corpでありつづけるための法的な要件を見直しを廃止しないという正しい道を選びました。

もちろんこれは容易なプロセスではありませんでした。B Labは法的な要件がB Corpコミュニティを大きくするための最大の障壁であることに気づいています。ただ、大きな賭けに打って出たのです。法的な要

件を満たすことにこだわりつづけると、B Corp コミュニティの成長が
遅くなり、Etsy や the Honest Company、Warby Parker といった
有名企業も脱落してしまいます。それでも、その要件を守ることがムー
ブメントにとっては最も正しい道だと確信したのです。

裁判官のレオ・E・ストライン Jr. によれば、Amazon による Whole
Foods Market の買収に関するエピソード（P.060）で明らかなように、
起業家や役員が意思決定する際には株主のみならずワーカーやコミュ
ニティ、エンバイロメントを考慮するための法的な枠組みを求める確
かなニーズがあるのです。Laureate Education の華々しい IPO や、
Ripple Foods がメインストリームにいる投資家から調達した１億ドル、
Danone North America がパブリック・ベネフィット・コーポレー
ションになるという決断、世界における株式公開している B Corp の
増加など、ベネフィット・コーポレーションになるための法的な変更が
未来においては大きな問題ではないことを示す証拠は、実際のところ
多く存在しています。

どうやってベネフィット・コーポレーションになればよいですか？
法人を登記している地域によって異なります。アメリカで新しい企業
をつくる場合、ベネフィット・コーポレーション法が制定されている州
であればベネフィット・コーポレーションをつくることができます。手
続きは他の法人形態における登記と大きな違いはありません。もしす
でに会社を所有している場合は、ガバナンス文書を変更してベネフィ
ット・コーポレーションになることができます。イタリアやコロンビア
など、ベネフィット・コーポレーションをつくることができる国は増え
つつあります。ご自身の状況に関する最新の情報がほしい場合は、
benefitcorp.net にアクセスしてみてください。

DEI サーベイ・サンプル

以下の DEI サーベイのサンプルは、インクルージョンへの取り組みをス
タートさせるために十分な情報が提供できるようにできています。DEI
への取り組みは誰かひとりの直感によって主導されるものではありま
せんし、企業のアクションによって扇動された体験と物語に依存する
ものでもありません。指標があることで、リーダーは DEI に対する関心
が局所的なものか社内全体に広がっているかを判断できるようになり
ます。調査の結果を示すデータは、DEI に関する戦略を狭い範囲にし
ぼるべきか、もっと包括的なものにすべきか教えてくれます。

以下のサーベイは、包括的なものではありませんが、簡潔でデータドリ
ブンな出発点を把握するリトマス試験紙となり、今後の戦略を立てる
上で役に立ちます。TMI Consulting は、サーベイを指導し結果を理
解するお手伝いができますし、より包括的なサーベイも用意しています。
ここで紹介したふたつのサンプルでは、DEI に取り組むときに考えるべ
き問いを体感できます。ただし、データの集め方や解釈、結果の公開
には十分に留意すべきことを警告しておきます。プロフェッショナルの
助けが必要なときは tmi@tmiconsultinginc.com にご連絡いただき、
B Corp ハンドブックの DEI サーベイを読んだとお知らせください。

リーダーシップの構造に関するサーベイ
このサーベイによって、経営陣は、組織構造がインクルージョンを高め
ているのか排除を強化しているのかを判定することができます。以下は、
経営陣への質問です。

☐ 男女の平均報酬が、マネジメント層、非マネジメント層を通じて平
　等か？
☐ 従業員が異議を申し立てるためのプロセスが標準化されているか？
☐ 従業員が異議を申し立てる方法を教えられているか？
☐ ダイバーシティとインクルージョンの両方もしくはいずれかが、コア
　バリューかミッションステートメントの一部に記載されているか？
☐ ダイバーシティとインクルージョンに関する戦略があるか？（指令の
　フォーマットが組織に存在しているか）
☐ ダイバーシティとインクルージョンに関する公式のプログラムや方針
　が存在するか？
☐ DEI に関する評議会が存在するか？
☐ ビジネス戦略に紐づいた目的をもつ、委員会を伴う従業員リソース
　グループが存在するか？
☐ 組織文化の一環としてインクルーシブな視点があるメンターシップ
　や研修を提供しているか？

従業員の組織的DEIサーベイ

このサーベイはリッカート尺度に基づいた5段階評価で行なわれます。従業員はそれぞれのステートメントに対して、たとえば「(1) 強く反対する、(2) 反対する、(3) 反対でも賛成でもない、(4) 賛成する、(5) 強く賛成する」から選択して回答します。

☐ 業務において、自分の意見をグループに対して安心して表明できる
☐ 方針や方法、予測について、すべての従業員に適切なタイミングで正確な情報伝達が行なわれている
☐ 研修の機会があらゆるレベルで従業員に対して提供されている
☐ 従業員の評価とフィードバックについて、透明性の高いプロセスが存在している
☐ 従業員はなぜダイバーシティとインクルージョンに価値があるかを知っており、それを理解している
☐ 昇進や情報へのアクセスについて、人種にかかわらずすべての従業員が同じ体験や機会を得ることができる
☐ 業務環境において、従業員が歓迎とリスペクトを感じている
☐ ジェンダー・ノンコンフォーミングな人びとも含めた、あらゆる性的志向とジェンダーの従業員が、自分たちは疎外されていないと感じている
☐ 従業員は業務や打ち合わせでありのままの自分でいられると感じている
☐ 強い訛りがあったり外国から来たりした従業員が、他の同僚と同じようにチャンスを享受できている
☐ 従業員が、意思決定のプロセスにおいて、自分には価値があり包摂されていると感じている
☐ 健康的なワークライフバランスを保つことができる環境が提供されている
☐ 従業員はどうすれば異議を申し立てられるかを理解している
☐ 異議を申し立てたとき、それが真剣に受け止められている

B Corp 認証要件のアップデート

2022 年 2 月 23 日に B Lab は、2023 年からの B Corp 認証取得のための新しいパフォーマンス要件を開発すること、その方向性を発表しました。これは 2020 年 12 月に B Lab が、この要件の開発を行なうか否か検討を始めることを発表し、その後約 1 年をかけてオープンなアンケートなどを通して幅広いステークホルダーからの意見を募り、議論を重ねた結果です。パフォーマンス要件の開発とその実装は、今後段階的に行われます。B Lab の許可を得て、公式サイトでの発表のなかから、その目的とプロセス、新たな要件、スケジュールを掲載します。なお最新の情報や要件開発への参加については、bcorporation.net を参照してください。(文責：日本語版編集部)

アップデートの目的とプロセスについて
2006 年の B Lab 設立以来、B Corp 認証の要件である B インパクトアセスメントは常に進化を続け定期的な改訂が行なわれてきました。気候危機や世界的パンデミック、そこから起こる経済危機、人種正義の問題など喫緊の課題を背景とした 2020 年 12 月からの見直しの目的は、主要なトピックに関するパフォーマンス要件をより具体的かつ義務として設定すれば、ビジネスをより良い社会をつくるための力として活用するパフォーマンスの高い企業がインパクトを出しつづけ、リーダーシップを発揮しつづけられるようになるのかどうかを把握することでした。

　世界中の 1,200 人を超えるステークホルダーと 1 年間にわたり対話を続けたのち、B Lab の基準を監督する Standards Advisory Council は、B Corp におけるパフォーマンス要件の改訂版を開発するための構成案に合意しました。新たな要件の構成には、インクルーシブで公正、かつ再生可能な経済の実現に向けて普遍的に適用可能で最も関連性の高い約 10 の具体的なトピックを入れることを検討しており、企業の個別の状況もこれまで以上に考慮されます。注目すべきは、B Corp 認証要件を担ってきた B インパクトアセスメントの利用歴やスコアが、インパクトマネジメントなどの要件において価値があることが引き続き認識されている点です。

アップデートで提案されている要件
・パーパス：インパクトを重視し、ステークホルダーへの配慮を含む明確な目的に従って行動していること (例 P.141)
・倫理と腐敗防止：自らの事業とバリューチェーンにおいて、倫理的に行動し、腐敗を防止するための適切な慣行があること (例 P.112)
・インパクトマネジメント：事業がもたらすインパクトを総合的に管理し、意思決定においてすべてのステークホルダーに配慮していること (例 P.031)

- 生活賃金：ワーカーが自分自身と家族のために適切な生活水準を確保していること（例 P.073）
- ワーカーのエンパワーメント：互いに協力し、自分たちの集団としての意見を表明し、経営者に責任を負わせられること（例 P.072）
- 人権：人権を尊重し、悪影響が予防、軽減、是正されていること（例 P.112）
- JEDI（Justice, Equity, Diversity, Inclusion ＝正義・公正・多様性・包摂）：多様性を尊重し、公正で公平な社会の実現に貢献していること（例 P.104）
- 気候：事業やバリューチェーンにおいて、気候変動とその影響に対処するため、科学的知見に基づく気候変動対策を講じていること（例 P.126）
- 環境マネジメント：廃棄物、エネルギー、水、二酸化炭素、生物多様性を網羅した環境マネジメントシステムを構築することで、事業が生むマイナスの影響を最小化し、プラスの影響を追求する姿勢を示していること（例 P.127）
- コレクティブアクション：政治的な提言、ベストプラクティスの共有、新しいパートナーシップなど、インクルーシブで公正、かつ再生可能な経済を実現するために、業界、または規制に対して行動を起こしていること（例 P.050）
- リスク基準：すでに重要視されこれまで適用されてきた他の要件に加え、ビジネスモデルや業務がもたらす重大な影響に関する追加要件を遵守していること（例 P.127）

実施スケジュールについて

☞ 2022年1月〜6月：詳細なドラフトの作成期間。幾度もの検討を経た上で、開発中のテーマに関する主要な専門家やステークホルダー、およびRegional Standards Advisory GroupsとStandards Advisory Councilとの対話を行なう（22年4月30日まで、B Labグローバルサイトで意見交換やテストへの参加者を募集）
☞ 2022年7月〜9月：テスト期間。認証のための新たな要件が実際に意味することを、企業が理解できるよう対話を行なう
☞ 2022年11月〜12月：パブリックコメントの受付期間。関心をもったすべてのステークホルダーが最終的なフィードバックを行ない、さらなる開発を必要とすべきか、または「公的信任」が十分に示されているかを確認する
☞ 2023年1月〜3月：Standards Advisory Councilと理事会によるレビュー期間。開発プロセスおよび要件自体の公平性と信頼性を確保すべく、独立機関によるレビューを行なう
☞ 2023年4月：新しい認証要件の段階的な導入

※上記のスケジュールは各段階での状況を踏まえて、変更となる可能性がある。

B Corp のための英単語集

ハンドブックを読み終わったあなたは、自らの力でB Corp ムーブメントへの一歩を踏み出すことになるでしょう。ただし、2022年時点では日本語化された資料が少ないのも事実です。ここでは、B Corp について調べものをするときに知っておきたい英単語を解説します。
（文責：日本語版編集部）

［B Corp］

Benefit Corporation ｜ アメリカの特定の州と一部の国で設立可能な営利法人形態。金銭的利益に加えて社会、環境などさまざまなステークホルダーへの正の影響を優先できる。B Corporation はB Corp のことを指すため混同しないように注意が必要。またデラウェア州など一部の州では Public-Benefit Corporation（PBC）と記されることも。

B Impact Assessment ｜ 企業がワーカー、コミュニティ、エンバイロメント（環境）、ガバナンス、カスタマーという5分野に対して、いかなる影響を与えているかを計測するためのツール。アカウントを作成すれば無料で利用することができ、社内の複数人のメンバーで同時に計測を進めることも可能。内容の解説については第3章を、詳しい使い方などは第4章を参照。

B Lab ｜ インクルーシブで公正な経済を実現するために、グローバルエコノミーの変革を目指す非営利組織。Bインパクトアセスメントや、B Corp 認証プログラムなどを提供している。ムーブメントが広がっている各国に支部があるほか、それらを統括するB Lab Global はペンシルバニア州のバーウィンに拠点を構えている。詳しくはP.231参照。

Best Practice Guide ｜ Bインパクトアセスメントのナレッジベースで公開されている、具体的な実践のための手引き。ワーカー、コミュニティ、エンバイロメント、ガバナンス、従業員、DEI、ファイナンスといった各分野で、アセスメントのスコアを上げるために必要なプロセスに関して実践すべき項目や参考文献がまとまっている。

Collective ｜ B Corp が目指す経済システムの変革は、ひとつの企業だけで成し遂げることは難しい。そのため複数の個人や企業がいかに連帯するかが重要になる。collective とは、同じ目的をもったグループのことを指し、B Lab はそのネットワークを広げ発展させることもミッションとする。また、気候変動対策を議論するためのB Corp Climate Collective など、特定の目的をもったグループも存在する。

Impact｜企業が与える影響のこと。socialやenvironmentalといった形容詞がつくことで、社会や環境に対する影響のことを示す。impact investorは、金銭的なリターンだけでなくimpactを考慮した投資を行なう投資家のこと。low-impact renewable energyは、環境に対するimpactが低い再生可能エネルギーのこと。

［企業・会社］

Accountability｜過去の行為に対して発生する責任のこと。legalやenvironmentalと組み合わせることで、法律や環境といった特定の分野において、企業の行動が生み出した結果に対して果たすべき責任のことを指す。同じく「責任」と訳されるresponsibilityは、これから行なうべき事柄に関する責任を示す。

Board of Directors｜企業経営に関して意思決定を行なう役員が構成する委員会のこと。取締役会、役員会と呼ばれる。役員は従業員を雇用する立場にあり、企業の行動に対して責任を取る必要がある。executive board、board of managementもほぼ同じ意味。

Caregiver｜ケアを提供する人のこと。本書では、特に子どもや高齢者、障がいのある人など、ひとりで活動することが難しい家族がおり、その家族のケア（育児や介護）を行なう必要がある人のことを指している。イギリスやオーストラリアではcarerという単語が使われることもある。P.078〜079参照。

Commitment｜仕事や会社、ビジョンなどに対して行なわれる貢献、もしくはその約束のこと。B Corpでは、環境や社会、インクルージョンなどの大きな目標に対する行動と、従業員が仕事に対して向き合う姿勢のふたつの文脈で使われている。貢献することを意味する動詞としては、commitが使われる。

Engagement｜雇用もしくは仕事における約束や積極的な関与のこと。日本の人事における文脈では、「エンゲージメント」とは会社に対する思い入れや愛着、仕事への情熱のことを指すことが多いが、英語圏ではより一般的な会社と従業員の関係性を示す場合もあることに注意したい。第3章のワーカー参照。

Equal pay for equal work｜同一労働同一賃金のこと。人種やジェンダーなどにかかわらず、同じ仕事をしたワーカーに対しては同じ金額の給与を払うべきとする概念。日本では正社員と非正規社員など雇用

形態の違いに注目が集まることが多いが、海外では差別を受けないことを保障する基本的人権のひとつとして認識されている。

Living Wage｜ワーカーとその家族にとって適切な生活水準を提供するために十分な給与のこと。雇用側が守らなければならない給与水準を定める minimum wage（最低賃金）とは異なり、生活から給与を勘案すべきだという考え方が背景にある。P.073 参照。

Mission｜ビジネスを通じて、達成すべき目標、ミッションのこと。それを言語化・文書化したものは、mission statement と呼ばれる。また B Corp 認証取得によって資本関係の変化が起きてもミッションが変わらない状態になることを mission lock と呼ぶ。vision、value などとの違いについては、P.142 参照。

Ownership｜企業の所有者（オーナー）、もしくはプロジェクトなどの遂行に関する責任のことを指す。ownership structure とは、株式会社の場合だと企業の株式を誰がどのように所有しているかの構造を指す。worker ownership もしくは employee ownership は、企業そのものの所有権を従業員などに開放する仕組みのこと。P.072 参照。

Purpose｜企業やプロジェクト、従業員が存在・活動している意義や目的のこと。purpose-driven とは、意義や目的に従ってプロジェクトや企業が運営されている状態を指す。抽象から具体までの複数のレイヤーで想定されることもあり、higher purpose、larger purpose はより社会的文脈に即した大きな意義や目的を指す。

Supplier｜企業に対して納品などの業務を提供する取引先のこと。key supplier とは、会社のビジネスを成立させるために重要な社外のステークホルダーを指す。企業は supplier survey（調査）や supplier interview（面談）を通じて関係性を構築すべきとされる。supplier code of conduct とは、取引先が守るべきルールを文書化したもの。

Transparency｜直訳は「透明性」。企業や組織が、自分たちのビジネスや意思決定の背景などを積極的に情報公開する姿勢のこと。financial transparency、fiscal transparency は財務上の透明性のことを指す。supply chain transparency とは、ビジネスに関わる取引先に関する情報の透明性のことであり、材料の調達元における労働環境などを含めた開示が求められることも多い。P.114 参照。

[DEI（Diversity, Equity, Inclusion）]

Access｜情報やサービスなどに到達し、接触や利用ができること。もしくはそれを可能にする回路や方法。それが断たれることで疎外が生まれることから、必要な何かへのアクセス可能性を「権利」と見なす考え方が広まっている。対象は、社内情報から保険などのサービス、会社の上層部までと多岐にわたる。公正な企業文化をつくるためには、accessibility（アクセスしやすさ）に配慮しつづけることが重要になる。

Authentic｜情報や企業、関係性などが、嘘いつわりのない状態にあること。たとえばauthentic relationshipは、ビジネス上の立場などにとらわれない人と人がフラットな関係にあることを指す。また、authenticityはその嘘いつわりのなさを指し、collective authenticityは集団としての信頼性を意味する。

Bias｜思い込みなどによる認知のゆがみのこと。階級やジェンダー、人種などに付随する先入観によって生まれた、判断の誤りを指す。たとえば、systemic bias, institutionalized biasは、組織などの制度や構造によって生じてしまうゆがみのこと。unconscious biasと表現されるように、無意識にバイアスが生まれてしまっている場合が多い。P.098参照。

Diversity｜人種や性別、意見や立場などあらゆる要素に関する多様性のこと。たとえば組織のなかで異なる複数の民族文化が共存していることは、ethnic diversityと表現される。多様性は相対的なものであるため、そのグラデーションを把握するためには、spectrum of diversityと呼ばれる「多様性の多様性」についても理解する必要がある。

Empowerment｜力を与えること。本書では従業員に権限を与えたり、マイノリティに対して政治的な権力を委譲したりすることを指す場合が多い。たとえば、economic empowermentは経済的な力を与えることを、women's empowermentは女性が活躍できるような機会や環境を整備することを意味する。

Equity｜対象の違いに配慮しながら、偏りがないように対応すること。economic equityとは、人種や民族、性別などの個人の属性に影響を受けず、経済的な公正さが担保されていることを指す。結果の平等を目指すequalityとは異なり、そこには「何が正しいのか？」に関する価値判断が含まれる。inequityは公正さがないこと、または公正ではない状況そのものを指す。

Exclusion｜集団やプロセスなどから、異なる存在やマイノリティを排除すること。たとえばtransgender exclusionはトランスジェンダーの人びとを組織から排除することを、reinforce exclusionは異物を排除する状態が強められることを意味する。異なる存在を包摂するinclusionと対置して使われることが多い。

Inclusion｜集団やプロセスなどに、異なる存在やマイノリティを包摂すること。diversityがそれぞれの違いに注目するのに対して、inclusionは違いを受け入れることに重点がある。support inclusionは組織における包摂がなくならないようにすることを意味する。形容詞であるinclusiveはそのような状態を指し、inclusive economyはこれまで排除されてきたステークホルダーを含んだ経済を意味する。

Justice｜偏りがない正しさ、正義のこと。racial justiceは人種の違いによって不当な偏りがないことを、social justiceは社会のなかで富や機会の多寡が偏っていないことを、environmental justiceは環境上の利益・不利益に偏りがないことを指す。また、司法や裁判（官）といった意味をもつ場合もある。P.192の註も参照。

Marginal｜中心になく周縁的であること。marginal importanceはあまり重要ではないものを指す。historically marginalized groupは、ずっと社会や政治の端に追いやられ歴史的に軽視されてきた集団のことを意味する。「中心」と「周縁」を決定する不平等な権力構造、わからないものを軽視し遠ざけようとする人間の性質が、その背景にはある。

Underrepresented｜代表者をもつことができていない状態のこと。マイノリティは、代表者を政治などの議論の場に送り込むことができない場合があり、結果として過小評価されることが多い。たとえばunderrepresented voiceとはそのような人びとの声であり、underrepresented entrepreneurとはそのような集団に属する起業家のことを指す。

White Supremacy｜白人が有色人種よりも優れているとする思想。過去の奴隷制などを背景として、有色人種と白人には生物学・遺伝学的に違いがあるというバイアスが根強く残っている。大量投獄と訳されるmass incarcerationの原因となる不当な逮捕や、現在もまだ色濃く残る経済的な格差は、歴史的に無意識下にすり込まれてきたこの思想とそれがつくってきた構造が背景にある。

原註・参考文献

The B Corp Handbook Second Editionの原著に
註として付記された文献および参照リストを下記に収録する。

はじめに

P.017：『Inc.』の引用
Inc. staff, How a Business Can Change the
World, May 2011, http://www.inc.com/
magazine/20110501/how-a-business-can-change-
the-world.html.

P.017：『The New York Times』の引用
Tina Rosenberg, "Ethical Businesses with a
Better Bottom Line," New York Times, April
14, 2011, http://opinionator.blogs.nytimes.
com/2011/04/14/ethical-businesses-with-a-better-
bottom-line.

第1章

P.041：B Labの法務責任者リック・アレキサンダーの引用
Rick Alexander, "How Investors Really Feel About B
Corps," B the Change blog, May 24, 2017, https://
bthechange.com/how-investors-really-feel-about-
b-corps-7dcf7988a6e3.

第2章

P.055：Goldman Sachsのレポート
Goldman Sachs, GS Sustain (June 22, 2007): 21.

P.055：ワークライフバランスに関するミレニアル世代の調査
"Millennials in the Workforce: A Work–Life
Integration," YPULSE, February 20, 2013, http://
www.ypulse.com/post/view/millennials-in-the-
workforce-work-life-integration/.

P.055：『The Wall Street Journal』の引用
Lindsay Gellman and Rachel Feintzeig, "Social Seal
of Approval Lures Talent," Wall Street Journal,
November 12, 2013, https://www.wsj.com/articles/
social-seal-of-approval-lures-talent-1384304847.

P.056：サイモン・シネックによる「How Great Leaders
Inspire Action」のビデオ
Simon Sinek, "How Great Leaders Inspire Action,"
TED video, 18:04, from TEDxPuget Sound,
September 2009, https://www.ted.com/talks/
simon_sinek_how_great_leaders_inspire_action.

P.056：セス・ゴーディンの引用
Seth Godin, "Toward Zero Unemployment,"
Seth's Blog, March 27, 2013, http://sethgodin.
typepad.com/seths_blog/2013/03/toward-zero-
unemployment-.html.

P.057：Bインパクトレポートの掲載先「B Corpのウェブサイト」
bcorporation.net.

P.057：Goldman Sachs のレポート
Goldman Sachs, GS Sustain, 21.

P.061：ジェイ・コーエン・ギルバートによるジョン・マッケイへの
インタビュー
Jay Coen Gilbert, "Panera Bread CEO and
Cofounder Ron Shaich Resigns to Join the
Conscious Capitalism Movement," Forbes,
December 15, 2017, https://www.forbes.com/
sites/jaycoengilbert/2017/12/13/boy-oh-boy-oh-
boy-another-conscious-capitalist-joins-the-fight-
against-short-termism/.

P.062：Fast Company が選ぶ「全世界を前進させた過去
20年間の20の瞬間」
"20 Moments from the Past 20 Years That Moved
the Whole World Forward," Fast Company, May 2,
2017, https://www.fastcompany.com/3052958/20-
moments-that-matter.

P.062：CNBC によるアート・ペックへのインタビュー
Elizabeth Gurdus, Gap CEO Art Peck: Big Data Gives
Us Major Advantages Over Competitors, CNBC, April
11, 2018, https://www.cnbc.com/2018/04/11/gap-
ceo-art-peck-big-data-gives-us-major-advantages-
over-competitors.html.

P.062：「B The Change」
bthechange.com.

P.063：ポッドキャスト「Next Economy Now」
www.lifteconomy.com/podcast.

第3章

P.066：B インパクトアセスメント
bimpactassessment.net.

P.066：B Corp 認証の取得に必要な年間費用
bcorporation.net.

P.073：Goldman Sachs の証言
Goldman Sachs, GS Sustain (June 22, 2007): 7, 47.

P.073：MIT Living Wage Calculator、Living Wage
for Families Campaign、Living Wage Foundation、
Global Living Wage Coalition のウェブサイト
www.livingwage.mit.edu; www.
livingwageforfamilies.ca/calculator; www.
livingwage.org.uk/calculation; www.
globallivingwage.org.

P.078：Human Rights Campaign のおすすめ
"Transgender-Inclusive Benefits: Questions
Employers Should Ask," Human Rights Campaign,
http://www.hrc.org/resources/ transgender-
inclusive-benefits-questions-employers-should-ask.

P.079：ヒラリー・ロウとジョアン・C・ウィリアムスの記事
Hilary Rau and Joan C. Williams, "A Winning

Parental Leave Policy Can Be Surprisingly Simple,"
Harvard Business Review, July 28, 2017, https://hbr.
org/2017/07/a-winning-parental-leave-policy-can-
be-surprisingly-simple.

P.081：Corporate Voice for Working Families のレポー
ト
Amy Richman, Diane Burrus, Lisa Buxbaum, Laurie
Shannon, and Youme Yai, Innovative Workplace
Flexibility Options for Hourly Workers (Washington,
DC: Corporate Voices for Working Families, 2009), 16.
http://cvworkingfamilies.org/images/
CVWFflexreport -FINAL.pdf.

P.083：Society for Human Resource Management の
調査
Stephen Miller, "Socially Responsible Funds Popular
in Mission-Driven 401(k)s," Society for Human
Resource Management, September 30, 2001,
http://www.shrm.org/hrdisciplines/ benefits/
Articles/Pages/SRIfunds.aspx.

P.084：Rhino Foods の従業員に関するレポート
Heather Paulsen Consulting, "The Employee
Benefit That Costs Employers Nothing and Provides
Financial Security to Workers," B the Change
blog, May 25, 2017, https:// bthechange.com/
the-employee-benefit-that-costs-employers-
nothing-and-providesfinancial-security-to-workers-
92b69b7ff18e.

P.085：ダニエル・ピンクの著書
Daniel H. Pink, Drive: The Surprising Truth About
What Motivates Us (New York: Riverhead, 2009.

P.085：Gallup のレポート
Amy Adkins, "What Millennials Want from Work
and Life," Gallup Workplace, May 10, 2016, http://
www.gallup.com/businessjournal/191435/
millennials-work-life.aspx.

P.085：American Society for Training & Development
のレポート
Cited in ERC, "Complete Guide to Training and
Development," HR Insights Blog, January 30, 2014,
https://www.yourerc.com/blog/post/Complete-
Guide-to-Training-Development.aspx.

P.087：健康改善への投資に関する調査
Leonard L. Berry, Ann M. Mirabito, and William
B. Baun, "What's the Hard Return on Employee
Wellness Programs?," Harvard Business Review,
December 1, 2010, http://hbr.org/ 2010/12/whats-
the-hard-return-on-employee-wellness-programs/
ar/1.

P.087：Patagonia、イヴォン・シュイナードの主張
Yvon Chouinard, Let My People Go Surfing: The
Education of a Reluctant Businessman (New York:
Penguin, 2006), 174.

P.088：Gallupによる従業員エンゲージメントに関する調査
Nikki Blacksmith and Jim Harter, "Majority of American Workers Not Engaged in Their Jobs," Gallup News, October 28, 2011, http://www.gallup.com/poll/150383/Majority-AmericanWorkers-Not-Engaged-Jobs.aspx.
Jim Harter and Sangeeta Agrawal, "Actively Disengaged Workers and Jobless in Equally Poor Health," Gallup News, April 20, 2011, http://www.gallup.com/poll/147191/ActivelyDisengaged-Workers-Jobless-Equally-Poor-Health.aspx.

P.088：Gallupによるアメリカ人従業員に関する調査
Blacksmith and Harter, "Majority of American Workers Not Engaged."

P.089：LIFT Economyのウェブサイト
https://www.lifteconomy.com.

P.095：McKinsey & Companyによる調査
Sandrine Devillard, Sandra Sancier, Charlotte Werner, Ina Maller, and Cécile Kossoff, Gender Diversity in Top Management: Moving Corporate Culture, Moving Boundaries, McKinsey & Company, November 2013, https://www.mckinsey.com/~/media/mckinsey/ business%20functions/organization/our%20insights/gender%20diversity%20in%20top%20 management/gender%20diversity%20in%20top%20management.ashx.

P.095：Credit Suisseによる調査
Credit Suisse, Gender Diversity and Corporate Performance, August 2012, https://publications.credit-suisse.com/tasks/render/file/index.cfm?fileid=88EC32A9-83E8-EB92-9D5A40FF69E66808.

P.095：ゲイの経営者の下で働く従業員に関するレポート
Kirk Snyder, "Bringing the Outsiders In," Guardian, September 8, 2006, http://www.theguardian.com/money/2006/sep/09/gayfinance.careers.

P.096：BlackRock CEOの手紙
Larry Fink, "Larry Fink's Annual Letter to CEOs: A Sense of Purpose," BlackRock, https:// www.blackrock.com/corporate/investor-relations/larry-fink-ceo-letter.

P.096：Fortune 1000に関するリサーチ
2020 Women on Boards, 2020 Gender Diversity Index: 2013 Key Findings.

P.097：ジョブディスクリプションの書き方についての調査
Vivian Giang, "The Growing Business Of Detecting Unconscious Bias," Fast Company, May 5, 2015, http://www.fastcompany.com/3045899/hit-the-ground-running/ the-growing-business-of-detecting-unconscious-bias.

P.101：同一労働同一賃金に関する調査

P. R. Lockhart, "Tuesday Is Black Women's Equal Pay Day. Here's What You Should Know About the Gap," Vox, August 7, 2018, https://www.vox.com/identities/2018/8/7/17657416/black-womens-equal-pay-day-gender-racial-pay-gap.

P.101：経済政策研究所の発表
Lawrence Mishel and Jessica Schieder, "CEO Pay Remains High Relative to the Pay of Typical Workers and High-Wage Earners," Economic Policy Institute, July 20, 2017, https://www.epi.org/publication/ceo-pay-remains-high-relative-to-the-pay-of-typical-workers-and-high-wage-earners.

P.107：Boston College Center for Corporate Citizenshipの報告
Steven A. Rochlin and Brenda Christoffer, Making the Business Case: Determining the Value of Corporate Community Involvement (Boston: Center for Corporate Citizenship at Boston College, 2000), https://commdev.org/userfiles/files/750_file_making_the_business_case.pdf.

P.107：Good Companies, Better Employeesの研究
Michael Tuffrey, Good Companies, Better Employees (London: Corporate Citizenship Company, 2003), https://corporate-citizenship.com/wp-content/uploads/Good-companies-better-employees.pdf.

P.109：1% for the Planet
www.onepercentfortheplanet.org

P.112：LIFT Economyのウェブサイト
www.lifteconomy.com.

P.114：Cohn & Wolfeのレポート
Cohn & Wolfe, From Transparency to Full Disclosure, October 2013, 8.

P.115：Bインパクトアセスメント
bimpactassessment.net.

P.126：Project Drawdownの施策
www.drawdown.org/solutions.

P.127：Carbon Analytics
www.co2analytics.com

P.127：TripZero
www.tripzero.com.

P.128：3Degrees
www.3degreesinc.com.

P.128：Native Energy
www.nativeenergy.com.

P.128：CO_2排出量とワーカーに関する調査
Brian Carr, "Commute Options Programs Increase Employee Satisfaction, Retention," HR.com, November 3, 2011, http://www.hr.com/en/app/

blog/2011/11/commute-options -programs-
increase-employee-satisfa_gujwyz6m.html.

P.128：Climate Disclosure Projectの調査
Carbon Disclosure Project Study 2010: The
Telepresence Revolution (Carbon Disclosure Project,
2010). https://www.wwf.de/fileadmin/fm-wwf/
Publikationen-PDF/TelepresenceRevolution-2010.
pdf.

P.134：アメリカとイギリスの高速道路に関する取り組み
Robert Matthams, "Despite High Fuel Prices, Many
Trucks Run Empty," Christian Science Monitor,
February 25, 2012, https://www.csmonitor.com/
Business/2012/0225/Despite-high-fuel-prices-
many-trucks-run-empty.

P.146：Fortune 500を対象にした調査
David A. Carter, Betty J. Simkins, and W. Gary
Simpson, "Corporate Governance, Board
Diversity, and Firm Value," Financial Review 38
(2003): 33–53, https://www.researchgate. net/
publication/4990531_Corporate_Governance_
Board_Diversity_and_Firm_Value.
Erica Hersh, "Why Diversity Matters: Women on
Boards of Directors," Harvard T.H.Chan School of
Public Health, July 21, 2016, https://www.hsph.
harvard.edu/ecpe/why-diversity-matters-women-
on-boards-of-directors/.

P.150：B Corpとベネフィット・コーポレーションの違いについ
て
www.bcorporation.net.
benefitcorp.net.

P.157：McKinsey & Companyの調査
Ramit Jain, Jehanzeb Noor, Janice Pai, Parag Patel,
and David Ressa, "Supplier Quality Management: A
Proactive and Collaborative Approach," McKinsey &
Company, December 2012, https://www.mckinsey.
com/practice-clients/operations/ supplier-quality-
management-a-proactive-and-collaborative-
approach.

P.158：International Organization for
Standardizationのウェブサイト
www.iso.org.

P.159：SurveyMonkeyの調査テンプレート
"NPS Pros and Cons: Why Use NPS?," SurveyMonkey,
https://www.surveymonkey.com/mp/nps-
pros-cons-why-use-nps/?ut_source1=mp&ut_
source2=net_promoter_score_calculation.
Adam Ramshaw, "Net Promoter Score Success
Stories and Case Studies," Genroe, https://www.
genroe.com/blog/net-promoter-score-success-
stories-and-case-studies/984.
"Net Promoter Score (NPS) Survey," SurveyMonkey,
https://www.surveymonkey.com/mp/ net-
promoter-score.

P.162：IBMの試算
Robert Hackett, "Data Breaches Now Cost $4
Million on Average," Fortune, June 15, 2016, http://
fortune.com/2016/06/15/data-breach-cost-study-
ibm.

おわりに

P.186：ロビン・ディアンジェロの『White Fragility』からの
引用
Robin DiAngelo, White Fragility: Why It's So Hard
for White People to Talk About Racism (Boston:
Beacon, 2018), 5. Emphasis in original.

P.193：インクルーシブエコノミー・ベストプラクティスガイド
bcorporation.net/inclusion.

P.193：LIFT Economyの月刊ニュースレター
www.lifteconomy.com/newsletter.

P.193：ポール・ホーケンの言葉
Paul Hawken, 2009 commencement address,
University of Portland, May 3, 2009.

P.193：ライアンとジャナ博士の連絡先
ryan@lifteconomy.com
tiffany@tmiconsultinginc.com.

付録

P.199：レオ・E・ストライン Jr.の論文
Leo E. Strine, The Dangers of Denial: The Need
for a Clear-Eyed Understanding of the Power
and Accountability Structure Established by the
Delaware General Corporation Law, University
of Pennsylvania Law School Institute for Law
and Economics, Research Paper no. 15-08, March
11, 2015. https://papers.ssrn.com/sol3/papers.
cfm?abstract_id=2576389.

謝辞

ライアン・ハニーマン
Ryan Honeyman

この本の執筆を助けてくれた方々の応援、愛、サポートに感謝します。特に以下の方に感謝を表したいと思います。

・ティファニー・ジャナ博士。あなたは素晴らしい。この本はジャナ博士がいなければ、存在しなかったでしょう。

・すべての B Corp コミュニティ。第 1 版と同様に、この本はあなたたちについて書かれたものです。

・本書のために声を寄せてくれた何百もの B Corp。あなたたちの物語のおかげで、この本はリアリティあふれるものとなりました。

・B Lab のチーム。特にジェイ・コーエン・ギルバート、ジョスリン・コルベット、ダン・オススキー、ジェロッド・モディカ、そしてこの本をつくりあげるために助けてくれた多くの方々。

・わたしたちの草稿を（何度も）読んでくれたすべての方々。ディアナ・マリー・リー、ジェニー・カッサン、マイク・ハニガン、リック・アレキサンダー、ヴィンセント・スタンリー、ヘザー・ポールセン、ジョシュ・ブリッジほか。

・最高の担当編集者、ニール・マイエ。そして Berrett-Koehler Publishing のチーム。みなの助けと励まし、そして努力は非常に貴重なものでした。

・わが子、ゼイディとパーカー。お父さんが仕事するのを許してくれてありがとう。ようやく、家の周りで毛布で乗りものごっこができるよ。

・そして、わが妻。揺るぎない愛とサポート、そして 6 年以上にわたる医療保険の負担がなければ、この本は生まれませんでした。

誰ひとり欠けてもこの本をつくりあげることはできませんでした。ありがとう！

ライアン・ハニーマン（Ryan Honeyman）
LIFT Economyのパートナー、ワーカーオーナー。Patagonia、Ben & Jerry's、
King Arthur Flour、Native American Natural Foodsなど30社以上に対して
B Corp認証、再認証、認証スコア最大化のための支援を行なっている。LIFT Econ-
omyのチームで、Force for Good Fundの共同設立を支援。100万ドル規模の同
ファンドは、女性や有色人種が経営するBest for the Worldに選ばれたB Corp
に投資している。また、リジェネラティブでバイオリージョナルかつ、民主的で透明
性をもってシステム全体に働きかけるアプローチで、ビジネスをよい方向に導くリー
ダーを紹介するポッドキャスト番組『Next Economy Now』の共同司会者でもある。
SOCAP、Bioneers、B Corp Champions Retreat、CatalystCreativ、Social
Enterprise Summitなどで講演も行なう。

LIFT Economy
すべての生き物のベネフィットのために機能する、インクルーシブで地域自立を果た
した経済を創造・モデル化・共有することをミッションとするインパクト・コンサル
ティング企業。同社のビジョンは、今後500年の経済を完全に変革することであり、
この変革はわずか数十年で達成可能だという信念のもと取り組みを続ける。「きたる
べき経済」を成長させるために同社が取り組むプロジェクトには、以下のようなもの
がある。

・コンサルティング：社会起業家、投資家、財団、その他のパートナーが、社会的・
　環境的インパクトを強化できるよう支援する
・Next Economy MBA：すべての生き物の利益のために経済を根本から再設計し
　たいと思う人のためのビジネス教育プログラム
・投資：Best for the Worldに選ばれた女性や有色人種が経営するB Corpに投
　資するForce for Good Fundを運営
・Next Economy Now：ビジネスを社会を良くするための力として活用するリー
　ダーが登場する毎週更新のポッドキャスト
・ニュースレター：60項目のビジネスデザインのチェックリストに加え、毎月のヒント、
　アドバイス、来るべき経済を構築するためのリソースを無料で提供

https://www.lifteconomy.com

ティファニー・ジャナ博士
Dr. Tiffany Jana

何よりもまず神に感謝したいと思います。この本を含むすべての物事はあなたがいなければ存在していません。次に、共著者であるライアン・ハニーマンに。彼の根気と思いやり、そして才能、そして旅の一部にわたしを導いてくれたことに感謝します。両親であるジーン・エガートンとデボラ・エガートンに。他人と違っているための勇気を与えてくれてありがとう。特に母は、社会を良くするためにビジネスが使えるということを見せてくれました。さらに、Berrett-Koehler Publishersのチームに。わたしの他の著書『Overcoming Bias』（バイアスを乗り越える）と『Erasing Institutional Bias』（構造的バイアスを消し去る）と同じく夢のように素晴らしい仕事でした。わたしのメンター、友人、家族に感謝します。わたしが使命を負ったユニコーンになれるように、応援してくれてありがとう。

ティファニー・ジャナ博士（Dr. Tiffany Jana）
インクルーシブな文化、公平な働き方を推進するために、社会的責任を果たし連携
する企業の集合体であるTMI Portfolioのファウンダー・CEO。ダイバーシティに
関する実践を続け、世界で講演などを行なう。『Psychology Today』『Huffington
Post』『Fast Company』『MarketWatch』『Forbes』などで特集されたことも。ま
た、2018年には『Inc.』のTop 100 Leadership Speakerに選出されている。本
書は、Berrett-Koehler Publishersから出版された3冊目の著書となる。TMI
Consultingは、2014年に出版された『The B Corp Handbook』の第1版で取
り上げられ、ライアン・ハニーマンとはBチャンピオンズ・リトリートで出会った。

TMI Consulting
2010年に設立された多様性とインクルージョン・マネジメントに関するコンサルティ
ング企業。2012年には、2003年に設立されたダイバーシティ福利厚生法人とマー
ケティングのLLCを合併し、パートナーシップを構築。同社は、多様性に焦点を当て
た世界初のB Corpとして、組織開発と市民活動の分野で国内外から高い評価を得
ている。現在は、他のTMI Portfolio内の企業とのパートナーシップにより、多様性
とインクルージョンに関するコンサルティングを提供している。インクルーシブな文化
の推進に取り組む社会的責任のある相互に連携したさまざまな組織を対象としている。

同社は、業界や業種にとらわれることなく、国内、海外も問わず、あらゆる規模の組
織に対してさまざまなかたちでサポートする。営利企業、非営利団体、教会、大学、
国内外の政府機関、非政府組織と連携。組織が結束し、説明責任を果たし、多様か
つインクルーシブで公平な職場を構築できるよう支援を行なっている。具体的には、
組織全体のアセスメントや戦略的計画、基調講演や社員研修まで、ダイバーシティ
とインクルージョンに関するあらゆるサービスを提供している。

基調講演やトレーニングのテーマは、DEI、無意識バイアスの克服、システミックバ
イアスの排除、反ハラスメントと反差別、職場における#MeTooの倫理、社会起業
家精神、女性のリーダーシップなど多岐にわたる。革新的なテクノロジーを駆使し、
ダイナミックなアセスメント、トレーニング、チームミーティング、コミュニティミー
ティング、セミナーを、顧客のニーズに合わせてカスタマイズしたカリキュラムで提
供することで定評がある。

また認証B Corpとして社会に利益をもたらすことを倫理的・法的にも約束するた
めに、B LabのB インパクトアセスメントを使用して、トリプルボトムライン（利益、
人びと、地球）のグローバルインパクトを測定。その社会的・環境的パフォーマンスに
より、2016年と2018年には「Best for the World」に選出された。

https://tmiconsultinginc.com

メッセージ・イン・ア・ボトル：日本語版あとがき
若林恵［黒鳥社コンテンツ・ディレクター］
（代名詞：he/him/his）

元来人見知りで人付き合いも悪く、かつ、いたって横柄・横着な性格なため、友だちと呼べる存在が極めて少ない。その上、家族との付き合いも極めて淡白なので、社会生活と言えるもののほとんどを「仕事」が占めることになる。それはひどく偏った、お世辞にもいいとはいえない生活で、仕事がなければ廃人同然というありさまだが、そうであればこそ逆に、仕事はありがたいものだと思う気持ちは強い。それがなかったら、おそらく社会と接する回路は絶たれ、早晩孤独死でもすることになるだろう。

人が社会と関わるやり方はおそらく無数にある。家族や友人関係、近所付き合いのようなものから、町内会、マンションの管理組合、趣味のサークル、ボランティア活動、ママ友やパパ友、お店の常連等々、人は多種多様な組織やコミュニティと、浅かったり深かったり多様なやり方でつながりながら生きている。そして、それらとの関わりを通して日々社会に対して何かしらの働きかけをしたり、働きかけを受け取ったりしている。言うまでもなく、仕事というのも、そうした関わりのなかのひとつとしてある。

ワークライフバランスといった言葉が語られ、それが重視されるようになってきた背景には、（特に日本では）多くの人（主に男性）が、仕事ばかりに時間も気も取られ、その他の社会活動のいっさいを顧みてこなかったことへの反省がおそらくあるのだろう。さらに、その言葉が含意するところとしては、仕事ばっかりしていると「人生における真の豊かさ」（QOLというやつだ）が達成されない、ということもあるに違いない。

その一方で、こうした「仕事外」の活動が、実際のところ社会というものが円滑に動いていくための不可欠な「労働」となっているということもあるはずだ。子育てや介護、近隣環境の整備・補修・保全といった社会にとってエッセンシャルな活動はあるところまでは行政が執り行なってくれるにしても、サービスが手に届く最後のラストワンマイル（あるいは、それよりもっと範囲の狭い数百メートル、数十メートル）においては、結局受け手側の誰かが自発的に動かなくてはならなかったりもする。困りごとのすべてがソリューションとしてサービス化され、AmazonやUberのように即座に手元まで宅配されるわけではない。

そうした観点から見れば、多くの人（特に男性）が「経済に貢献すること＝社会に貢献すること」のロジックの上にあぐらをかいて、社会を

実質作動させている毛細血管にあたるきめの細かい活動を他人（特に女性）まかせにして知らん顔しているのだとしたら、そこにちゃんと参加しろというのは極めて正しい。ただでさえ、いたるところで人手が不足しているのだ。なにごろごろしながら Netflix ばっか観てんだよ。詰られたら、自分のような人間は返す言葉もない。

市民にとっての「仕事」

それは別の言い方をするなら、市民社会における「市民の責務」というものと関わる話でもある。仕事をして税金を払ってりゃそれで即「市民」と言えるのかどうか。もっと積極的に社会と関わって、自分たちの生活環境を自分たちの手でよりよくしたり身の回りの困りごとを解決したりするのにコミットしてこそ「市民」だというなら、きっとそうに違いないだろうし、そうあるべきだとも思う。わたしたちはすべからく、どこかの自治体に属する市民であり、どこかの国に属する国民でもある。そこが民主主義国家であれば、主権は自分たちにあったりもするから、自分たちが生きる環境の良し悪しをめぐる責任は、ひとえにわたしたち自身にある。その責任をまっとうせずに、ぶうぶうと文句ばかり言っているわけにはいかない。

というわけでわたしたちは（特に自分は）、仕事ばかりしてないで、より自覚的な市民としてもっと社会に深く関わっていかなくてはいけないことになる。そのためにこそワークライフバランスは大事だし、そうしてこその QOL だ。人は社会的な生き物だ。社会的に生きるべし。

ということに、自分としても（やれているかどうかは別にして）大枠ではもちろん賛成なのだが、この話には、なんだか大きな落とし穴が潜んでいるような気がしなくもない。というのも、じゃあ、そういう「自覚的市民」にとっての「仕事」とはいったい何なのか、というところがどうもいまひとつ腹落ちしないのだ。

先に挙げたような多種多様な「市民活動」は、どちらかというとボランタリーに参加するものと見なされている点で、通常「仕事」と呼ばれる民間における「賃金労働」や「ビジネス」とは明確に線引きがされ、ときに対立さえする。そりゃそうだ。何らかの市民活動・社会活動に参加するには、その前提としてとりあえず自分の生活がそこそこ維持されている必要がある。とするなら、市民が市民として活動するためには、その前にお金を稼がねばならない。「仕事があるから」という理由で、子育てや介護を含めた社会活動に十分にコミットできずにいることはよくあることだと思うが、それは必ずしもその活動をしたくないがための言い訳ではないはずだ（自分が言うときは十中八九言い訳だが）。

社会とちゃんと関わっていくためには、それに先立つお金がいる。とするなら市民として生きるための第一のプライオリティはまずもって「賃金労働」にあるということになってしまう。と言いながら世の趨勢が「仕事ばっかりしてるな」という方向に傾きつつあるのだとしたら、わたしたちは「仕事」や「ビジネス」と呼んでいるところのものをいったいどう考えるべきなのか。仕事は市民としての活動をするために原資を得るための単なる「役」に過ぎないということになるのだろうか。

これは、たとえば、わたしたちにとっての「仕事」は「パブリック（公的）なもの」なのか「プライベート（私的）なもの」なのか、あるいは政治主体としての「市民」であることと「経済主体」として仕事をすることは、わたしたちのなかでどう折り合っているのか／いないのか、といった問いとして問い直すことができるかもしれない。

「社会建設」か「自分探し」か

高度経済成長期の日本では「社会建設」という言葉が広く認識されていたと、たしか作家の橋本治が何かの本で書いていた。その認識のなかで、会社員であれ主婦であれ、多くの日本国民は自分の「仕事」というものの意義を把握することができていた、といったことが書かれていたのだと思う。みながそれぞれの持ち場において「社会の建設」に携わっているという認識をもっていたというのなら、そこにおいて「賃金労働」や「ビジネス」は、子育てや介護を含めた市民活動と等しく立派に「パブリック」なものと見なされていたということにもなる。

そして、その認識においては、おそらく政治的主体としての「わたし」は「働く・ビジネスするわたし」と齟齬なく折り合っていたということにもなるだろう。それはつまり、ひとりの「働き手」として選挙において票を投じることができたということを意味するだろうし、「市民」であることのなかに矛盾なく政治的主体であることと経済的主体であることが共存しえたということもきっと意味する。また、「建設」というメタファーは、一人ひとりの働き手が社会の「つくり手」として自分を認識することでもあるだろう。

ところが時代がくだってみんなで必死につくってきた社会がそれなりの完成を見るようになってくると、今度は、経済は「つくる」ことよりも「消費する」ことへと重心を移していくことになり、ここから「仕事」「ビジネス」というものの認識や社会的な位置付けが変わっていくことになる。「つくる」から「消費する」へのシフトは、かつて「建設員」であった市民を、徐々に「消費者」であることへとシフトさせていく。それはすなわち、市民としてのアイデンティティのありかが「つくるわたし」から「買うわたし／使うわたし」へと変わっていくことを意味する。こ

の変化が、極めて大きな分岐だったと思えるのは、「仕事」というものが、消費者である「わたし」に奉仕するものとなっていくことで次第にそのパブリック性を失い、結果、「働くこと」の公的な意味合いや政治性が社会や政治から乖離し、浮いてしまうことになったように思えるからだ。

そのことは、政治的な文脈で見ると、「労働者」という言葉が実体性を失っていくことや、「組合」というものが政治主体としての力を失っていくこと、あるいは都市部の「市民＝消費者」をどの政党も束ねることができなくなっていく（そしていまも束ねることができずにいる）といったところに端的に現れてくることとなる。

おそらく80年代を通じて起きたそうした変化によって、やがて「仕事」は「『消費を通じて得られる幸福』を実現するためにする活動」という二義的なポジションへと格下げされ、同時に、どんどん「プライベート」な領域に関わるものとして認識されるようになっていったのではないか。ありていにいうと「仕事」は「自分探し」や「自己実現」の道具でしかなくなっていったということだ。

それを堕落と嘆いてみたところで始まらない。第二次大戦の傷が生々しいなかで語られた「社会建設」のリアリティが、世代を経るごとにすり減っていったからといって誰も責めることはできないだろうし、日本が未曾有の好景気を楽しむことができたのも、高度消費社会へとシフトしたおかげだ。そのこと自体を恥じてもしょうがない（それに浮かれ騒ぎすぎたことは、いまからすればだいぶみっともなかったかもしれないが）。とはいえ、わたしたちが「仕事」をどういうものとして、自分たちの暮らしや市民生活のなかに定位できるのかという課題は、その頃以来ずっとくすぶっているように思えてならない。

仕事というものの面白さは、それを通じて日常の市民生活では遭遇しないような人と関わったり、それを通じて、一市民としては到底もたらしえないようなインパクトを、一個人の生活の範疇ではもたらしえないような遠くの人にまでもたらしたりできるところにある。その意味で、仕事は、常にパブリックな要素を含んでいるし、仕事がもたらす喜びというのもまた、そうした公共性や社会性によってもたらされるものでもあろう。そしてそれが人の生活様式や思考様式にまで多大な影響を及ぼすという意味で、本来極めて政治的なものでもあるはずだ。それをただ「個人の幸福実現」のためのツールにしている限り「仕事」は本来それがもっているはずのダイナミズムを取り戻すことはできない。「仕事」というものをどう扱っていいかわからないまま30年も40年も漫然と生きてきてしまってきたと思えば、日本経済が浮揚せぬままいつまでも低空飛行を続けていることに何の不思議もない。

「仕事」は社会を信頼しているか

というわけで不毛な「自分探し」やエゴイスティックな「自己実現」の
なかで矮小化され逼塞させられていた「仕事」というものに、それが本
来もっていたはずの社会性・公共性・政治性を取り戻す運動として、
本書が主題とするB Corpといったものへの興味も生まれてくるわけ
だが、だからといって、それは「仕事」あるいは「ビジネス」というもの
を、すべからく公共的な活動に従属させていくことを意味しているわ
けではない。

ビジネスもしくは商業活動の面白さ・ダイナミズムは、何よりもその
自由闊達さにある。ひょんな思いつきをかたちにしてみたら、思わぬ反
響や評判を得て、思わぬ利益を手にする。その楽しさに夢中になるた
めには「世界を救おう」とか「地球をよくしよう」なんていう考えはむ
しろ足枷にしかならない。そもそもビジネスは、自分勝手にやるからこ
そ楽しいのだ。そして、その楽しみのなかには「賭け」の要素が少なか
らず含まれる。

失敗しようと思って事業を立ち上げる人は誰もいない。誰しもがうま
くいくことを願い、そうであるがゆえに大いなる情熱をもって慎重か
つ入念に計画を練り上げる。このとき、その人は、願わくは多くの人が、
自分の思いつきから生まれた何かを「いいね！」と言ってくれることを
信じている。まだ見ぬ、来るべきお客さんを信じているのだ。これは別
の言い方をするなら、社会そのものを信頼することでもある。その信
頼があってこそ、人は、まだ誰も見たこともないようなものを社会のな
かに放り込む賭けに打って出ることができる。

ビジネスというものに、あるいは仕事というものに美しさが宿ることが
あるとしたらそこだろう。勇気と大胆さと細心をもって社会を信じ、
その信頼をもって成功にいたるビジネスは、それ自体が社会の希望と
なりうる。逆に、そうした信頼をもち切れないがゆえに、お客さんや社
会を操作しようとしたり、判断や選択を歪ませたりするような卑屈な
ビジネスは醜く、不快と不信をもって社会を傷つける。わたしたちの
仕事が、ときにどうしようもなくやり切れないものになるのは、そうや
ってビジネスが社会を信じなくなるときなのではないか。

ここに、「仕事」というものをいま一度社会のなかに埋め込み直すきっ
かけがある。どんなものであれ、仕事はそれに価値を見いだしてくれる
人がいなくては成り立たない。それは、前提として相手を必要とする
相互依存的なものであり、であればこそビジネスを通じた「社会」への
働きかけは、それを受け取ってくれる見知らぬ誰かの存在を絶対的に
信じていなくてはならない。ビジネスにおける賭けが賭けとして意味を

もつために、この信頼は不可欠だ。

あらゆるビジネスは、その意味で、誰かの手に届くことを願って無人島からメッセージの入ったボトルを海に流すようなものなのかもしれない。それは切ないまでにパーソナルで、同時に切ないまでに社会的な行為だ。

本書の最も奥深いところに流れているメッセージは、実はそういうものでもある。B Corpの企業は、言うまでもなく自分たちが信じる価値に従って「サステナビリティ」や「DEI」の重要性を訴えているが、そこで語られる価値をただ鵜呑みにして真似してみたところで、わたしたちをずっと苛んでいる問題の解決にはならない。

本書に掲載された企業群に学ぶべきは、まず何よりも、自分たちが信じる価値を臆することなく社会のなかへと投げ込む勇気と、「きっと誰かがそれを求めているはずだ」と信じて疑わない大いなる信頼だ。うまくいけば多くのお客さんだけでなく、ともに働きたい人たち、支えたいと思う多くの味方を見つけることができるかもしれないが、肝心なのは、とはいえ、それもまた「賭け」には違いないということだ。

「仲間探し」と「投企」
本書は、実のところ世界中のあらゆる企業や働き手たちがB Corp的な価値観において活動しなくてはならないと謳っているわけではない。ビジネスは前提として自由だ。法の枠組みのなかにおいては何をどうやろうが、誰にも責められる筋合いはない。サステナビリティやDEIなんてクソ喰らえだという信念をもとに活動することを誰も咎めだてできない。ただし、それはそれで賭けであり、賭け金は自分が払わなくてはならない。いくら賭け金を積んだところで、支持されるかされないかはやってみなければわからない。それはB Corpにしたって同じだ。いまの資本主義のあり方はイヤだよねと考え行動するのは自由だが「そうだよね」と返してくれる誰かがいなくては、その理念も活動も自分のなかにとどまるしかなく、持続もしない。

その意味で、ビジネスは本質的に「仲間探し」でもある。経済学者のハイエクは、社会を動かしているメカニズムを説明するにあたって「エコノミー」ではなく「カタラクシー」という言葉を用いたが、ギリシャ語に起源をもつこの語は「交換すること」「コミュニティに入るのを許すこと」「敵から友人へと変えること」を意味するのだという。社会のいたるところで人と人が何かを交換したり、コミュニティに人が出たり入ったり、敵だった人が味方になっていったりする局所的でマイクロな動きが、結果として総体としての社会にかたちを与えることにな

るとハイエクは考えた。そして、ハイエクのそのアイデアの根底には、社会全体を俯瞰し全的に把握した上で、その動きを管理したり計画したりすることが人間にはできないという見方があった。

この見方は、ややもすると野放しに市場原理を肯定するかのように見えるが、むしろビジネスや仕事に謙虚さをもたらすものでもある。それは、根本のところで、わたしたちが無知で無力な存在でしかないことを指摘する。社会を理解する力においても、社会に働きかける能力においても、わたしたちには限界がある。どんな巨大ビジネスであっても最初のひとりの味方を見つけるところからしか始まらないし、それがどれほど大きく育ったとしても、社会のすべてを見通した上で、すべての人に働きかけることはできない。そして、どんなビジネスであれ、どこまで支持者や仲間を増やすことができるかは、社会という謎めいた何かが決める結果論でしかなく、人はその行く末を予測することはできても決定に関与することができない。

地球環境の改善や社会正義の実現なんて巨大プロジェクトを成し遂げたければなおさらだ。そんな無謀なことは到底自分ひとりでは成しえないと深く悟るなら、地道に賛同してくれる仲間を増やしていくことでしか、それが達成されないことは明らかだろう。本書が「仲間を増やすこと」の重要性をことさら説くのは、こうした前提があってのことだ。わたしたちはそこにきれいごとの人道主義ではなく、よほど地に足のついたプラグマティックなビジネス・仕事観を見るべきだろう。

さらにわたしたちはこのことを理解するにあたって、ものごとの順序を間違えないよう注意しなくてはならない。ビジネスや仕事を成功させるために仲間が必要だと言っているのではない。ここで重要なのは、見知らぬ仲間と出会おうとする欲求が、新しいビジネスやこれまでと違ったビジネスを生み出すということなのだ。その順番を間違えると「仕事」は、途端に「意義」や「やりがい」や「何のために働くのか」という不毛な問いの答えを求めて、再びさまよいだすこととなる。

プロジェクトという言葉は、日本語で「投企」と訳されるのだそうだ。哲学者のサルトルは、それを「未来に向かって自分を投げ出すこと」だと定義したという。それは、見知らぬ誰かを求めて、自分のなかにある何かを投げ出すという、ビジネスや仕事の本来の姿にきっと似ている。サルトルに倣っていうなら、わたしたちの仕事は、未来に向かって自分を投げ出すようなものであるのがきっと望ましい。ビジネスや仕事が、自分をそこに投げ出してもいい未来として思い描かれるとき、それは喜びや豊かさをもたらすものとして、社会と個々の人生の双方のなかに、再び勢いよく流れ込んでくることになるのかもしれない。

日本語版の制作について

『The B Corp Handbook』の日本語版である本書の制作にあたっては、特定の翻訳者を立てずゼミ形式で翻訳を行なったのち、ゼミから派生したコミュニティでの議論を盛り込むなど、開かれたプロセスを模索してきた。一カ所に権威を集める体制ではなく、B Corp が目指すマルチステークホルダーなシステムを体現することで、制作後にムーブメントが起きるように意図した。以下に、そのプロセスの一部を記録する。

B Corp ハンドブック翻訳ゼミ

まず2020年12月にバリューブックスと監訳者である若林恵が主宰する黒鳥社の共同主催による「あたらしい会社の学校」プロジェクトの企画として参加者を募った。50名以上の応募者のなかからジェンダーバランス、多様性などの観点を踏まえ、26名の参加者を選出した。業種は、製造業、製材業、小売、金融、メディア、PRなど、職種も経営者、職人、弁護士、営業職、研究者など、多様な分野から人びとが集まることとなった。さらに所属している会社の規模も大企業から中小企業までと幅広く、それぞれが異なる観点から B Corp を見ることができる環境づくりを心がけた。2021年1月から6月まで、毎月第3月曜の19時〜21時に計6回ゼミを行ない、事前に分担して翻訳したテキストをベースに、翻訳の表現や B Corp ムーブメントの海外での動向、日本での展開可能性について議論を行なった。ゼミメンバーには、本書の翻訳印税の一部がレベニューシェアされることとなる。

「School of B Corp」について

B Corp ハンドブック翻訳ゼミの運営には、オンラインツール「Discord」を利用してコミュニケーションを謀った。2021年6月にゼミが終了したのちも、一般に開放するかたちで、その運営は継続されている。コミュニティには、日本でB Corp認証を取得した企業や取得を目指す企業の担当者、弁護士、コンサルタントなどの専門家が2022年3月現在で100名程度参加している。日本における B Corp ムーブメントのなかでお互いを助け合うことを目指し、認証プロセスに関する共有やBインパクトアセスメントの定期勉強会を行なっている。本書の制作過程においても、そこで行なわれた議論の一部を註に盛り込んだ。詳細や参加方法は、schoolofbcorp.jp で知ることができる。

翻訳のプロセス

先述の通り、本書の翻訳文は B Corp ハンドブック翻訳ゼミで訳出されたテキストをベースに編集・監修を行なったものである。まずゼミで分担して翻訳されたテキストを原稿整理したのち、監訳者それぞれが翻訳の変更や全体の統一を行なった。また制作過程でも、ゼミメンバ

ーに対してレイアウトを共有し、表現についてチェックを求めた。また
一部の原著の表現に関しては、B Lab にも確認を行なった。そのほか、
会社法など専門的な知識が必要な箇所や、B Lab に関する記述につ
いては、各分野の有識者に協力を求め、フィードバックを依頼した。

印刷について
本書を電子書籍ではなく紙の書籍として出版することは環境に対して
負荷がかかることを認識した上で、紙の書籍として制作するという意
思決定を行なった。その背景には、以下の理由がある。本書が印刷物
として物理的な形態をとることで、いわば B Corp ムーブメントに参加
するための「会員証」のような機能をもたせ、コミュニケーションを促
進させたいこと。電子書籍のみの出版となった場合、デジタルデバイ
スの操作が難しい人びとに対してインクルーシブでないこと。日本の
「出版」というビジネスにおいても、B Corp の思想を実践してみること。
また、本書の印刷にあたっては、複数の印刷所にヒアリングを行なっ
た上で、取りうる選択肢のなかで可能な限り環境に配慮するよう心が
けた。最終的な仕様については、以下の通りである。

カバー：ダイヤバルキー FSC-MX
帯：S パールコート FSC-MX
見返し：S 金菱 FSC-MX
表紙：白丸αF
本文用紙：三菱嵩高書籍用紙 55A FSC-MX
製本：PUR 製本

以下の方々に感謝します
最新情報の提供だけでなく、さまざまなアドバイスをくれた B Lab の
アーヴィン・チャン・ゴメスさん、ススミタ・カマートさん。原稿確認
に加えて、プロジェクトの方向性にも助言をくれた B Lab Regional
Standards Advisory Group の今田克司さん、ダノンジャパンのデ
イブ・マテオさん。それぞれの専門分野で原稿を確認してくれた岡望
美さん、黒田真一さん、根本剛史さん、藤田祥子さん。ゼミの活動を
通じて B Corp と日本についてともに議論した篠田真貴子さん、真野
毅さん、中原裕彦さん、高塚清佳さん、山口省蔵さん、藤川まゆみさん、
マギー・サンさん、クリス・チェンさん。大川印刷、日経印刷、藤原
印刷でヒアリングにご協力くださったみなさま。そして、日本、世界で
B Corp ムーブメントに関わる先達たち。その他にも本書の制作にあ
たり多くの方々にご協力をいただきました。名前を挙げられなかった
すべての人にも感謝申し上げます。

鳥居希・矢代真也・若林恵

監訳者プロフィール

鳥居希（Nozomi Torii）
モルガン・スタンレー MUFG証券株式会社に15年
間勤務したのち、2015年から長野県上田市を拠点
として古本の買取販売を行なう株式会社バリューブ
ックスに参画。2年間古本による寄付「チャリボン」
を担当。現在は経営陣のひとりとして財務や広報
を行ない、会社の指針となる B Corp認証の取得に
向けて取り組む。

矢代真也（Shinya Yashiro）
株式会社コルク、『WIRED』日本版編集部を経て
2017年に独立。合同会社飛ぶ教室の創業に参画し、
マンガ編集・原作、書籍編集、リサーチ・ブランディ
ィングなどを手がける。19年にSYYS LLCを創業、
20年には京都にも拠点を構える。22年、家業であ
る株式会社矢代仁の取締役に就任。

若林恵（Kei Wakabayashi）
平凡社に入社し『月刊太陽』編集部に所属する。
2000年にフリー編集者として独立。以後、雑誌、
書籍、展覧会の図録などの編集を多数手がける。音
楽ジャーナリストとしても活動。12年に『WIRED』
日本版編集長就任、17年退任。18年、黒鳥社（blk-
swn publishers）設立。

B Lab™

すべての人とコミュニティ、そして地球のベネフィットのために、グローバル
エコノミーを変革する非営利のネットワーク。現状の資本主義がもつ課題を
解決するために、B Corp 認証、B インパクトアセスメントなど、さまざまな基
準やポリシー、ツール、プログラムを作成・運用する。

あらゆる企業が世界にとって一番であることを目指して競い合うことで、サ
ステナブルでインクルーシブな繁栄を享受できる社会の実現をビジョンとし
て掲げ、インパクトを計測する基準の推進、よりよいビジネスの認証と結束、
良い社会をつくるビジネスの促進、政策変更のきっかけづくり、コミュニティ
ネットワークの構築という5つの戦略を実践している。

また、国家、地域を問わないグローバルネットワークである「B Global Net-
work」を通じて、インクルーシブで公正かつ再生可能な経済をサポートする
B Corp ムーブメントを各地域でエンパワーしている。

https://www.bcorporation.net

B Corpハンドブック
よいビジネスの計測・実践・改善

2022年6月1日 第1版 第1刷 発行
2022年8月1日 第1版 第2刷 発行

| 著 | ライアン・ハニーマン |
| | ティファニー・ジャナ |

監訳　鳥居希・矢代真也・若林恵

翻訳　B Corpハンドブック翻訳ゼミ
伊藤宣子・井上重吾・岡田実・樗木健一・川崎圭子・佐藤彰洋・酒向萌実・篠田慶子・清水潤子・
田島忍・田丸悟郎・丹治拓未・浜野豊・林紗希・原口唯・古屋将太・堀澤里奈・眞々部貴之・
水谷佑佳・水野鴻介・水野祐・牟田口武志・村山佳奈女・山谷明日香・横田明子・渡邉さやか

助言　　　　篠健司（パタゴニア日本支社）
運営サポート　バリューブックス（相澤明菜・神谷周作・斉木美穂）

発行人　清水健介
発行　　バリューブックス・パブリッシング（株式会社バリューブックス）　
　　　　長野県上田市上田原680-17
　　　　publishing@value-books.jp

プロデュース　内沼晋太郎（バリューブックス）
制作　　　　　株式会社黒鳥社

編集　　　　矢代真也（SYYS LLC）・若林恵（黒鳥社）・鳥居希（バリューブックス）
編集協力　　川鍋明日香
AD・デザイン　藤田裕美
DTP　　　　勝矢国弘
校閲　　　　校正集団「ハムと斧」
印刷・製本　日経印刷株式会社